SUOMALAISIA KUVIA
FINLAND FINNLAND FINLAND
i bild   in Bildern   in Pictures

Matti A Pitkänen

Teksti Raimo O Kojo

SUOMALAISIA KUVIA

FINLAND
i bild

FINNLAND
in Bildern

FINLAND
in Pictures

Weilin+Göös

4. uudistettu painos
Svensk översättning: *Lars Hamberg*
Deutsche Übersetzung: *Michael Knaup*
English translation: *Aaron Bell*

Copyright© 1975 by Matti A. Pitkänen and Amer-yhtymä Oy Weilin + Göös

ISBN 951-35-1164-2

340 värikuvaa/polychrome — 115 mustavalkoista kuvaa/black and white pictures
Kuvaus ja kuvallinen suunnittelu/photography and photographic design Matti A. Pitkänen
Lay-out and typography: Pauli Hiltunen
Reproduktio/reproduction: Mondadori Color ja Litopiste Oy
Paperi/paper: Kaubelart 140 g/m²
Kirjain/type: 10 pt Optima
Painatus ja sidonta/printing and binding: Amer-yhtymä Oy Weilin + Göösin kirjapaino Espoo 1980

Suomi

Suomi on monessa mielessa erikoinen maa.

Maailmankartalla Suomi on kaukana pohjoisessa. Vain Neuvostoliitto, Norja, Kanada ja Alaska ulottavat alueensa pohjoisemmaksi kuin Suomi, mutta niiden valtiolliset keskusalueet ovat huomattavasti etelämpänä. Suomi kilpailee Islannin kanssa maailman pohjoisimman valtion arvonimestä.

Kun Helsingistä on matkaa päiväntasaajalle 6.600 kilometriä, on Lapin perukoilta pohjoisnavalle vain 2.200 kilometriä. Suomenlahden halkaisevan 60. leveyspiirin pohjoispuolella asuvista ihmisistä on joka kolmas suomalainen.

Euroopankartalla Suomi on suuri maa. Neuvostoliitto, Ranska, Espanja ja Ruotsi ovat suurempia; esimerkiksi Norja, Puola ja Italia ovat pienempiä.

Suomi on pitkä maa: matka Helsingistä Lapin takamaihin on yhtä pitkä kuin matka Moskovaan, Hampuriin, Varsovaan tai Berliiniin.

Maan pohjoisosissa ei aurinko laske taivaanrannan alapuolelle kesällä kahteen kuukauteen; talvella aurinko ei kahteen kuukauteen näyttäydy lainkaan.

Suomen etelärannikolla on kaistale keskieurooppalaista jalojen lehtipuiden ja lehtojen vehmautta, pohjoisosissa koivun kitulias maailma muuttuu monin paikoin jo tundramaiseksi paljaikoksi. Kokonaisuudessaan Suomi on maailman metsäisimpiä maita, pinta-alasta kaksi kolmannesta on metsää.

Suomessa on kymmeniä tuhansia järviä, jotka muodostavat maan eteläosaan maailmassa ainutlaatuisen vesien labyrintin. Satakilometrinen saaristo maan lounaisosassa on sekin laajuudessaan ainutlaatuinen.

Suomen pinta-ala lisääntyy maan kohoamisen takia vuodessa noin tuhannella hehtaarilla. Kolmentuhannen vuoden kuluttua Suomesta voi kävellä Merenkurkun poikki Ruotsiin.

Pohjoinen, metsäinen, vesistöjen rikkoma, pimeiden talvien hallitsema, idän ja lännen välisten ristiaallokkojen koettelema Suomi on kaikesta huolimatta perin elinvoimainen maa: kansainvälisessä elintason kovassa kilpailussa Suomi tavoittelee kymmenen kärkimaan ryhmää.

Suomi, ruotsiksi/englanniksi/saksaksi **Fin(n)land** tarkoitti alun perin vain Suomen lounaista osaa, nykyistä Varsinais-Suomea, jota kautta 1000-luvulta lähtien maahan saapuivat kristinusko, vallanpitäjät ja sivistyskin. **Finn** tai **finne** oli vanhoina aikoina germaanisten kansojen käyttämä yhteisnimitys saamelaisista ja suomalaisista. Paavin bullassa vuodelta 1209 Suomesta käytettiin nimitystä **Finlanda.** Jo 1240-luvulla venäläisissä kronikoissa esiintyy heimon nimenä **sum.**

Suomalais-ugrilaiseen kansanryhmään kuuluvien suomalaisten saapuessa maan eteläosiin Kristuksen syntymän aikoihin runsasriistaisessa metsien maassa vaelteli lappalaisia, ja todennäköisesti vain Ahvenanmaalla ja länsirannikolla asui silloisen pohjoisen rodun edustajia. Myöhemmin on rannikkoseuduille muuttanut aika ajoin runsaasti ruotsalaisia. Riitaisuuksien välissä suomalaiset viettivät rauhaisaakin elämää venäläisten kanssa ja niin lähinnä itäiset heimot saivat suoniinsa uutta verta sieltäkin päin.

Suomen asuttaminen sujui hitaasti ja 1500-luvulla kiinteä asutus ulottui vasta Kokemäenjoen, Näsijärven ja Päijänteen alueille. Myöhemmin pohjoisten osien asuttaminen eteni järjestelmällisesti niin hallitsijain käskyjen kuin verohelpotusten ansiosta. Saamelaiset pakenivat yhä pohjoisemmaksi; etelään jäi satoja Lappi-nimeen liittyviä paikkoja.

Suomi muovautui vähitellen Ruotsin vallan alaiseksi maaksi; virallisesti tämä tapahtui v. 1216 paavin julistaessa Suomen kuuluvaksi Upsalan arkkipiispan ja Ruotsin kuninkaan alaisuuteen. Jo 1230-luvulla Häme liitettiin väkipakolla muuhun Suomeen. Toisaalta näihin aikoihin maata valloitti Novgorod idästä käsin — oli alkamassa vuosisatoja kestävä kiista Suomen hallinnasta. Ensimmäinen virallinen raja piirrettiin Pähkinäsaaren rauhassa v. 1323 kulkemaan Karjalan kannakselta maan halki Pohjanlahdelle Oulun eteläpuolelle: Ruotsi sai suurimman osan asutusta Suomesta, Novgorod itäiset ja pohjoiset erämaat. Puoli vuosituhatta Suomesta taisteltiin, milloin kiihkeästi, milloin rajakahakoiden, kunnes Suomen sodassa 1808-09 se liitettiin kokonaan Venäjään. Maasta tuli sisäisesti itsenäinen suuriruhtinaskunta ja se sai ensimmäisen kerran omat, valtioille ominaiset yhteiskunnalliset laitokset: kansakunta alkoi tuntea omaa arvoaan. Venäjän vallankumouksessa v. 1917 Suomi monien dramaattisten vaiheiden jälkeen julistautui itsenäiseksi valtioksi, jonka Venäjä ensimmäisenä tunnusti — Itsenäisyyspäivää juhlitaan vakavin ilmein syksyn pimeydessä joulukuun kuudentena päivänä.

Suomen tasavalta on säilyttänyt itsenäisyytensä viimeisimmissä maailmanpaloissa vaikeuksista huolimatta.

Suomen pinta-ala on 337.000 km², josta sisävesiä 31.600 km². Suurin pituus mantereen eteläisimmästä kärjestä, Hangosta, Lapin päälaelle, Utsjoen kunnan Nuorgamin kylään, on 1.160 km, ja suurin leveys Vaasan-Kuopion korkeudella 540 km. Kapeimmilleen Suomi puristuu Oulun paikkeilla, missä matkaa Pohjanlahdelta Neuvostoliiton rajalle on vain 195 km. Merenrannikon suora pituus on 1.100 km, mutta rantaviivan summittainen mutkittelu huomioon ottaen peräti 4.600 km. Maarajaa on Ruotsin kanssa 536 km, Norjan kanssa 716 km ja Neuvostoliiton kanssa 1.269 km.

Suomen nykyinen asukasluku, n. 4.700.000, oikeuttaa maailman tilastoissa vasta 80. sijalle. Kun koko maapallon väentiheys on 25 henkeä neliökilometriä kohti, se on Suomessa vain 15 henkeä. Suurin osa maasta jää tästäkin tiheydestä huomattavasti, sillä puolet suomalaisista asuu kolmessa lounaisimmassa läänissä, Uudenmaan, Turun ja Porin sekä Hämeen lääneissä. Puolet suomalaisista asuu kaupungeissa ja kauppaloissa, ja jos maalaiskuntien keskukset lasketaan mukaan, asuu kansasta nykyisin taajamissa yli kaksi kolmannesta.

Tiheimmin asutuilla alueilla etelässä on hiljalleen eläviä, idyllisiä kirkonkyliä, kun taas Itä- ja Pohjois-Suomen kehitysalueilla on hämmästyttävän vilkkaita, täysin kaupunkimaisia taajamia. Vaikka Suomi on metsien maa ja eteläosistaan varsin peltoinen, saa maa- ja metsätaloudesta toimeentulonsa vain 20 % asukkaista. Teollisuus ja sitä sivuavat alat elättävät 35 % ja palveluelinkeinot 45 % väestöstä.

Suomi on virallisesti kaksikielinen maa. Suomenkielisiä on n. 93 % ja ruotsinkielisiä, lähinnä eteläisellä ja lounaisella rannikolla, Ahvenanmaalla ja Etelä-Pohjanmaan rannikolla, n. 7%. Evankelisluterilaiseen kirkkoon väestöstä kuuluu 92,1%, ortodoksiseen kirkkoon, erityisesti maan itäisimmissä osissa, 1,3%, kirkkoon kuulumattomia on lähes 6% lopun jakautuessa eri kirkkokuntiin.

Suomessa muovaavat maisemien yleiskuvaa tavanomaisten tekijöiden, pinnanmuotojen, kasvillisuuden ja ihmisen, lisäksi suuressa määrin vedet, mutta

vielä voimakkaampi tekijä on ilmasto, joka vuodenaikojen voimakkaalla vaihtelullaan piirtää maisemista neljä kertaa vuodessa erilaisia. Vuosittaisen vaihtelun ohella on suuria eroja pitkän maan eri osissa.

Kevät saapuu eli keskilämpötila kohoaa 0°C:n yläpuolelle Helsingissä huhtikuun alkupäivinä, Oulussa huhtikuun puolivälissä ja Utsjoella toukokuun alussa. Kesään päästään eli lämpötila nousee yli +10°C:n Helsingissä toukokuun puolivälissä, Oulussa toukokuun lopulla ja Utsjoella vasta kesäkuun lopulla. Syksy alkaa pohjoisesta eli lämpötila putoaa +10°C:n alle Utsjoella elokuun puolivälissä, Oulussa syyskuun puolivälissä ja Helsingissä syyskuun lopulla. Talveen eli pakkasasteisiin joudutaan Utsjoella lokakuun alkupuolella, Oulussa marraskuun alkupäivinä ja Helsingissä joulukuun alkupäivinä. Kesä kestää siis Helsingissä 130 vrk, Oulussa 100 vrk ja Utsjoella 60 vrk. Talven pituus taas on Utsjoella yli 200 vrk, Oulussa 165 vrk ja Helsingissä 120 vrk.

Mutta sääolot vaihtelevat vuosittain suuresti, joten keskiarvojen mukaan on esimerkiksi loman suunnittelu vaikeaa. Pohjoisosissa maata voi heinäkuun helle vaihtua öisin pakkaseksi; kesäinen lumisade tuntureilla ei ole kovin harvinainen.

Suomi on kuitenkin lämmin maa verrattuna moniin muihin yhtä pohjoisiin alueisiin. Amerikasta terveisiä tuova Golf-virta sekä yleiset lännen ja lounaan suunnalta saapuvat ilmavirtaukset nostavat Suomen vuosittaisen keskilämmön 7°C korkeammaksi ja tammikuun keskilämmön peräti 11°C korkeammaksi kuin keskimäärin näin pohjoisilla alueilla maapallolla kuten Alaskassa, Siperiassa tai Grönlannissa. Helsingin vuosittainen keskilämpötila on 5,4°C kun se on Kööpenhaminassa 7,8°C, Lontoossa 9,8°C, Pariisissa 10,3°C, Wienissä 9,2°C, Roomassa 15,4°C ja Ateenassa 17,4°C.

Lapin kesä on pitkään valoisa, mutta koska auringon säteet saapuvat pohjoiseen loivasti, ne eivät lämmitä maata. Vilja ei yleensä menesty pohjoisessa, mutta perunasta Lapissa saadaan usein parempi sato kuin etelässä. Valon vaikutus marjoihin on ilmeinen: suomuuraimen eli hillan eli lakan aromi on ainutlaatuinen. Valo ei ole vain Lapin erikoisuus, sillä jo Helsingissä on alkukesästä jopa lukemisen mahdollistavia öitä.

Pitkä ja pimeä talvi taas heijastuu omalla tavallaan elämän rytmiin. Suurin osa linnuista pakenee etelään, matelijat ja osa nisäkkäistäkin — tunnetuimpana karhu — vaipuvat lumen alle horrokseen; ihminen yrittää jatkaa tavanomaista elämäänsä, mutta luonto pakottaa poikkeuksellisiin toimiin. Asuntojen ja työpaikkojen on oltava lämpimiä, lämmitykseen ja valaistukseen on uhrattava tavallista enemmän, ruoankin on pakkasaikaan oltava voimallisempaa, pukeutumisessa ei pelkkä muoti määrää asuja, tuhansia kilometrejä maanteitä on aurattava lumisateiden jälkeen, merenkulussa on turvauduttava jäänsärkijöihin. Luonto määräilee ihmistä enemmän kuin tämä huomaakaan.

Suomi on yleiskuvaltaan — ellei järviä ole näkymää elävöittämässä — yksitoikkoinen maa verrattuna esimerkiksi Keski- ja Etelä-Euroopan vuoristoilla ylpeileviin maihin, mutta äärettömän vaihteleva rinnastettuna vaikkapa Alankomaihin. Suomen maisemat ovat melkein kaikkialla pienpiirteisiä, mutta korkokuvaltaan kuitenkin yleensä vaihtelevia, mielenkiintoisia. Yleiskuvassa on pehmeyttä, loivuutta, mikä johtuu kallioperän vanhuudesta; eivät edes yli kilometrin korkeat käsivarren suurtunturit ole terävän uhmaavia, alppimaisia.

Äkkiä silmäten epämääräisessä, vaihtelevassa maaston yleiskuvassa on lähes kaikkialla säännöllinen, luoteesta kaakkoon suuntautuva, muinaisista kallioperän halkeamista ja murtumista johtuva juovikkuus.

Viimeisten kymmenentuhannen vuoden aikana — lyhyt aika maapallon kokonaisiässä — on Suomea muuttanut kolme mahtitekijää. Jääkausi painoi maankamaraa, syvensi tilaa järville, muotoili maaperästä harjuja, kuljetti siirtolohkareita ja hioi hiidenkirnuja. Jääkauden jälkeen maa kohosi ja tämä muutti Järvi-Suomen suurimmat vedet virtaamaan etelään ja kaakkoon, Suomenlahteen ja Laatokkaan, kun ne aiemmin olivat vyöryneet länteen, Pohjanlahteen, kuten Kokemäenjoen vesistö vieläkin. Lopuksi tuli ihminen ja muokkasi — ja muokkaa yhä — maata mieleisekseen: voimalaitoksia jokiin, kuivatusojia soille, tekojärviä vesistöjen latvoille, peltoja metsämaahan, kiireisiä kulkuväyliä ennen asumattomille alueille. Ihmisen jälki näkyy Suomessakin jo selvästi, aina Lapin kaukaisimpia osia myöten.

Suomen mutkikkaan rantaviivan edustalla on laskettu olevan yli 20.000 saarta; parhaimmillaan saaririkkaus on Varsinais-Suomen ja Ahvenanmaan muodostamassa Saaristo-Suomessa.

Pohjanlahden perukka, Perämeri, on lähes saareton. Kapeimmassa kohdassa, Merenkurkussa, maan kohoaminen lähes metrillä sadassa vuodessa karikoittaa matalaa merta jatkuvasti. Etelämpänä, Selkämerellä, alkaa saaristo kattaa kapeana vyöhykkeenä Satakunnan ja Varsinais-Suomen rantoja kehkeytyäkseen sittemmin varsinaiseksi Turun saaristoksi. Koko Suomenlahden rannikon pituudelta on Neuvostoliiton rajalta lähtien aina Hankoniemeen asti 10—20 km leveä saarivyö, joka länteen kuljettaessa jatkuvasti vehmautuu.

Suomenlahden ja Pohjanlahden perukat, samoin kuin suurten jokien suualueet, ovat lähes suolattomia. Ahvenanmaalla on suolapitoisuus 6—8 promillea, kun se valtamerissä on 35 promillea. Itämeren selvin vuorovesi Suomenlahdella muuttaa korkeutta vain 20 cm, mutta myrskyt voivat nostaa eron yli 3 metrin.

Kymmenes osa Suomesta on järviä; yli 200 metrin läpimittaisia vesiä on laskelmien mukaan lähes 60.000. Järvi-Suomessa vesien osuus pinta-alasta kohoaa neljännekseen. Yli 200 km² laajuisia suurjärviä on 17, kun niitä muualla Euroopassa on yhteensä vain 29. Viisi Suomen suurinta järveä kattavat neljänneksen järvien kokonaispinta-alasta. Rantoja sisämaassa on arviolta yli 300.000 km.

Suurimmat järvet ovat kymmenselkäinen Iso Saimaa 4.400 km², Päijänne 1.090 km², Inarijärvi 1.000 km², Iso Kalla 900 km², Oulujärvi 900 km², Pielinen 850 km², Keitele 450 km², Puulavesi 400 km², Lokan tekojärvi 400 km², Kangasalan vedet 340 km² ja Kitkajärvet 295 km².

Kohoamisesta johtuvan merenrannan maiseman muuttumisen lisäksi myös sisävedet muovautuvat toisiksi luonnon itsensä ansiosta: matalat lahdet, jopa kokonaiset pikkujärvet kasvavat umpeen muodostaen ensin monen mielestä idyllisiä lummeaavikoita, joet ja purot syövät rantojaan puhkaisten aikojen kuluessa uusia uomia ja paikoin suurten järvien myrskyt murtavat rantapenkereitä uhaten jopa asutusta. Suomen kosket vaikuttavat kuin uusilta, sillä lyhyen ajan — kymmenentuhannenkaan vuoden — kuluessa ei vesi ole pystynyt hiomaan vahvaa peruskallion särmikkyyttä.

Järvet ovat siis Suomen tunnus, ainakin matkailumainonnassa. Mutta yhtä hyvin — ellei paremmin — tunnuksena voisivat olla suot, sillä Suomen pinta-alasta peräti kolmannes on rämettä, nevaa, korpea. Ihminen ei kuitenkaan tähän mennessä ole liiemmin mieltynyt yleensä vaikeakulkuiseen ja huonometsäiseen suomaahan muuta kuin raivataakseen sieltä peltoa. Nyt Suomi kuitenkin katsoo soille: energiakriisiä lievitetään ottamalla turvetta, teollisuuden raaka-ainepulaa poistetaan ojittamalla soita puun kasvun parantamiseksi ja niitä peitetään tekojärvien alle. Ehkäpä suo tulevaisuudessa otetaan matkailunkin käyttöön; harvinaisuutensa takia?

Uudellamaalla, Varsinais-Suomessa ja Ahvenanmaalla on aavistus keskieurooppalaisesta lämpimän ilman kasvillisesta vehmaudesta: jalot lehtipuut ja kasviharvinaisuuksia tulvivat lehdot valtaavat paikoin suomalaisen karun metsäluonnon. Suurin osa Suomesta kuuluu kuitenkin kuusen ja männyn havukkaaseen vyöhykkeeseen, jonka pohjoispuolella, Saamenmaassa, on kitukasvuisen tunturikoivun maailma. Ja aivan pohjoisessa maa muuttuu tundramaisen aavaksi puiden viihtyessä vain syvissä laaksoissa.

Yli 70 % Suomesta on metsän peitossa, ja metsä hallitsee maisemaa kaikkialla. Se peittää usein näköalapaikoiltakin katsoen pellot, asutuksen, teollisuuden, tiet, joet ja järvet — vain lentokoneesta voi nähdä Suomen koko kuvan. Metsän vuotuisen kasvun arvioidaan olevan 10 m³ asukasta kohti, mutta pohjoinen puu kasvaa hitaasti: puun kierto siementaimesta tukkipuuksi kestää 80—100 vuotta. Maailmanmarkkinoilla Suomi kilpailee maiden kanssa, joissa puun kasvu on kaksi, jopa kolme kertaa nopeampaa.

Koivikoita pidetään suomalaisen metsän tunnuskuvana, mutta yllättävän monessa tapauksessa ne ovat ihmisen aikanaan vastoin luonnon omia lakeja synnyttämiä; kaskenpoltto muovasi vielä viime vuosisadalla suuresti maisemakuvaa. Ilman ihmistä kuusi valtaisi koivikot, ja se uhkaisi myös männiköitä — teollisuus muokkaa tätä nykyä metsiä tarpeensa mukaiseksi hakkuiden ja istutusten avulla.

Kaikkiaan Suomessa on pari tuhatta kasvilajia, joista puolet on ihmisen tahallaan tai tahattomasti tänne kuljettamia. Monet harvinaiset kasvilajit on tyystin rauhoitettu.

Peltoja Suomessa on suunnilleen yhtä paljon kuin järviä eli kymmenes osa maasta on ihmisen täydellisesti raivaamaa. Viljelty maa on keskittynyt Uudellemaalle, Varsinais-Suomeen, Lounais-Hämeeseen sekä Pohjanmaalle, joiden savikot ovat jo kauan turvanneet Suomen omavaraisuuden monien maanviljelystuotteiden osalta. Kaksi kolmannesta tiloista on 2—10 hehtaarin suuruisia, yli 25 hehtaarin tiloja on 3 % ja yli 50 hehtaarin suurtiloja vain 0,5 % . Eteläisimmässä osassa maata peltojen määrä on kääntynyt laskuun taajamien laajetessa: teollisuus, asutus ja tiestö tarvitsevat myös peltoja. Muualla Suomessa peltojen määrä on entisellään tai kasvaa hitaasti.

Ihmisen luontoon aiheuttamat voimakkaat muutokset ovat heijastuneet myös eläinkantaan. Suurpedot on hävitetty melkein sukupuuttoon, mutta viime hetkellä herännyt vahva luonnon suojelemisen henki pystynee pitämään karhun, suden, ahman ja ilveksen hengissä. Onpa yllättäen havaittu erittäin aran, aivan itärajan tuntumassa Kuhmossa elävän peuran kotiutuneen pysyvästi Suomeen. Joka tapauksessa erämaiden laajuudesta ja rauhasta kertoo se, että koillisella raja-alueella on Euroopan monipuolisin villieläinkanta; kannan monipuolisuus ja vahvuus selittyy osin sillä, että eläimillä on rauha myös Neuvostoliiton rajan toisella puolella.

Osa eläimistä on sopeutunut ihmisen elämään: esimerkiksi metsien suurin eläin, hirvi, on Etelä-Suomessakin perin yleinen, eikä sen ilmestyminen taajamien keskuksiin ole harvinaista.

Suomen sijainti eri vyöhykkeiden ristiaallokossa ilmenee myös eläinkunnassa, sillä täällä tavataan sekä läntisten, eteläisten, pohjoisten että itäisten lajien äärimmäisiä edustajia. Nisäkkäitä on kaikkiaan 67 lajia, lintuja 340 lajia ja kaloja 77 lajia, joista 36 sisävesissä.

Suomi on kehittyvä matkailumaa, nimenomaan luontonsa takia antoisa vierailun kohde. Suomesta ei koskaan voi muodostua massaturismin kaikki hävittävää temmellyskenttää, sillä aurinkolomien kauppaaminen on sään oikuttelun takia mahdotonta; on kesiä, jolloin aurinkoisten päivien määrä voi jäädä kaiken kaikkiaan kymmeneen. Toinen este lähinnä automatkailun laajenemiseen ovat meret; toistaiseksi on Neuvostoliiton kautta tapahtuva matkailu hyvin vähäistä ja Keski-Euroopasta ja

Ruotsista liikennöivien autolauttojen kapasiteetti ei vilkkaimpana aikana riitä kuljettamaan kaikkia halukkaita Suomeen.

Helsingistä on autolauttayhteys Neuvostoliittoon, Puolaan, Ruotsiin, Tanskaan ja Länsi-Saksaan, Turusta ja Naantalista Ruotsiin samoin kuin pohjoisempana Vaasasta ja Pietarsaaresta. Helsinki on kohoamassa idän ja lännen välisen lentoliikenteen tärkeäksi solmukohdaksi, ja lisäksi Helsingistä on suorat yhteydet kymmeniin Euroopan kaupunkeihin sekä New Yorkiin. Helsingistä on myös suora junayhteys Leningradiin ja Moskovaan.

Sisäisen liikenteen verkko on erittäin tiheä. Nopeat, harvoin pysähtyvät linja-autojen pikavuorot kiitävät hetkessä kaupungista toiseen ja vakiovuorot yhdistävät syrjäisimmätkin kylät linja-autoverkkoon, joka on suhteellisesti laskien Euroopan tihein. Rautatieliikenteen kehityksestä kertovat Helsingin ja tärkeimpien maaseutukaupunkien välillä liikennöivät modernit erikoispikajunat, rautateiden sähköistäminen ja alati nopeutuvat aikataulut; Helsingin ja Rovaniemen välillä on vuorokaudessa viisi junaparia, joista osa kuljettaa myös henkilöautoja ja matkailuperävaunuja. Helsinki keskuksenaan liikennöi suomalainen lentoyhtiö Finnair parillekymmenelle paikkakunnalle aina pohjoisinta Lappia myöten; myös tämä verkko on maanosan tiheimpiä. Järvi-Suomen erikoisuutena ovat vilkkaimpana kesäsesonkina laivareitit, joita on eniten Saimaalla, mutta myös mm. Tampereen vesialueella, Päijänteellä ja Pielisellä. Monista rannikon kaupungeista pääsee meriristeilylle.

Suorastaan räjähdysmäinen matkailun kasvu on nostattanut erilaisia ja eritasoisia majoituspaikkoja maan eri puolille. Lähes 350 hotellista, joissa on vuodepaikkoja yli 30.000, suurin osa sijaitsee taajamissa talvikäytön takia, mutta kymmenet kohteet on sijoitettu vierailijaa kiehtovan luonnon keskelle. Motelleja on teiden varsilla satakunta ja matkustajakotien ja vastaavien vaatimattomien yöpymispaikkojen määrä lähentelee neljää sataa. Huokeimmista majapaikoista, sadasta retkeilymajasta, suurin osa on avoinna vain kesällä. Sadasta täysihoitolasta enin osa houkuttaa leppoisan maalaisloman pariin maan lounaisosissa ja Ahvenanmaalla. Myös tavallisia maalaistaloja, joissa lomailijat voivat asua muun perheen parissa, on satakunta. Viimeisen vuosikymmenen aikana on Suomeen syntynyt parisataa lomakylää, joiden

suosio on erittäin suuri; parhaisiin lomakyliin liittyy ravintola ja usein myös muita palveluja. Yhtä suuren suosion ovat saavuttaneet täysin erillään sijaitsevat, omatoimisuutta, mm. ruoanlaittoa vaativat lomamajat, usein suomalaisten huvilat, joita tarjotaan lomailijoille vuosittain tuhansia; lomamajan mukavuuksia ovat mm. vene, sauna ja kalastusmahdollisuus. Erikoisimpia yöpymispaikkoja ovat autiomajat, joita on Lapin erämaissa parisataa, ja joissa saa viipyä kerrallaan vain yhden yön.

Leirintä on ylivoimaisesti suurin kesämatkailumuoto; kolmellasadalla leirintäalueella kertyy yöpymisvuorokausia keskikesän aikana yli kaksi miljoonaa. Alueet ovat täysin kansainvälisellä tasolla, ja tarjoavat lisäksi säiden vaihtuvuuden takia leirintämajoja ja muuta sisämajoitustilaa, sekä suomalaiseen tapaan tietysti saunan nautinnon. Huomattava osa alueista sijaitsee maaseudulla vetten partaalla, joten ne sopivat myös pitkäaikaiseen lomanviettoon.

Helpoin ja varmin tapa viettää loma ja varmistua loman annista on ostaa matkapaketti; kymmenien erilaisten valmismatkojen teemoina on mm. arkkitehtuuri, historia, järvet, Lappi erikoisuuksineen, kalastus, liikunta, kullanhuuhdonta jne. Mutta myös omatoiminen matkailija löytää helposti parhaat nähtävyydet, osuu mielenkiintoisimpiin juhliin, tavoittaa kulttuurin — ja kokee kaikkialla luonnon läheisyyden. Suomessa on kymmeniä viitoitettuja ulkoilureittejä, suurin osa Pohjois-Suomessa, mutta jo Pirkanmaalla voi lähteä satakilometrisille vaelluspoluille. Suomalaisiin lomaharrastuksiin kuuluu olennaisesti kalastus; metsästysmahdollisuuksiakin on paikoin järjestetty matkailumielessä.

Suomen kesä on tapahtumia tulvillaan. Kymmenkunta merkittävintä kulttuuritilaisuutta muodostavat Finland Festivals -ketjun, joka tarjoaa ohjelmaa keväästä syksyyn: kesäkuun alussa Kuopio tanssii ja soi viikon verran, kesäkuun puolivälissä pohditaan Vaasan Kesässä yhteiskunnan ongelmia, kesä-heinäkuun vaihteessa vietettävä kymmenpäiväinen Jyväskylän Kesä tarjoaa kulttuuria ja kongresseja, heinäkuun alkupuolella soi Pori Jazz Festival, puolivälissä heinäkuuta kerää kansaa mahtavat määrät Folk Musik Festival Kaustinen, heinäkuun lopulla vietetään Savonlinnan Oopperajuhlia, elokuun alkupuolella ovat vuorossa Turun Musiikkijuhlat, elokuun puolivälissä katsotaan Tampereen Teatterikesää, elokuun lopun ja syyskuun alkupuolen kestävät Helsingin Juhlaviikot päättävät suurtilaisuuksien sarjan. Sadoista juhlista voi mainita kalaan liittyvät kansanjuhlat, pitäjien elämää esittelevät tilaisuudet, kirkolliset erikoistapahtumat praasniekkajuhlineen, urheilukilpailut, kansanmusiikkijuhlat, teollisuus- ja maatalousnäyttelyt, purjehduskisat merellä ja järvillä, tukkilaiskisat, soutukilpailut myös turisteille, kesäiset luontoon sijoitetut taidenäyttelyt ja suomalaisten suosimat kesäteatteriesitykset. Suomea on sanottu Euroopan viimeiseksi laajaksi viheralueeksi, ja kieltämättä luonto on Suomen suurin rikkaus, niin aineellisesti kuin henkisesti.

Suomesta on kaksi kolmannesta metsää, mutta teollisuus tuskailee puupulassa; Suomesta on kolmannes suota, mutta jo nyt asiantuntijat varoittelevat tietyntyyppisen turpeen loppumisesta; Suomella on ainutlaatuinen järvialueensa, mutta järvien mataluudesta johtuen vähän ja helposti pilaantuvaa vettä. Moneen muuhun maahan verrattuna Suomi on kuitenkin enemmän luonnon kuin ihmisen maa. Pohjoinen luonto on herkkä haavoittumaan ja hidas uusiutumaan, joskus vähäinenkin matkailuliikenne uhkaa luonnon arvoja. Suomi on kiinnittänyt huomiota luonnon suojelemiseen;

kymmenkunta myös matkailijoille tarkoitettua kansallispuistoa ja sama määrä tieteelliseen tutkimustyöhön perustettua luonnonpuistoa säilyttävät luonnon koskemattomana. Lemmenjoen 1.720 neliökilometrin laajuinen kansallispuisto Lapissa on Euroopan suurimpia luonnonsuojelualueita. Matkailun hoitajat ovat hiljattain tajunneet oman vastuunsa: sekä kotimaisia että ulkomaisia turisteja varten on painettu kirjaset, joissa opetetaan säilyttämään suomalainen luonto paitsi kansallisena myös kansainvälisenä yhteisenä henkisenä omaisuutena.

Tämän teoksen kuvat kertovat pääasiassa kauniista kesä-Suomesta, auringosta ja hymyilevästä luonnosta, nähtävyyksien parhaimmistosta. Suomen kesä on lyhyt, silloin on luonnosta ja luonnonnähtävyyksistä nautittava, ihmisen kerättävä voimaa pitkää talvea varten; kuvaajan aihe- ja aikarajauksilla on tässä mielessä oikeutuksensa. Kun talvi valtaa maan, lopettaa suven tapahtumat, sulkee nähtävyydet ja lomapaikat, jäädyttää järvet veneen kulkemattomiksi ja peittää luonnon lumeen, on aika paneutua ihmiseen ja ihmisen saavutuksiin — Suomi on mielenkiintoinen maa myös syksyllä ja talvella.

Finland

Finland är i många avseenden ett särpräglat land.

På världskartan ligger Finland långt i norr. Endast Sovjetunionen, Norge, Kanada och Alaska har landamären som ligger nordligare än Finlands, men dessa nationers centrala delar ligger betydligt mera söderut. Finland tävlar med Island om hederstiteln världens nordligaste stat.

Medan avståndet från Helsingfors till ekvatorn är 6.600 kilometer är det från nordligaste Lappland till Nordpolen endast 2.200 kilometer. Av människorna som bor norr om den 60. breddgraden, som går mitt längs Finska Viken, är var tredje finne.

På europakartan är Finland ett stort rike. Sovjet, Frankrike, Spanien och Sverige är större; till exempel Norge, Polen och Italien är mindre.

Finland är ett långsträckt land, avståndet från Helsingfors till de lapska utmarkerna är större än avståndet till Moskva, Hamburg, Warszawa eller Berlin.

I landets nordliga delar går solen inte ned bakom horisonten under två sommarmånader; vintertid visar sig solen inte alls under två månader.

Vid Finlands sydkust ligger en strimma av mellaneuropeisk frodighet med ädla lövträd och lundar, i de norra delarna av landet övergår björkens tvinande värld mångenstädes i ett tundralikt kalfjäll. I sin helhet hör Finland till världens skogrikaste länder, av arealen är två tredjedelar skogtäckt.

Finland har tiotusende sjöar som i landets sydliga delar bildar en i världen enastående vattenlabyrint. Den tiomilavida skärgården i landets sydvästra del är också den till sitt omfång unik.

Finlands areal ökar genom landhöjningen årligen med tusen hektar. Om tretusen år kan man från Finland spatsera över Kvarken till Sverige.

Det nordliga, skogsrika, av vattendrag söndrade, av mörka vintrar behärskade och av brottsjöarna mellan öster och väster prövade Finland är trots allt en väldigt livskraftig nation. I den hårda internationella kampen om levnadsstandard är målet för Finland till de tio ledande nationernas skara.

Suomi, på svenska **Finland** syftade ursprungligen endast på landets sydvästra del, det nuvarande egentliga Finland, genom vilket kristendomen, de makthavande och bildningen kom till landet med början under 1000-talet. **Finn** eller **finne** var under äldre tider en av de germanska folken använd sambenämning på samer och finländare. I påvens bulla av år 1209 användes som namn på landet **Finlanda.** Redan på 1240-talet uppträder i ryska krönikor ordet **sum** som ett namn på stammen.

Då de till den finsk-ugriska folkgruppen hörande finnarna anlände till landets södra delar vid tiden för Kristi födelse strövade lappar omkring i det villebrådsrika skoglandet. Sannolikt var det endast på Åland och på västkusten som det bodde representanter för den dåtida nordliga folkrasen. Senare har tidvis en riklig skara svenskar flyttat till kustområdena. Mellan tvistigheterna förde finnarna också ett rofyllt liv tillsammans med ryssarna och sålunda fick speciellt de östliga stammarna nytt blod i sina ådror också från det hållet.

Befolkandet av Finland framskred långsamt och på 1500-talet sträckte sig den bofasta befolkningen endast till Kumo älv, till områdena kring Näsijärvi och Päijänne. Senare framskred befolkandet av de nordliga områdena systematiskt både genom makthavarnas påbud och tack vare skattelindringar. Samerna flydde allt längre norröver; i söder kvarlämnades hundratals ortnamn med Lappi-inslag.

Finland formades småningom till ett land underlydande Sverige; officiellt skedde detta år 1216 då påven proklamerade Finland som tillhörigt ärkebiskopens i Uppsala och Sveriges konungs Subordination. Redan på 1230-talet fogades Tavastland med våld till det övriga Finland. Å andra sidan erövrade Novgorod vid denna tid land från östsidan — tvisten om herraväldet över Finland, som pågick flera århundraden, började. Den första officiella gränsen ritades vid freden i Nöteborg år 1323 så, att den löpte från Karelska Näset genom landet till Bottenviken söder om Uleåborg: Sverige fick största delen av det bebodda Finland, Novgorod de östliga och nordliga ödemarkerna. Man stred ett halvt årtusende om Finland, stundom hetlevrat, stundom i form av gränsskärmytslingar, tills Finland efter Finska Kriget 1808-09 helt anslöts till Ryssland. Landet blev ett storhertigdöme med inre självständighet och det fick nu för första gången sina egna, för en stat kännetecknande samhälleliga inrättningar: nationen började känna sitt eget värde. I samband med den ryska revolutionen år 1917 proklamerades Finland efter många dramatiska skeden till en självständig stat, som Ryssland som den första erkände. Självständighetsdagen firas med allvarlig uppsyn i höstens mörker den sjätte december.

Republiken Finland har bevarat sin självständighet trots många svårigheter under de senaste världsbränderna.

Finlands areal är 337.000 km², av vilket 31.600 km² utgörs av insjövatten. Landets största längd från fastlandets sydligaste spets, Hangö, till utkanten av Lappland, Nuorgam by i Utsjoki kommun, är 1160 km och den största bredden på höjd med Vasa-Kuopio är 540 km. Smalast hopträngt blir Finland i Uleåborgs-trakten där avståndet från Bottenviken till Sovjetunionens gräns är endast 195 km. Havskustens raka längd är 1.100 km men tar man i beaktande strandlinjens summariskt slingrande gång blir längden hela 4.600 km. Landgränsen mot Sverige är 536 km, mot Norge 716 km och mot Sovjetunionen 1.269 km.

Finlands nuvarande folkmängd ca 4.700.000 berättigar till endast 80. plats i världsstatistiken. Medan folktätheten på hela jordytan är 25 personer per kvadratkilometer är den i Finland endast 15 personer. En stor del av landet ligger betydligt under denna täthet, ty hälften av finländarna bor i de tre sydvästligaste länen, Nylands, Åbo och Björneborgs samt Tavastehus län. Hälften av finländarna bor i städer och köpingar och om man tar med också landskommunernas centra bor mer än tvåtredjedelar av befolkningen nu i tätorter.

På de tätast befolkade områdena i söder finns i stillhet levande, idylliska kyrkbyar, medan man åter på utvecklingsområdet i östra och norra Finland träffar på förvånansvärt livliga, helt stadslika tätorter. Fastän Finland är skogarnas land och till sina södra delar rikt på åkrar, får endast 20% av invånarna sin utkomst av lant- och skogsbruk. Industrin och angränsande branscher försörjer 35% och servicenäringarna 45% av befolkningen.

Finland är officiellt ett tvåspråkigt land. Finskspråkiga är ca 93% och svenskspråkiga, främst längs kusterna i söder och sydväst samt på Åland och vid Syd-Österbottens kust, ca 7%. Till den evangelisk-lutherska kyrkan hör 92,1% av befolkningen och till den ortodoxa, närmast i landets östligaste delar, 1,3%. Icke till kyrkan hörande är närmare 6%, resten fördelas på olika kyrkosamfund.

Landskapets helhetsbild präglas i Finland utom av de sedvanliga faktorerna, ytbildningarna, växtligheten och människan också i stor utsträckning av vattnen, men en ännu kraftigare faktor är klimatet, som med årstidernas kraftiga variationer fyra gånger årligen tecknar landskapet med olika drag. Vid sidan om den årliga variationen förekommer stora skillnader i olika delar av det långsträckta landet.

Våren kommer då medeltemperaturen stiger över 0°C och det sker i Helsingfors i början av april, i Uleåborg i mitten av april och i Utsjoki i början av maj. Sommar blir det då temperaturen stiger över 10°C, i Helsingfors i mitten av maj, i Uleåborg i slutet av maj och i Utsjoki först i slutet av juni. Hösten börjar uppe i norr och temperaturen faller under 10°C, i Utsjoki i mitten av augusti, i Uleåborg i mitten av september och i Helsingfors i slutet av september. Vintern, med köldgrader råkar man in i, i Utsjoki i början av oktober, i Uleåborg i början av november och i Helsingfors i början av december. Sommaren varar alltså i Helsingfors 130 dygn, i Uleåborg 100 dygn och i Utsjoki 60 dygn. Vinterns längd är återigen i Utsjoki mer än 200 dygn, i Uleåborg 165 dygn och i Helsingfors 120 dygn.

Men väderleksförhållandena växlar årligen mycket, så att det t.ex. är svårt att på bas av dessa medelvärden planera sin semester. I de nordliga delarna av landet kan julihettan om natten förbytas i frost; snöfall på fjällen sommartid är inte alldeles ovanliga.

Finland är dock ett varmt land i jämförelse med många andra lika nordliga områden. Golfströmmen som hämtar hälsningar från Amerika, samt de vanliga västliga och sydvästliga luftströmmarna, höjer Finlands årliga medeltemperatur 7°C och gör januaritemperaturen i medeltal hela 11°C högre än den i medeltal är på så här nordliga områden av jordklotet såsom i Alaska, i Sibirien eller på Grönland. Den årliga medeltemperaturen i Helsingfors är 5,4°C då den i Köpenhamn är 7,8°C, i Paris 10,3°C, i Wien 9,2°C, i Rom 15,4°C och i Aten 17,4°C.

Sommaren i Lappland är länge ljus, men emedan solstrålarna faller in långsluttande här i norr, värmer de inte upp jorden.

Säden trivs överhuvud inte i norr, men av potatis får man i Lappland ofta en bättre skörd än i söder. Ljusets inverkan på bären är tydlig: hjortronets arom är unik. Ljuset är inte bara en specialitet för Lappland, ty redan i Helsingfors förekommer det i början av sommaren nätter under vilka det är möjligt att läsa utan belysning.

Den långa och mörka vintern avspeglar sig på sitt eget sätt på livsrytmen. Största delen av fåglarna flyr då söderut, kräldjuren och en del av däggdjuren — bland de bäst kända björnen — faller i dvala i ett snötäckt ide; människan försöker fortsätta sitt sedvanliga leverne, men naturen tvingar till exceptionella åtgärder. Bostäderna och arbetsplatserna måste hållas varma, på uppvärmningen och belysningen måste man offra mer än normalt, också födan måste under köldtiden vara kraftigare, tusentals kilometer landsväg måste plogas efter snöfallen, inom sjöfarten måste man förlita sig på isbrytare. Naturen bestämmer över människan mer än denne märker det.

Det allmänna intrycket av Finland är — om inte sjöar livar upp bilden — att det är ett enformigt land i jämförelse t.ex. med Mellan- och Syd-Europas med bergstrakter ståtande länder, men oändligt växlande om man jämför det med låt oss säga Nederländerna. De finska landskapen är nästan överallt smådetaljerade, men reliefmässigt ändå i allmänhet omväxlande, intressanta. I det allmänna intrycket finns mjukhet, långsluttande mark, vilket beror på berggrundens ålder; inte ens de mer än en kilometer höga fjällen i Finlands vänstra arm är spetsigt hotande, alplika.

Vid en snabb blick får man intrycket att det i den obestämda, växlande terrängen nästan överallt finns en regelbunden, från nordväst mot sydost riktad, av sprickor och söndringar i den forna berggrunden beroende fårighet.

Under de senaste tiotusen åren — en kort tid med hänsyn till jordklotets ålder — har tre maktfaktorer ändrat på Finland. Istiden tryckte på jordytan, fördjupade sjöbottnen, formade jorden till åsar, transporterade flyttblock och slipade jättegrytor. Efter istiden steg jordytan och detta ändrade de största vattnen i Sjöfinland, så att de flöt söderut och åt sydost, mot Finska Viken och Ladoga, medan de tidigare hade tumlat mot väster, mot Bottenhavet, så som Kumo älvs vattendrag alltjämt gör. Till slut anlände människan och röjde — och röjer alltjämt — jorden efter sitt behag: kraftverk i älvarna, åkrar i skogsområden, snabba trafikleder genom tidigare obebodda områden. Spåren av människan ses också i Finland tydligt nog, ända ut i de avlägsnaste delarna av Lappland.

Utanför den krokiga strandlinjen i Finland finns, har man räknat ut, mer än 20.000 öar; rikligast förekommer sådana i Skärgårds-Finland, alltså i egentliga Finland och på Åland.

Yttersta ändan av Bottniska Viken, Bottenviken, är nästan utan öar. På dess smalaste område, vid Kvarken, ger landhöjningen som är nära en meter på hundra år, oavbrutet havet nya grund. Längre söderut, på Bottenhavet börjar skärgården som en smal remsa täcka stränderna i Satakunta och egentliga Finland för att sedan utvecklas till den egentliga Åbo skärgård. Längs hela Finska Vikens kust har man från Sovjets gräns ända till Hangö udd ett 10—20 km brett skärgårdsbälte, som blir frodigare ju längre västerut man kommer.

De innersta delarna av Finska Viken och Bottenviken är, liksom mynningsområdena kring de stora älvarna, nästan saltfria. Kring Åland är salthalten 6—8 promille medan den i oceanerna är 35 promille. Det tydligaste tidvattnet vid Finska Viken höjer vattennivån endast 20 cm, men stormarna kan åstadkomma nivåskillnader på över 3 meter.

En tiondedel av Finland är sjöar, vattendrag med en diameter på mer än 200 meter finns det enligt beräkning 60.000. I Sjö-Finland ökar vattnens andel av ytan till en fjärdedel. Vi har 17 storsjöar med omfång på över 200 km² och annorstädes i Europa har man endast 29 sådana. Fem av Finlands största sjöar täcker en fjärdedel av alla finländska sjöars totalyta. Strandlinjerna i inlandet beräknas omfatta mer än 300.000 km.

De största sjöarna är den tiofjärdade Stor-Saimen med 4.400 km², Päijänne 1.090 km², Enare sjö 1.000 km², Iso Kalla 900 km², Ule träsk 900 km², Pielinen 850 km², Keitele 450 km², Puulavesi 400 km², den konstgjorda sjön vid Lokka 400 km², Kangasalavattnen 340 km² och Kitkajärvi 295 km².

Utom det, att landskapen vid havsstränderna förändrar sig genom landhöjningen, omdanas också innanvattnen på grund av naturen: grunda vikar, rentav hela småsjöar växer igen sedan de först bildat enligt mångas mening idylliska näckrosöknar, älvarna och bäckarna äter upp sina stränder och spräcker småningom nya fåror. Ställvis nedbryter stormarna på de stora sjöarna strandvallarna och hotar rentav bebyggelsen. Finlands forsar är som nya, ty under den korta tiden — tiotusen år — har vattnet inte lyckats slipa bort det kraftiga urbergets kantigheter.

Sjöarna är alltså kännspaka för Finland, i varje fall i turistreklamen. Men lika väl — kanske bättre —

kunde kärren stå som kännetecken, ty av Finlands yta är rentav en tredjedel myrmark, flackmosse, sumpskog. Människan har inte, i varje fall ännu, blivit så särdeles intresserad av den i allmänhet svårforcerade och skräpskogiga sumpmarken, annat än då det gällt att rödja åker här. Numera ser man annorlädes på kärren i Finland: energikrisen lindras genom att nyttja torven, industrins råvarubrist upphävs genom att dika kärren för att förbättra trädens växt och kärren läggs under de konstgjorda sjöarna. Måhända tar man i framtiden kärren också i turistbruk, på grund av att de blir mera sällsynta?

I Nyland, egentliga Finland och på Åland ser man något av det mellaneuropeiska varma klimatets botaniska frodighet: lundar som är rika på ädla lövträd och botaniska rariteter erövrar ställvis den karga finska skogsnaturen. Största delen av Finland hör dock till granens och tallens barrskogsbälte, och norr om detta, i Sameland, har vi den tvinvuxna björkens värld. Och längst uppe i norr blir landet tundralikt öppet, emedan träden här endast trivs i de djupa dalarna.

Mer än 70% av Finland täcks av skog och skogen behärskar landskapet överallt. Den skymmer ofta också vid utsiktspunkterna bort både åkrar, bosättning, industri, vägar, älvar och sjöar — endast från flygplan kan man få en helhetsbild av Finland. Man beräknar att skogens årliga tillväxt är 10 m³ per invånare, men trädet i norr växer långsamt: trädets peridiocitet från fröplanta till stockträd är 80—100 år. På världsmarknaderna tävlar Finland med länder i vilka trädets växt är två, rentav tre gånger snabbare.

Det anses att björkdungarna är typiska för finsk skog, men i förvånansvärt många fall har de åstadkommits av människan, på sin tid, tvärtemot naturens egna lagar; svedjebrännandet förändrade ännu senaste århundrade landskapsbilden i hög grad. Utan människan skulle granen tränga ut björken och rentav hota tallstammen. Industrin omdanar i detta nu skogarna efter sitt behov, genom hyggen och planteringar. Allt i allt finns det i Finland ett par tusen växtarter, av vilka hälften är införda hit av människan, med avsikt eller utan. Många sällsynta växtarter är helt och hållet fredade.

Det finns ungefär lika mycket åkerjord i Finland som det finns sjöar, alltså är en tiondedel av landet uppröjt av människan.

Den odlade jorden är koncentrerad till Nyland, egentliga Finland, sydvästra Tavastland samt Österbotten, vars lerjordar redan länge har tryggat Finlands självförsörjning ifråga om många lantbruksprodukter. Två tredjedelar av egendomarna är på 2—10 hektar, 3 % är större än 25 hektar och storegendomarna på över 50 hektar utgör endast 0,5 % . I de sydligaste delarna av landet har åkerantalet börjat gå ned då tätorterna vidgas: industrin, bosättningen och vägnätet behöver också åkerjord. På annat håll i Finland är åkrarnas antal stationärt eller ökas långsamt.

De kraftiga förändringar som människan åstadkommit i naturen har avspeglats också i djurbeståndet. De stora vilddjuren har nästan helt utrotats, men i sista stund har man vaknat upp för att skydda naturen, en ny anda som måhända förmår hålla björnen, vargen, järven och lon vid liv. Överraskande nog har man observerat, att en mycket ömtålig renart som finns i Kuhmo alldeles vid östgränsen, har blivit bofast i Finland. I varje fall berättar det om ödemarkernas omfång och ro, att vi i det nordöstra gränsområdet har Europas mångsidigaste vilddjursstam; dess mångsidighet och omfång förklaras till en del därav, att djuren får leva i ro också på andra sidan om Sovjets gräns.

En del av djuren har anpassat sig till människans leverne: till exempel skogarnas största djur, älgen, är mycket vanlig också i södra Finland, och det är inte sällsynt att den dyker upp i tätorternas centrala delar. Finlands position i brottsjön mellan olika zoner visar sig också i djurvärlden, ty man påträffar här de mest utpräglade representanter för lika väl västliga som sydliga, nordliga och östliga arter. Det finns sammanlagt 67 däggdjursarter, 340 fågelarter och 77 fiskarter, av vilka 36 i insjöarna.

Finland är som turistland i utveckling, ett speciellt för naturens skull givande mål för en visit. Finland kan aldrig bli en massturismens allt förstörande tummelplats, ty det är på grund av vädrets nyckfullhet omöjligt att sälja solsemestrar; det finns somrar där antalet soliga dagar allt i allt stannar vid tio. Ett annat hinder, närmast för en utvidgning av bilturismen, är haven; än så länge är turismen via Sovjet mycket ringa och kapaciteten på de bilfärjor som trafikerar från Mellaneuropa och Sverige räcker under den livligare tiden inte till för att transportera alla som önskar det, till Finland.

Från Helsingfors har man bilfärjeförbindelser till Sovjet, Polen, Sverige, Danmark och Väst-Tyskland — från Åbo och Nådendal till Sverige liksom även längre norröver från Vasa och Jakobstad. Helsingfors håller på att bli en viktig knutpunkt för flygtrafiken mellan öst och väst och dessutom har man från Helsingfors direkta förbindelser till tiotals europeiska städer och till New York. Från Helsingfors finns också en direkt tågförbindelse till Leningrad och Moskva.

Landets trafiknät är mycket tätt. Tack vare snabbturer med bussar som sällan gör uppehåll färdas man på några ögonblick från en stad till en annan och normalturerna förbinder också avlägsna byar med bussnätet, som relativt sett är Europas tätaste. Om järnvägstrafikens utveckling talar de moderna specialsnälltågen som går från Helsingfors till de viktigaste landsortsstäderna, likaså elektrifieringen av banorna och de ständigt snabbare tidtabellerna; mellan Helsingfors och Rovaniemi har man per dygn fem tågpar, av vilka en del transporterar också personbilar och olika släpvagnar till dessa. Med Helsingfors som centrum trafikerar det finska flygbolaget Finnair ett tjugotal inrikesorter ända till nordligaste Lappland, också detta nät är det tätaste i vår världsdel. Som specialitet för Sjöfinland har man under den livligaste sommarsäsongen båtrutter, rikligast på Saimen men också bl.a. på vattenområdet kring Tammerfors, på Päijänne och Pielinen. Från många städer vid havskusten kan man göra havskryssningar.

En verkligen explosiv tillväxt inom turismen har fört med sig att många inkvarteringsplatser av olika klass rest sig runtom i landet. Största delen av de 350 hotellen, med mer än 30.000 bäddar sammanlagt, är belägna på tätorterna på grund av användningen vintertid, men tiotals resemål är placerade mitt i en natur som fängslar den besökande. Det finns ett hundratal motell längs vägarna och antalet resandehem eller motsvarande något anspråkslösare övernattningsplatser är närapå fyrahundra. Av de billigaste logien, ca etthundra turisthärbärgen, är de flesta öppna endast sommartid. Största delen av de etthundra pensionaten lockar till en trivsam lantlig semester i landets sydvästliga delar och på Åland. Det finns också vanliga lantgårdar, något hundratal, där turisten kan bo tillsammans med husfolket. Under det senaste decenniet

har det byggts ett par hundra semesterbyar i Finland, deras popularitet är mycket stor; de bästa av dem är försedda med en restaurang, ofta också annan service. Lika populära har semesterstugorna blivit, de är belägna skilt för sig och kräver självverksamhet bl.a. ifråga om matlagning, ofta är de finnarnas sommarvillor, semesterfirarna erbjuds årligen tusentals sådana. Dessa stugors bekvämligheter är bl.a. en roddbåt, en bastu, fiskemöjligheter. Mest originella som övernattningsplatser är ödemarkstugorna, av dem finns det i de lapska ödemarkerna ett par hundra, i dem får man dröja endast en natt i taget.

Campingen utgör den suveränt mest betydande formen av sommarturism. På 300 campingplatser når man sammanlagt över två miljoner övernattningsdygn under sommarsäsongen. Områdena är av fullt kontinental standard och bjuder på grund av den växlande väderleken dessutom på campingstugor och andra inkvarteringsutrymmen samt på finskt vis naturligtvis på bastu-njutning. En betydande del av områdena är belägna på landsbygden invid vattendrag, varför de lämpar sig också för långtida semesterboende.

Det enklaste och säkraste sättet att fira en lyckad semester är att inlösa ett resepaket, som rubriker för de tiotals olika paketresorna står bl.a. arkitekturen, historien, sjöarna, Lappland med sina specialiteter, fisket, konditionen, guldvaskandet o.s.v. Men också en självverksam turist finner lätt de bästa sevärdheterna, råkar in i de intressantaste festerna, konfronteras med kulturen — och upplever överallt närheten till naturen. Det finns tiotals utprickade frisksportarrutter, största delen av dem i norra Finland, men redan i tammerforsområdet kan man bege sig ut på en tiomila vandrarstig. Till de finska semesterhobbyna hör tydligt nog fisket; också jaktmöjligheter har man på vissa orter arrangerat på turistbas.

Finlands sommar är överfull av evenemang. Ett tiotal av de mest betydande kulturtilldragelserna har vi i Finland Festival-kedjan, som bjuder på program från våren till hösten: i början av juni dansar och spelar Kuopio i en veckas tid, i mitten av juni dryftar man samhällsproblem vid Sommar-Vasa, i månadsskiftet juni-juli bjuder Jyväskylä-sommaren tio dagar på kultur och kongresser, i början av juli ljuder Pori Jazz Festival, i mitten av juli samlar Folk Music Festival Kaustinen mäktiga folkmängder, i slutet av juli firas Operafestivalen i Nyslott, i början av augusti står Åbo musikfestspel i turen, i mitten av augusti ser man på Tammerfors Teatersommar medan Helsingfors Festveckor i slutet av augusti och början av september avslutar serien av stortilldragelser. Bland hundratals andra kan man nämna de folkfester som ansluts till fisken samt fester vid vilka socknarnas liv presenteras, kyrkliga specialskeenden som prasniekkafesterna, sporttävlingar, folkmusikfester, industri- och lantbruksutställningar, segeltävlingar på havet och på sjöarna, stockflötarspelen, roddtävlingar också för turister, konstutställningar placerade ute i sommarnaturen och sommarteaterföreställningar, som finnarna uppskattar högt.

Man har kallat Finland det sista stora grönområdet i Europa och utan tvivel är naturen Finlands stora rikedom, både materiellt och på ett andligt plan. Två tredjedelar av Finland är skog, men industrin lider av träbrist; en tredjedel av Finland är kärrmark, men redan nu varnar specialisterna för att en bestämd typ av torv kan ta slut; Finland har sina unika sjöområden, men på grund av att sjöarna är så grunda har landet en ringa och lätt fördärvad vattenmängd. I jämförelse med månget annat land är Finland ändå mera ett naturens än ett människans land. Den nordliga naturen kan lätt såras och förnyar sig långsamt, ibland hotar t.o.m. en rätt ringa

turisttrafik naturens värden. I Finland har man fäst avseende vid naturskyddet; ett tiotal också för turister avsedda nationalparker och lika många för vetenskapliga forskningsändamål upprättade naturparker bevarar naturen orörd. Den 1.720 km² stora nationalparken invid Lemmenjoki i Lappland hör till Europas största naturskyddsområden. De som sköter om turismen har nyligen insett sitt eget ansvar: både för inhemska och utländska turister har man tryckt broschyrer i vilka man lär ut hur den finska naturen skall bevaras inte bara som en nationell utan också som en internationell, gemensam andlig egendom.

Bilderna i detta verk berättar i huvudsak om det vackra sommar-Finland, om solen och den leende naturen, om de förnämsta av sevärdheterna. Finlands sommar är kortvarig, då måste man njuta av naturen och natursevärdheterna, människan måste samla kraft inför den långa vintern; fotografens motiv- och tidsbegränsningar har i denna mening sitt berättigande. När vintern erövrar landet, tar kål på sommarens händelseräckor, stänger sevärdheterna och semesterplatserna, täcker sjöarna med is så att båtarna inte kan röra sig och täcker naturen med snö, då är tiden kommen att fördjupa sig i människan och det hon åstadkommit. Finland är ett intressant land också om hösten och vintern.

Finnland

Finnland ist in vieler Hinsicht ein besonderes Land.

Auf der Weltkarte liegt Finnland weit im Norden. Nur das Gebiet der Sowjetunion, Norwegens, Kanadas und Alaskas erstreckt sich weiter nach Norden als Finnland, aber die zentralen Regionen dieser Staaten liegen bedeutend weiter im Süden. Finnland wetteifert mit Island um den Rang des nördlichsten Staates der Welt.

Die Entfernung von Helsinki bis zum Äquator beträgt 6.600 km, von den entlegensten Winkeln Lapplands bis zum Nordpol sind es dagegen nur 2.200 km. Von den Menschen, die nördlich des durch den Finnischen Meerbusen verlaufenden 60. Breitengrads leben, ist jeder dritte ein Finne.

Auf der Europakarte ist Finnland ein grosses Land. Die Sowjetunion, Frankreich, Spanien und Schweden sind grösser, Norwegen, Polen und Italien z.B. kleiner.

Finnland ist ein langgestrecktes Land: die Entfernung von Helsinki bis zu den entferntesten Gebieten in Lappland ist ebenso weit wie bis nach Moskau, Hamburg, Warschau oder Berlin.

In den nördlichen Landesteilen verschwindet die Sonne im Sommer zwei Monate lang nicht hinter dem Horizont, im Winter ist sie zwei Monate lang überhaupt nicht zu sehen.

An der Südküste Finnlands zieht sich ein Streifen mitteleuropäisch üppiger Vegetation mit Laubbäumen und Hainen entlang, in den nördlichen Landesteilen verwandelt sich die karge Welt der Birken an vielen Stellen schon zu tundraartigen, leeren Flächen. Insgesamt gesehen gehört Finnland zu den waldreichsten Ländern der Welt, zwei Drittel der Landesfläche sind von Wäldern bedeckt.

In Finnland gibt es Zehntausende von Seen, die im Süden des Landes ein Gewässerlabyrinth bilden, das in der ganzen Welt nicht seinesgleichen findet. Die hundert Kilometer lange Schärenwelt im Südwesten des Landes stellt in ihrer weiten Ausdehnung ebenfalls etwas Einzigartiges dar.

Die finnische Landesfläche wächst infolge des Ansteigens des Landes jährlich um tausend Hektar. In dreitausend Jahren wird man über die Meerenge Merenkurkku zu Fuss nach Schweden gehen können.

Das so weit im Norden gelegene, von Wäldern überzogene und Gewässern zerschnittene, von langen Wintern beherrschte und von Konflikten zwischen Ost und West heimgesuchte Finnland ist trotz allem ein überaus lebensfähiges Land: im harten internationalen Kampf um den Lebensstandard nähert sich Finnland der Spitzengruppe der ersten Zehn.

Suomi, auf deutsch **Finnland,** bedeutete ursprünglich nur den südwestlichen Teil Finnlands, das heutige Eigentliche Finnland, über das seit dem 11. Jahrhundert Christentum, Machthaber und Bildung Eingang in das Land fanden. **Finn** oder **finne** war ursprünglich eine von den germanischen Völkern verwendete Kollektivbezeichnung für die Lappen und die Finnen. In der päpstlichen Bulle von 1209 wurde für Finnland die Bezeichnung **Finlanda** gebraucht. Schon in den 40er Jahren des 13. Jahrhunderts taucht in russischen Chroniken der Name **sum** als Stammesbezeichnung auf.

Als die zur finnisch-ugrischen Volksgruppe gehörigen Finnen um Christi Geburt in die südlichen Landesteile kamen, streiften in dem wild- und waldreichen Lande Lappen umher, und nur auf Ahvenanmaa und an der Westküste lebten Vertreter der damaligen skandinavischen Rasse. Später zogen zeitweise viele Schweden in die Küstengebiete. Zwischen den Streitigkeiten mit den Russen verbrachten die Finnen auch friedliche Zeiten mit ihren Nachbarn im Osten, und so bekamen vor allem die östlichen Stämme von dort frisches Blut in die Adern.

Die Besiedlung Finnlands vollzog sich langsam, und im 16. Jahrhundert fand man feste Ansiedlungen erst bis zu den Gebieten um den Fluss Kokemäenjoki und die Seen Näsijärvi und Päijänne. Die Besiedlung der nördlichen Landesteile ging später systematisch vor sich, sowohl auf Anordnung der Herrscher als auch infolge steuerlicher Erleichterungen. Die Lappen flohen immer weiter nach Norden. Im Süden blieben Hunderte von Orten, die mit dem Namen Lappland verbunden sind.

Finnland geriet allmählich immer mehr in den Machtbereich Schwedens. Offiziell geschah dieses im Jahre 1216, als der Papst die Zugehörigkeit Finnlands zum Erzbistum Upsala und zur schwedischen Krone verkündigte. In den 30er Jahren des 13. Jahrhunderts wurde Häme mit Gewalt dem übrigen Finnland angegliedert. Auf der anderen Seite eroberte zu dieser Zeit Novgorod das Land von Osten aus — der Jahrhunderte dauernde Streit um die Herrschaft in Finnland begann auszubrechen. Die erste offizielle Grenze, die von der Karelischen

Landenge quer durch das Land zum Bottnischen Meerbüsen südlich von Oulu verlief, wurde 1323 beim Frieden von Pähkinäsaari gezogen: Schweden erhielt den grössten Teil des besiedelten Finnlands, Novgorod die östlichen und nördlichen Einödgebiete. Ein halbes Jahrtausend lang wurde um Finnland gekämpft, manchmal erbittert und manchmal nur in Form von Grenzstreitigkeiten, bis Finnland nach dem Finnischen Krieg 1808-09 ganz an Russland angeschlossen wurde. Das Land wurde zu einem autonomen Grossfürstentum und erhielt zum ersten Mal seine eigenen, für einen Staat charakteristischen Institutionen: das Volk begann, seinen eigenen Wert zu spüren. Bei der russischen Revolution 1917 erklärte sich Finnland nach vielen dramatischen Wechselfällen zu einem unabhängigen Staat, den Russland als erster anerkannte. — Der Unabhängigkeitstag wird jedes Jahr am 6. Dezember feierlich begangen.

Die Republik Finnland hat ihre Unabhängigkeit auch bei den jüngsten weltbewegenden Ereignissen trotz aller Schwierigkeiten bewahren können.

Finnland hat eine Fläche von 337.000 km², davon sind 31.600 km² Binnengewässer. Die weiteste Entfernung von der südlichsten Festlandspitze bei Hanko bis zum Dorf Nuorgam in der lappischen Gemeinde Utsjoki beträgt 1.160 km, und die grösste Breite auf der Höhe Vaasa—Kuopio 540 km. Am schmalsten ist Finnland bei Oulu, wo die Entfernung vom Bottnischen Meerbusen bis zur sowjetischen Grenze nur 195 km beträgt. Die gerade Länge der Küste beläuft sich auf 1.100 km, aber wenn man alle Einbuchtungen mitrechnet, kommt man sogar auf 4.600 km. Die gemeinsame Landgrenze mit Schweden ist 536 km lang, die mit Norwegen 716 km und die mit der Sowjetunion 1.269 km.

Die gegenwärtige Einwohnerzahl Finnlands liegt bei rund 4.700.000 Menschen und reicht nur für den 80. Platz in der Weltstatistik. Die Bevölkerungsdichte der ganzen Welt beträgt 25 Menschen pro Quadratkilometer, in Finnland leben nur 15 Menschen auf derselben Fläche. Der grösste Teil des Landes liegt noch beträchtlich unter dieser Bevölkerungsdichte, da die Hälfte aller Finnen in den drei südwestlichen Regierungsbezirken Uusimaa, Pori und Turku sowie Häme lebt. Die Hälfte der finnischen Bevölkerung lebt in Städten und Stadtgemeinden, und wenn man die Zentren der Landgemeinden mitrechnet, leben über zwei Drittel heutzutage in Siedlungszentren.

In den am dichtesten besiedelten Gebieten im Süden findet man idyllische Kirchdörfer, in denen das Leben geruhsam abläuft, während es in den ost- und nordfinnischen Entwicklungsgebieten erstaunlich belebte, völlig stadtartige Siedlungszentren gibt. Obwohl Finnland ein Land der Wälder ist und es im Süden besonders viele Felder gibt, leben nur 20 % der Bevölkerung von der Land- und Forstwirtschaft. Die Industrie und die damit verbundenen Gebiete ernähren 35 % und die Dienstleistungsberufe 45 % der Bevölkerung.

Finnland ist offiziell ein zweisprachiges Land. Der Anteil der Finnischsprachigen beträgt ca. 93 % und der der Schwedischsprachigen, die vor allem an der südlichen und südwestlichen Küste, auf Ahvenanmaa und an der Küste von Süd-Pohjanmaa leben, ca. 7 %. 92,1 % der Bevölkerung gehören der evangelisch-lutherischen Kirche an, 1,3 % — besonders in den am weitesten im Osten gelegenen Gebieten — der orthodoxen Kirche, zu keiner Kirche gehören annähernd 6 % und der Rest verteilt sich auf verschiedene andere Konfessionen.

In Finnland wird das allgemeine Bild der Landschaft ausser von den gewöhnlichen Faktoren wie Bodenformen, Vegetation und Menschen noch in grossem Masse von den Gewässern bestimmt. Einen noch stärkeren Faktor stellt das Klima dar, das der Landschaft mit dem heftigen Wechsel der Jahreszeiten vier Mal im Jahr ein anderes Aussehen gibt. Neben dem alljährlichen Wechsel findet man erhebliche Abweichungen in den verschiedenen Teilen des langgestreckten Landes.

Der Frühling bricht an, wenn die Durchschnittstemperatur auf über 0°C steigt. In Helsinki geschieht dies in den ersten Tagen des April, in Oulu Mitte April und in Utsjoki Anfang Mai. Der Sommer beginnt, wenn das Thermometer auf über + 10°C klettert, in Helsinki Mitte Mai, in Oulu Ende Mai und in Utsjoki erst Ende Juni. Der Herbst fängt im Norden an, die Temperatur sinkt in Utsjoki Mitte August unter + 10°C, in Oulu Mitte September und in Helsinki Ende September. Der Winter mit den Kältegraden bricht in Utsjoki Ende Oktober an, in Oulu Anfang November und in Helsinki Anfang Dezember. Der Sommer dauert also in Helsinki 130 Tage, in Oulu 100 Tage und in Utsjoki 60 Tage. Die Länge des Winters beträgt in Utsjoki über 200 Tage, in Oulu 165 Tage und in Helsinki 120 Tage.

Die Wetterverhältnisse schwanken jedoch von Jahr zu Jahr erheblich, so dass es zum Beispiel schwer ist, seinen Urlaub nach den Durchschnittswerten zu planen. In den nördlichen Landesteilen kann die Hitze im Juli nachts in Frost umschlagen. Ein sommerlicher Schneeregen auf den Fjälls ist keine Seltenheit.

Finnland ist verglichen mit vielen anderen Gebieten, die ebenso weit im Norden liegen, jedoch ein warmes Land. Der Golfstrom, der Grüsse aus Amerika mitbringt, und die allgemeinen Luftströmungen aus dem Westen und dem Südwesten bewirken, dass die jährliche Durchschnittstemperatur in Finnland um 7°C und die Durchschnittstemperatur im Januar sogar um 11°C höher liegt als in so nördlichen Regionen auf dem Erdball wie Alaska, Sibirien oder Grönland. Die durchschnittliche Jahrestemperatur liegt in Helsinki bei 5,4°C, in Kopenhagen dagegen bei 7,8°C, in London bei 9,8°C, in Paris bei 10,3°C, in Wien bei 9,2°C, in Rom bei 15,4°C und in Athen bei 17,4°C.

Der Sommer in Lappland ist lange hell, aber die Sonnenstrahlen erwärmen das Land nicht, da sie in flachem Winkel auf die Erdoberfläche auftreffen. Getreide wächst im Norden normalerweise nicht gut, aber die Kartoffelernte fällt in Lappland oft besser aus als im Süden. Der Einfluss des Lichtes auf die Beeren ist offensichtlich: das Aroma der Multbeere ist etwas Einmaliges. Das Licht ist keine lappische Besonderheit, denn man kann schon in Helsinki zu Beginn des Sommers nachts ohne Lampe lesen.

Der lange und dunkle Winter hingegen spiegelt sich auf seine eigene Weise im Lebensrhythmus wider. Der grösste Teil der Vögel flieht in den Süden, die Kriechtiere und ein Teil der Säugetiere — der Bär ist das bekannteste davon — versinken unter dem Schnee in einen Halbschlaf. Der Mensch versucht, sein gewöhnliches Leben fortzusetzen, aber die Natur zwingt ihn zu abweichenden Handlungsweisen. Wohnungen und Arbeitsplätze müssen warm sein, für Heizung und Beleuchtung muss mehr geopfert werden, das Essen muss während der Frostperiode gehaltvoller sein, bei der Kleidung kann nicht allein die Mode ausschlag-

gebend sein, Tausende von Kilometern Landstrassen müssen nach den Schneefällen freigepflügt werden, die Schiffahrt kommt nicht ohne Eisbrecher aus. Die Natur macht dem Menschen mehr Vorschriften als dieser bemerkt.

Finnland ist von seinem Gesamtbild her — wenn nicht Seen die Aussicht beleben — ein eintöniges Land, wenn man es mit den Ländern in Mittel- und Südeuropa vergleicht, die auf ihre Gebirge stolz sind. Bei einem Vergleich mit den Niederlanden schneidet die finnische Landschaft allerdings bedeutend besser ab: sie nimmt nirgendwo grosse Dimensionen an, aber sie ist abwechslungsreich und interessant. In ihrem Gesamtbild liegt Weichheit und etwas sanft Abfallendes, was auf das Alter des Felsengrundes zurückzuführen ist. Nicht einmal die über einen Kilometer hohen Fjälls im Norden des Landes wirken bizarr oder drohend, wie es in den Alpen der Fall ist.

Schon bei flüchtigem Hinsehen kann man fast überall in der Landschaft regelmässig von Nordwesten nach Südosten verlaufende Bodenrisse feststellen, die infolge uralter Brüche im Felsengrund entstanden sind.

Während der letzten zehntausend Jahre — ein kurzer Zeitabschnitt, wenn man das Alter des Erdballs in Betracht zieht — haben drei Faktoren Finnland verändert. In der Eiszeit wurde der Erdboden niedergedrückt, es entstanden Vertiefungen für die Seen, Landrücken bildeten sich, Findlinge wurden verschoben und Gletschertöpfe herausgeschliffen. Nach der Eiszeit stieg das Land empor, infolgedessen strömten die grössten finnischen Gewässer nach Süden und Südosten, in den Finnischen Meerbusen und den Ladoga-See, während sie früher nach Westen, in den Bottnischen Meerbusen, abgeflossen waren, wie es beim Wassersystem des Kokemäenjoki noch heute der Fall ist. Zuletzt kam der Mensch und formte — und formt auch weiterhin — das Land um, wie es ihm gefiel: Kraftwerke bei den Flüssen, Trockengräben in den Sümpfen, künstliche Seen in den Oberläufen der Gewässer, Felder im Waldgebiet, Strassen in früher unbewohnten Gegenden. Die Spur des Menschen ist auch in Finnland, selbst in den entlegensten Teilen Lapplands, schon deutlich zu sehen.

Man hat ausgerechnet, dass sich vor der

gewundenen Küste Finnland über 20.000 Inseln befinden. Die reichste Inselwelt findet man im Finnischen Schärengebiet, das aus den Inseln vor dem Eigentlichen Finnland und Ahvenanmaa besteht.

Im Nordteil des Bottnischen Meerbusens gibt es so gut wie gar keine Inseln. An der schmalsten Stelle, im Sund Merenkurkku, entstehen im flachen Meer laufend Riffe, da das Land in hundert Jahren beinahe einen Meter ansteigt. Weiter im Süden vor der Küste von Satakunta und dem Eigentlichen Finnland beginnt ein schmaler Schärengürtel, der sich dann zu der eigentlichen Schärenwelt von Turku entfaltet. An der Küste des Finnischen Meerbusens erstreckt sich von der sowjetischen Grenze bis zur Halbinsel Hankoniemi ein 10—20 km breiter Schärengürtel, dessen Vegetation nach Westen hin immer üppiger wird.

Die am weitesten im Landesinnern gelegenen Stellen des Finnischen Meerbusens und des Bottnischen Meerbusens sind ebenso wie die Mündungsgebiete der grossen Flüsse beinahe salzfrei. Bei Ahvenanmaa liegt der Salzgehalt bei 6—8 Promille, während er in den Ozeanen 35 Promille beträgt. Der deutlichste Höhenunterschied bei Ebbe und Flut beträgt im Finnischen Meerbusen nur 20 cm, aber bei stürmischem Wetter kann er auf über 3 m steigen.

Finnland besteht zu einem Zehntel aus Seen. Es gibt ungefähr 60.000 Seen, die über 200 m breit sind. In der Finnischen Seenplatte nimmt die Wasserfläche ein Viertel von der Gesamtfläche ein. Es gibt 17 über 200 km² grosse Seen, im übrigen Europa gibt es zusammen nur 29. Die fünf grössten finnischen Seen machen zusammen ein Viertel der gesamten Seenfläche aus. Die Uferlinie im Binnenland wird auf über 300.000 km geschätzt.

Die grössten Seen sind der aus vielen einzelnen Seeflächen bestehende Iso Saimaa mit 4.400 km², der Päijänne mit 1.090 km², der Inari-See mit 1.000 km², der Iso Kalla mit 900 km², der Oulujärvi mit 900 km², der Pielinen mit 850 km², der Keitele mit 450 km², der künstliche See Lokka mit 400 km², die Gewässer von Kangasala mit 340 km² und die Seen Kitkajärvet mit 295 km².

Nicht nur die Küstenlandschaft ändert sich infolge des Ansteigens des Landes, auch die Binnengewässer verändern ihr Aussehen aufgrund natürlicher Faktoren: kleine Buchten und sogar ganze kleine Seen wachsen zu und bilden zunächst ausgedehnte Seerosenfelder, die nach Meinung vieler idyllisch aussehen, Flüsse und Bäche höhlen ihre Ufer aus und suchen sich mit der Zeit neue Flussbetten. An einigen Stellen zerbrechen die grossen Seen bei Stürmen die Uferdämme und stellen sogar eine Gefahr für die Ansiedler dar. Die finnischen Stromschnellen wirken wie neu, denn im Verlaufe von zehntausend Jahren ist das Wasser nicht imstande gewesen, den kantigen Felsengrund abzuschleifen.

Die Seen sind also das Wahrzeichen Finnlands, wenigstens bei der Fremdenverkehrswerbung. Ein ebenso gutes — wenn nicht besseres — Wahrzeichen wären die Sümpfe, denn die Fläche Finnlands besteht zu einem Drittel aus Sümpfen, Moorgebieten und Bruchwald. Der Mensch hat sich bisher noch nicht sonderlich für das im allgemeinen schwerzugängliche Sumpfland mit seinen schlechten Wäldern begeistern können. Er hat nur hier und da Felder gerodet. Heute schaut Finnland jedoch auf seine Sümpfe: die Energiekrise soll mit Torf gemildert werden, der Rohstoffmangel der Industrie wird behoben, indem man Sümpfe trockenlegt, um das Wachsen der Bäume zu fördern. Vielleicht wird der Sumpf in Zukunft wegen seiner Seltenheit auch für den Fremdenverkehr ausgenutzt?

In Uusimaa, im Eigentlichen Finnland und auf Ahvenanmaa trifft man einen Hauch von üppiger Vegetation wie in Mitteleuropa: edle Laubbäume und Haine mit vielen seltenen Pflanzen erobern an einigen Stellen die karge finnische Waldlandschaft. Der grösste Teil Finnlands gehört jedoch zum Nadelwaldgürtel der Fichten und Kiefern, und nördlich davon, im Land der Lappen, befindet sich die Welt der verkrüppelten Fjällbirke. Ganz im Norden verwandelt sich das Land zu einer tundraartigen, weiten Fläche, wo sich nur in tiefen Tälern Bäume befinden.

Finnland ist zu über 70 % von Wäldern bedeckt, und der Wald beherrscht die Landschaft überall. Er verdeckt oft auch Felder, Ansiedlungen, Industrie, Strassen, Flüsse und Seen, wenn man von den Aussichtsplätzen hinunterschaut — nur vom Flugzeug aus kann man das Gesamtbild Finnlands übersehen. Man schätzt, daß das jährliche Wachstum des Waldes 10 m³ pro Einwohner beträgt, aber im Norden wachsen die Bäume langsam: die Entwicklung des Baumes vom Setzling bis zum Stammholz dauert 80—100 Jahre. Auf dem internationalen Markt konkurriert Finnland mit Ländern, in denen die Bäume zwei- oder sogar dreimal so schnell wachsen.

Die Birkengehölze werden als Wahrzeichen des finnischen Waldes angesehen, aber in überraschend vielen Fällen sind sie zur Zeit des Menschen gegen die eigenen Gesetze der Natur entstanden; das Abbrennen des Waldes formte noch im letzten Jahrhundert weitgehend das Aussehen der Landschaft. Ohne den Menschen würden die Fichten die Birkengehölze verdrängen, und dasselbe Schicksal würde den Kieferngehölzen drohen — die Industrie formt die Wälder heutzutage mit Hilfe von Abholzungen und Anpflanzungen ihren Bedürfnissen entsprechend um.

Insgesamt gibt es in Finnland rund zweitausend Pflanzenarten, von denen der Mensch die Hälfte absichtlich oder unabsichtlich hierher gebracht hat. Viele seltene Pflanzenarten sind ganz unter Naturschutz gestellt.

Felder gibt es in Finnland ungefähr ebenso viel wie Seen, d.h. ein Zehntel des Landes ist vom Menschen gerodet worden. Die Anbauflächen haben sich in Uusimaa, im Eigentlichen Finnland, im südwestlichen Teil von Häme und in Pohjanmaa konzentriert, wo die Lehmböden schon seit langem Finnlands Unabhängigkeit hinsichtlich vieler landwirtschaftlicher Produkte garantieren. Zwei Drittel der Höfe sind 2—10 ha gross, der Anteil der über 25 ha grossen Gehöfte beträgt 3 % und der der grossen Anwesen über 50 ha nur 0,5 %. Im südlichen Teil des Landes ist der Anteil der Felder infolge der Ausdehnung der Siedlungszentren gesunken: Industrie, Besiedlung und Strassennetz beanspruchen auch Felder für sich. Im übrigen Finnland ist der Anteil der Felder konstant geblieben oder er nimmt langsam zu.

Die tiefgehenden Veränderungen, die der Mensch in der Natur hervorgerufen hat, haben auch im Tierbestand ihren Ausdruck gefunden. Die grossen Raubtiere sind beinahe ausgestorben, aber die im letzten Moment erwachten starken Naturschutzbestrebungen dürften Bären, Wölfe, Vielfrasse und Luchse am Leben halten. Man hat die überraschende Beobachtung gemacht, dass das überaus scheue, ganz in der Nähe der Ostgrenze in Kuhmo lebende wilde Rentier sich für immer in Finnland

niedergelassen hat. Von der Weite und dem Frieden der Einödgebiete zeugt auf jeden Fall die Tatsache, dass man im nordöstlichen Grenzgebiet den vielseitigsten Wildbestand Europas findet: die Vielseitigkeit und zahlenmässige Stärke des Bestands erklärt sich teilweise auch daraus, dass die Tiere auch auf der anderen Seite der sowjetischen Grenze in Frieden leben können.

Ein Teil der Tiere hat sich an das Leben des Menschen angepasst: das grösste Tier der Wälder, der Elch, ist auch in Südfinnland ein alltäglicher Anblick, und sein Erscheinen in den Zentren der Siedlungsgebiete ist keine Seltenheit. Finnlands Lage am Schnittpunkt verschiedener Zonen tritt auch im Tierreich zutage, denn man trifft hier extreme Vertreter der westlichen, südlichen, nördlichen und auch der östlichen Arten. Es gibt insgesamt 67 Säugetierarten, 340 Vogelarten und 77 Fischarten, von denen 36 in Binnengewässern vorkommen.

Finnland ist ein aufblühendes Touristenland, ein lohnendes Ziel gerade wegen seiner Natur. Das Land wird nie zu einem Zentrum des Massentourismus werden, wo alles verwüstet wird, da das Geschäftemachen mit „garantiertem Sonnenurlaub" wegen des launischen Wetters unmöglich ist. Es gibt Sommer, in denen die Zahl der Sonnentage insgesamt nicht über zehn steigt. Ein anderes Hindernis, vor allem für die Ausdehnung des Autotourismus, sind die Meere. Der Tourismus über die Sowjetunion ist bisher nur gering gewesen, und die Kapazität der von Mitteleuropa und Schweden kommenden Autofähren reicht während der Hochsaison nicht aus, um alle Interessierten nach Finnland zu befördern.

Von Helsinki aus bestehen Autofährenverbindungen nach Schweden, Dänemark, Westdeutschland, der Sowjetunion und Polen, weiter im Norden kommt man von Turku ebenso wie von Vaasa und Pietarsaari nach Schweden. Helsinki entwickelt sich zu einem wichtigen Knotenpunkt des Flugverkehrs zwischen Ost und West, ausserdem bestehen direkte Verbindungen von Helsinki nach vielen europäischen Städten und nach New York. Es gibt auch eine direkte Zugverbindung von Helsinki nach Leningrad und Moskau.

Das Netz des Binnenverkehrs ist ausserordentlich dicht. Die nur selten anhaltenden Schnellbusse fahren in kurzer Zeit von einer Stadt zur anderen und die Standardlinien verbinden auch die entlegensten Dörfer miteinander durch ein Autobussystem, das relativ gesehen das dichteste in Europa ist. Von der Entwicklung des Eisenbahnverkehrs legen die zwischen Helsinki und den wichtigsten Provinzstädten verkehrenden Sonderschnellzüge, die Elektrifizierung der Eisenbahnen und die immer schneller werdenden Fahrpläne Zeugnis ab. Zwischen Helsinki und Rovaniemi verkehren täglich fünf Züge, von denen ein Teil auch Personenwagen und Campinganhänger transportiert. Von der Zentrale Helsinki aus fliegt die finnische Fluggesellschaft Finnair zwanzig Orte bis zum entferntesten Lappland hinauf an. Auch dieses Netz gehört zu den dichtesten des Kontinents. Eine Besonderheit der Finnischen Seenplatte stellen in der belebtesten Sommersaison die Schiffsrouten dar; die meisten davon gibt es auf dem Saimaa, aber auch im Wassergebiet um Tampere, auf dem Päijänne und dem Pielinen gibt es sie. Von vielen Küstenstädten aus kann man eine Kreuzfahrt aufs Meer hinaus unternehmen.

Das geradezu explosionsartige Anwachsen des Fremdenverkehrs hat in den verschiedenen Landesteilen Unterkunftsmöglichkeiten verschiedener Art und verschiedenen Niveaus entstehen lassen. Von den rund 350 Hotels, in denen es über 30.000 Betten gibt, liegt der grösste Teil wegen der Verwendungsmöglichkeit im Winter in den Siedlungszentren, aber einige Dutzend sind mitten in der für den Besucher reizvollen Natur gebaut worden. An den Strassen liegen ungefähr hundert Motels, und die Zahl der Pensionen und ähnlicher bescheidener Übernachtungsmöglichkeiten dürfte annähernd vierhundert betragen. Der grösste Teil der billigsten Unterkünfte, der hundert Jugendherbergen, ist nur im Sommer geöffnet. Von den Gasthäusern mit Vollpension lockt der grösste Teil in den südwestlichen Landesteilen und auf Ahvenanmaa zu einem Urlaub auf dem Lande. Es gibt auch ungefähr hundert gewöhnliche Bauernhäuser, in denen die Urlauber zusammen mit der übrigen Familie wohnen können. Während der letzten zehn Jahre sind in Finnland zweihundert Feriendörfer entstanden, die sich ausserordentlicher Beliebtheit erfreuen. Zu den besten Feriendörfern gehören Restaurants und andere Serviceformen. Ebenso beliebt geworden sind die voneinander

getrennt liegenden Ferienhäuser, die etwas Eigeninitiative beim Kochen u.a. voraussetzen. Es sind oft Sommerhäuser der Finnen, die den Urlaubern jedes Jahr zu Tausenden angeboten werden. Der Komfort eines Ferienhauses schliesst u.a. ein Boot, eine Sauna und gute Fischereimöglichkeiten ein. Zu den eigenartigsten Übernachtungsmöglichkeiten gehören die Einödhütten, von denen es in den lappischen Einödgebieten ungefähr zweihundert gibt und in denen man nur eine Nacht auf einmal verbringen darf.

Camping ist mit Abstand die verbreitetste Form des Sommertourismus. Auf den dreihundert Campingplätzen steigt die Zahl der Übernachtungen während des Hochsommers auf über zwei Millionen. Die Plätze stellen internationales Spitzenniveau dar, und man findet auf ihnen wegen der Unbeständigkeit des Wetters auch Campinghütten und andere überdachte Unterkünfte; ausserdem fehlt natürlich die typisch finnische Sauna nicht. Ein beträchtlicher Teil der Campingplätze liegt auf dem Lande an Gewässern, so dass man dort auch einen längeren Ferienaufenthalt verbringen kann.

Die leichteste und sicherste Art, Ferien zu machen und sich vor allem einen ergiebigen Urlaub zu sichern, stellen die Pauschalreisen dar. Die Skala der fertig geplanten Reisen ist ausserordentlich breit: sie umfasst u.a. Architektur, Geschichte, die Seenplatte, Lappland mit seinen Besonderheiten, Fischen, Sport, Goldwaschen usw. Aber auch der Tourist auf eigene Faust findet leicht die wichtigsten Sehenswürdigkeiten, stösst auf die interessantesten Feste und macht Bekanntschaft mit der Kultur — dabei spürt er überall die Nähe der Natur. In Finnland gibt es Dutzende von abgesteckten Wanderrouten; die meisten davon liegen in Nordfinnland, aber schon in Pirkanmaa findet man hundert Kilometer lange Wanderpfade. Ein wesentlicher Bestandteil des finnischen Urlaubs ist das Fischen, an einigen Stellen sind auch Jagdmöglichkeiten für Touristen geschaffen worden.

Der finnische Sommer ist überaus reich an Ereignissen. Ungefähr zehn hervorragende Kulturveranstaltungen bilden zusammen die Finnland Festivals, die ein Programm vom Frühjahr bis zum Herbst bieten: Anfang Juni tanzt und spielt Kuopio eine Woche lang, Mitte Juni werden in Vaasa gesellschaftliche Probleme erörtert, die Ende Anfang Juli durchgeführten, zehn Tage dauernden

Jyväskylä-Kulturtage bieten Kultur und Kongresse, Anfang Juli findet das Pori Jazz Festival statt, Mitte Juli versammelt das Folk Music Festival Kaustinen gewaltige Menschenmengen, Ende Juli werden die Opernfestspiele von Savonlinna durchgeführt, Anfang August sind die Musikfestspiele von Turku an der Reihe, Mitte August sieht man sich den Theatersommer von Tampere an und die Ende August/Anfang September stattfindenden Helsinki-Festwochen schliessen diesen Reigen von Grossveranstaltungen ab. Von den anderen Festen, deren Zahl in die Hunderte steigt, kann man die irgendeiner Fischart gewidmeten Volkfeste, die das Leben in den Kirchspielen veranschaulichenden Darbietungen, die kirchlichen Sonderveranstaltungen mit dem Praasniekka-Fest, Sportwettkämpfe, Industrie- und Landwirtschaftsausstellungen, Segelregatten auf dem Meer und auf den Seen, Flösserwettbewerbe, Ruderregatten auch für Touristen, die im Sommer unter freiem Himmel arrangierten Kunstausstellungen sowie die bei den Finnen beliebten Sommertheateraufführungen erwähnen.

Finnland ist als Europas letzte weite Grünfläche bezeichnet worden, und die Natur ist ohne Zweifel sowohl in materieller als auch in geistiger Hinsicht Finnlands grösster Reichtum. Finnland besteht zu zwei Dritteln aus Wäldern, aber die Industrie beklagt sich über Mangel an Holz. Sümpfe bedecken ein Drittel des Landes, aber schon jetzt warnen die Experten davor, dass eine bestimmte Torfart zur Neige geht. Finnland hat sein einzigartiges Seengebiet, aber wegen der Flachheit der Seen nur wenig Wasser, das leicht verschmutzt. Verglichen mit vielen anderen Ländern ist Finnland jedoch mehr ein Land der Natur als ein Land des Menschen.

Die nordische Natur ist leicht verletzbar und sie erneuert sich nur langsam, manchmal stellt schon geringer Fremdenverkehr eine Gefahr für die Werte der Natur dar. Finnland hat sein Augenmerk auf den Naturschutz gerichtet; Dutzende von Nationalparks, die auch für Touristen bestimmt sind, und ebenso viele Naturschutzgebiete für wissenschaftliche Forschungsarbeiten bewahren die Unberührtheit der Natur. Der 1.720 km² grosse Nationalpark von Lemmenjoki in Lappland gehört zu den grössten Naturschutzgebieten Europas. Die Planer des Fremdenverkehrs haben vor kurzem ihre Verantwortung erkannt: sowohl für einheimische als auch für ausländische Touristen sind Broschüren gedruckt worden, in denen Anweisungen gegeben werden, wie die finnische Natur nicht nur als nationaler, sondern auch als internationaler gemeinsamer geistiger Besitz bewahrt werden kann.

Die Bilder in diesem Band erzählen zur Hauptsach vom schönen Sommer-Finnland, von der Sonne und der lächelnden Natur, von den allerschönsten Sehenswürdigkeiten. Der finnische Sommer ist kurz, und in dieser kurzen Zeit müssen die Natur und ihre Gaben voll ausgekostet werden; der Mensch muss Kräfte für den langen Winter sammeln. Die Einschränkungen des Fotografen bei der Auswahl der Motive und Jahreszeiten sind in diesem Sinne berechtigt. Wenn der Winter seinen Einzug ins Land hält, die sommerlichen Ereignisse zu Ende gehen, die Sehenswürdigkeiten und Urlaubsorte ihre Tore schliessen, die Seen zufrieren, so dass keine Boote mehr darauf fahren können, und die Natur sich unter einer Schneedecke ververbirgt, dann ist es Zeit, sich mit dem Menschen und seinen Errungenschaften zu befassen — Finnland ist auch im Herbst und im Winter ein interessantes Land.

Finland

In many ways Finland is a very special country.

On the map of the world Finland is far to the North. The Soviet Union, Norway, Canada and Alaska have areas which project farther to the North than Finland but the central areas of these states are considerably further to the South than Finland. Finland competes with Iceland for the title of World's Northernmost State.

It is 6,600 kilometres from Helsinki to the equator but only 2,200 kilometres from the border of Lapland to the North Pole. Of all the persons living north of the 60th degree of latitude which crosses the Gulf of Finland one-third are Finnish.

On the map of Europe Finland is a large country. The Soviet Union, France, Spain and Sweden are larger than Finland, but Finland is larger than Norway, Poland or Italy, for example.

Finland is an extensive country — the journey from Helsinki to the back reaches of Lapland is as long as the journey to Moscow, Hamburg, Warsaw or Berlin.

In the northern parts of Finland the sun does not set below the horizon for two months; in the winter there are two months when the sun is not seen at all.

In the south of Finland there is a luxuriant growth of hardwood trees and groves but in the far north the world of meagre birch growth turns in many places into a bare tundra. Finland is among the most forested countries of the world, two-thirds of its surface-area is forest.

In Finland there are tens of thousands of lakes and in the southern part of the country they form a labyrinth of waterways unique in the world. The archipelago to the southwest of Finland, extending for a hundred kilometres, is also unique in its way.

Because of the rising of the land the surface-area of Finland is increasing at the rate of a thousand hectares a year. After three thousand years it may be possible to walk across the present neck of the sea to Sweden.

Far to the North, covered by forests, split by numerous waterways, dominated by dark winters, torn in the struggles between East and West, Finland in spite of everything is a vital and viable country: in the hard international competition of standards of living Finland has managed to attain to the group of the first ten.

The name of Finland in the Finnish language is **Suomi,** which originally meant only the Southwest part of Finland, the present Varsinais-Suomi (Finland Proper), the area to which the Christians faith, rulers and civilization too arrived in the eleventh century. The word **Finn** or **finne** was the general name used by the Germanic peoples in the old days both for the Finns and for the Lapps. In a Papal Bull for the year 1209 the name **Finlanda** was used for the whole country. And as early as the 1240's the tribal name **sum** appeared in Russian chronicles.

At about the time of the birth of Christ when the Finns, belonging to the Fenno-Ugric language-group, arrived in the southern parts of what is now Finland there were Lapps wandering in the game-rich forests and it is probable that representatives of the then Nordic race were living only in the Åland Islands and on the western coast. Later a good number of Swedes moved from time to time to the coastal areas. In the intervals between periods of conflict the Finns lived a peaceful life with the Russians and the tribes more to the East got new blood into their veins from that source.

The settlement of Finland proceeded slowly and by the1500's the area of fixed settlement extended only to the regions of the Kokemäki River, Lake Näsijärvi and Lake Päijänne. The settlement of the northern parts of the country later occurred more systematically, as a consequence of the decrees of the rulers or as encouraged by tax-relief measures. The Lapps fled ever farther to the North leaving behind them in the South hundreds of place-names derived from their language.

Gradually Finland became a country subject to Swedish rule; this occurred officially in the year 1216 with the Pope proclaiming that Finland was subject to the Archbishop of Uppsala and to the King of Sweden. As early as the 1230's the district of Häme was forcibly combined with the rest of Finland. On the other hand a part of the country was conquered by Novgorod, from the East — a struggle for the control of Finland was beginning which would last for centuries. The first official boundary was drawn in the Peace of Pähkinäsaari. It ran from the Carelian isthmus across the country to the Gulf of Bothnia to the south of Oulu: Sweden got the greater share of the settled area of Finland; Novgorod got the eastern and northern wilderness. For five hundred years there was a fight for Finland, sometimes border-skirmishes, sometimes full-scale war, until as a result of the Finnish War of 1808—1809 Finland was joined entirely to Russia. The country became an internally independent autonomous grand duchy and for the first time the country obtained its own social and political institutions; the people began to think of themselves as a separate people. During the course of the Russian Revolution Finland declared herself an independent state, which Russia was the first to recognize. — Independence Day is celebrated in Finland on December 6th in the darkness of winter.

The Republic of Finland has preserved its independence in spite of the difficulties occasioned by the last world conflagration.

The surface-area of Finland is 337,000 square kilometers, of which 31,600 square kilometers is water. The maximum length of the land-mass, from the farthest southern tip, Hanko, to the village of Nuorgami on the border of Lapland is 1,160 kilometers and the greatest width is 540 kilometers along the line through Vaasa and Kuopio. At its narrowest Finland pinches together at the point of Oulu, from which the journey from the Gulf of Bothnia to the border of the Soviet Union is only 195 kilometers. The straight line of the sea-coast runs for 1,100 kilometers but if one measures taking into account all the curves of the shore-line it runs for all of 4,600 kilometers. Finland has a common border of 536 kilometers with Sweden, 716 kilometers with Norway and 1,269 kilometers with the Soviet Union.

The present population of Finland, about 4,700,000, puts her in the 80th place in the world statistics. While the average population of the earth is 25 persons per square kilometer in Finland it is only 15. The largest part of the country has less density than this, because half of the population of Finland live in the three provinces farthest to the southwest, Uusimaa, Turku and Pori as well as in the province of Häme. Half of the Finns live in cities and boroughs, and if the rural district centers are counted over two-thirds of the people currently live in fairly densely populated areas.

In the more densely settled areas in the south there are still idyllic little church-villages here and there, whereas in the so-called development-areas of East Finland there are surprisingly lively completely city-like centers of settlement. Although Finland is a country of forests and the southern part especially is covered with fields only 20 per cent of the population earn their living from agriculture or forestry. 35 percent of the population earn their living in industry and related fields while 45 % earn their living through providing services.

There are officially two languages in Finland. About 93 % of the Finns are Finnish-speaking and about 7 % are Swedish-speaking, living primarily on the south and west coast of the country, in the Åland Islands and on the coast of Ostrobothnia. 92.1 % of the Finns belong to the Evangelical Lutheran Church, 1.3 % of the population, primarily in the eastern parts of the country, belong to the Orthodox Church and almost 6 % do not belong to any church.

The general picture of the landscape of Finland is shaped by the usual factors, land-surface, plant-growth and man, as well as by the special factor of the waterways, but in addition the climate is a powerful factor and the seasons of the year are sharply differentiated from each other. There are great differences also in the various parts of the country in response to the changes in the seasons.

Spring, defined as the time when the average temperature rises above freezing, arrives in Helsinki in the middle of April and in Utsjoki in the beginning of May. Summer, defined as the time when the average temperature rises above 10 degrees Centigrade, arrives in Helsinki in the middle of May, in Oulu at the end of May and in Utsjoki only at the end of June. Fall, or the time when the temperature falls below 10 degrees Centigrade, comes down from the North, beginning in Utsjoki in the middle of August, in Oulu in the middle September, and in Helsinki at the end of September. Winter, or below-freezing, begins in Utsjoki at the beginning of October, in Oulu at the beginning of November, and in Helsinki at the beginning of December. Thus summer lasts 130 days in Helsinki, 100 days in Oulu and 60 days in Utsjoki. The length of Winter is over 200 days in Utsjoki, 165 days in Oulu and 120 days in Helsinki.

But the weather conditions vary greatly from year to year so it is difficult to plan one's vacation for example on the basis of average temperatures. In the northernmost parts of the country a hot July day may end in a night with the temperature below freezing. In the fells of Lapland it is not at all unusual to have a sudden snowstorm in the middle of the summer.

Nevertheless Finland is a comparatively warm country, compared to other areas in the North. The Gulf Stream coming from America and the air-currents from the West and the Southwest raise the annual mean temperature of Finland to 7 degrees Centigrade higher than that of such northern areas as Alaska, Siberia or Greenland. The average temperature in January is a good 11 degrees Centigrade higher. The annual average temperature in Helsinki is 5.4 degrees Centigrade while in Copenhagen it is 7.8, 9.8 in London, 10.3 in Paris, 9.2 in Vienna, 15.4 in Rome and 17.4 in Athens.

The summer days in Lapland are long and full of light, but because the rays of the sun come down slantingly in the North they do not warm the land. Grain crops do not generally succeed in the North, but there is usually a better potato crop in Lapland than in the south of Finland. The effect of the light on the growth of berries is clear: the aroma of the swamp-berry or the Arctic raspberry or cloudberry is something special. The light during the summer-time is characteristic not only of Lapland — even in Helsinki from the beginning of the summer there is enough light at night to read by.

The long dark winter in Finland has its own characteristic effect on the rhythm of life. The birds for the most part flee to southern countries, the reptiles and some of the mammals — most notably bears — disappear under the snow into hibernation; the human beings try to continue their ordinary ways of life but nature compels them to embark upon extraordinary measures. The dwelling-places and work-places have to be heated, more resources have to be devoted to meeting the costs of heating and lighting, even the food has to be more nutritious because of the cold, the style of clothing cannot be dictated merely by fashion, thousands of kilometers of roads have to be plowed after snowfalls, ice-breakers have to be used to make navigation possible. Nature determines what man shall do — more than man realizes.

The general picture that Finland presents — if it were not for the lakes — is monotonous compared to the countries of Central Europe and Southern Europe with their towering mountains but extremely variegated when compared for example to the Netherlands. The landscape of Finland is almost everywhere made up of comparatively small elements but even the pictures of the Finnish landscapes in relief are generally variegated and interesting. There is a certain softness and a sloping quality in the general picture which is due to the great age of the basic rock; even the fells of Lapland, which can be over a kilometer high, are not sharp like the Alps. A general feature of the landscape is almost everywhere a regular sloping from the northwest to the southeast with a splitting of the ancient rock-base and a complex fault-line structure resulting from this splitting.

During the last ten thousand years — a short time in geological history — Finland has been transformed by three predominant factors. The ice age carved out the surface of the earth, made room for the lakes, shaped the ridges of the land, transported boulders and ground the devil's churns. After the glacial period the land rose and this caused most of the great waterways of Finland to run toward the south and the southeast, toward the Gulf of Finland and Lake Ladoga, whereas previously the waterways had flowed toward the west, toward the Gulf of Bothnia as the waterway of the Kokemäki River still does. Finally came man who shaped the land as he wished it to be — and still shapes it: man set power-stations on the rivers, drainage-ditches in the swamps, artificial lakes in the upper tributaries of the waterways, fields on forest-land, busy roadways in previously unsettled areas. The mark of man is clearly visible in Finland, even in far Lapland.

Over 20,000 islands have been counted off the curved coast of Finland, the greatest number of island constituting the Archipelago of Finland-Proper and the Åland Islands.

The very end of the Gulf of Bothnia in the north is almost without islands. At its narrowest point, in the throat of the sea, the rising of the land almost a meter per century has been continuously producing reefs. Farther to the south, in what is called the Back Sea, the archipelago begins to cover the shores of Satakunta and Finland-Proper with a narrow belt of islands culminating finally in the Turku archipelago. Along the whole length of the Gulf of Finland starting with the border with the

Soviet Union and going as far as the cape of Hanko there is a belt of islands from ten to twenty kilometers wide which becomes increasingly luxuriant going towards the west.

In the very ends of the Gulf of Finland and the Gulf of Bothnia there is almost no salt in the water and this is true also of the areas of the mouths of the great rivers. The salt-content of the water around the Åland Islands is 6—8 per mil. whereas in the open sea it is 35 pro mil. The ordinary change in the tides in the Baltic may raise the height of the water in the Gulf of Finland by only 20 centimeters, but storms may increase the difference to over three meters.

One-tenth of Finland consists of lakes; there are over 60,000 bodies of water with a width of over 200 meters. In the lake-country of Finland the proportion of water to the whole surface is one-fourth. Of the great lakes with an extent of over 200 kilometers there are 17 in Finland, whereas there are only 29 altogether in the rest of Europe. Five of the great lakes of Finland cover a quarter of the total surface-area of the lakes. It has been estimated that there are over 300,000 kilometers of shore-line along the inland waterways of Finland.

The largest lakes are the Great Saimaa Lake 4,400 km², Lake Päijänne 1,090 km², Lake Inari 1,000 km², Great Kalla 900 km², Lake Oulu 900 km², Pielinen 850 km², Keitele 450 km², Puulavesi 400 km², the artificial lake of Lokka 400 km², the waters of Kangasala 340 km² and the Kitka Lakes 295 km².

In addition to the change of the landscape of the sea-coast resulting from the rising of the land there are also changes resulting from the action of the inland waters. The shallow bays, the blocked-off little lakes with their idyllic masses of water-lilies, the brooks and the rivers erode their banks and in the course of time find new channels. At places the storms on the large lakes break the shore-embankments, even threatening areas of settlement. The river-rapids of Finland appear to be so young, geologically speaking, that the water has not yet had time to wear away the irregularities of the base-rock along their course.

Finland is thus a land of lakes, at least for the purposes of tourism-advertising. But it is also a land of swamps, since a good third of the surface-area of Finland is made up of swamps, marshes and swampy forests. To the present it has not occurred to human beings to do much else with swamps, difficult as they are to travel through and unfavourable for forestry purposes, than to clear them out and make fields on them. Now Finland is currently looking to its swamps: the energy-crisis is being alleviated by the use of peat, the industrial raw-material problem is being eliminated by draining swamps in order to improve the growth of timber and the swamps are being covered under artificial lakes. Perhaps the swamps in the future will become so rare that they will rank as tourist-attractions!

In Uusimaa, Finland-Proper and the Åland Islands there is a hint of the luxuriant plant-growth of the warmer-temperature areas of Central Europe: here and there leafy trees and groves dominate the rugged forest-growth of Finland. The greater part of Finland nevertheless belongs to the belt of the evergreen trees, fir and pine. To the north, in Saamenmaa, there is the world of the stunted birch-trees of the fells. And in the very far North the land turns into a tundra waste with trees growing only in the deep valleys.

Over 70 % of Finland is covered by forests, and the forest dominates the landscape everywhere. Frequently the fields, settlements, industry, roads, rivers and lakes simply cannot be seen because of the forests — only from an airplane is it possible to see the whole picture of Finland. The annual growth of the forest in Finland is estimated at being 10 cubic meter per inhabitant, but the trees of the northland grow slowly — it takes from 80 to a hundred years for a tree to grow from a seedling to a tree from which timber can be taken. Finland must compete on the world market with countries where trees grow two or three times more quickly.

Birch groves are held to be characteristic of the Finnish forest but in surprisingly many cases they have been produced by human effort against the natural tendency; as early as the last century the burning of brush-wood greatly changed the picture of the landscape. Without the intervention of human beings the fir-tree would win out against the birches, and would threaten also the pine trees: the lumber industry shapes the present forests according to its needs with the help of timber-cutting and plantings.

In Finland there are altogether a couple of thousands of varieties of plants of which half have been brought here by man, either intentionally or unintentionally. Many of the rare varieties of plants are protected by law.

There is just about as much cultivated area in Finland as there is lake-area — about one tenth of the country has been completely cleared by man. The cultivated ground is concentrated in Uusimaa, Finland-Proper, Southwest-Häme, and in Ostro-bothnia, the clayey soil of which has made it possible for Finland to produce many agricultural products. Two-thirds of the land-parcels are from 2 to 10 hectares in size, 3 % of the farms are over 25 hectares and only 0.5 % are large-farms, over 50 hectares in size. In the southernmost part of the country the amount of the fields is included in the count with the extending of densely settled areas: industry, housing and road-building also need cleared ground. Elsewhere in Finland the amount of fields or cleared-ground remains as it was or is increasing only slowly.

The changes produced in Finland by man on nature have had an effect also on wild-life. The larger wild beasts have been destroyed almost to the point of extinction but a strong movement aroused almost at the last moment in favor of protection of endangered species may still be able to keep the bear, wolf, wolverine and lynx in existence. In the Kuhmo area on the eastern border the shy wild-reindeer appears to have settled down in Finland. In any case it appears that here in Finland in the northeast border-areas of Europe the extent and peacefulness of the wilderness area provides the most variegated base for wild-life in Europe: the variety and extent of the wild-life may be explained in part also by the fact that the animals are protected also on the other side of the boundary of Finland with the Soviet Union.

Some of the animals have adapted themselves to life in proximity to men: for example the largest animal of the forests, the elk, is quite common in South Finland and it is not too uncommon to have an elk appear in centers of settlement. The location of Finland in the cross-currents of different zones is also apparent in respect to wild-life, since in Finland there are representatives of the extreme western, southern, northern and eastern varieties of animals. There are altogether 67 varieties of mammals, 340 varieties of birds, and 77 varieties of fish of which 36 are in the inland waters.

Finland is developing as a tourist country, primarily because of the attractiveness of nature in Finland. Finland will never become one of the tumultuous traffic-jams of mass-tourism since Finland ultimately cannot compete in selling sunshine — there are summers in Finland where the grand total of sunny days amounts to ten. Another hindrance primarily to auto-travel to Finland is the seas; for the time being the amount of travel via the Soviet Union is very slight and the capacity of the auto-ferries from Central Europe and from Sweden is not great enough to convey all the tourists who might want to come to Finland, especially during the height of the tourist season.

There are auto-ferry connections from Helsinki to the Soviet Union, Poland, Sweden, Denmark and West Germany and there are connections from Turku and Naantali to Sweden as well as from farther north, from Vaasa and from Pietarsaari. Helsinki is increasing in importance as a center for air-traffic between East and West and in addition there are direct flights from Helsinki to many European cities as well as to New York. There is also a direct rail-connection from Helsinki to Leningrad and to Moscow.

The network of internal transportation in Finland is especially dense. There are rapid express buses from one city to another and frequent local buses connect the most distant villages into the bus-network which is relatively the densest in Europe. The modern special-express trains between Helsinki and other cities indicate the level of development of railroad-traffic. The railways have been electri-fied. Time-schedules are continually being speeded up. Every day there are five double-trains between Helsinki and Rovaniemi, one part transporting also passenger-automobiles and camping-trailers. The Finnish airline company Finnair serves some twenty localities in Finland, with Helsinki as the center, and extends its network as far as the northernmost parts of Lapland. This network is among the densest in Europe. A speciality of the lake-country if Finland is the summer-season boat trips, mostly on the Saimaa chain-of-lakes but also in the Tampere waterway-area, on Lake Päijänne and on Lake Pielinen. There are sea-cruises setting out from many of the cities on the shore of the sea.

The almost explosive growth of tourism in Finland

has brought with it hotel-accommodations of different sorts and of different levels in the various parts of the country. Of the almost 350 hotels of Finland, with over 30,000 beds, the greater number are situated in the settled areas, especially for use in winter, but dozens have been situated in the midst of natural attractions of interest to tourists.

There are a hundred or so motels alongside the highways and the number of guest-houses and similar modest overnight accommodations number almost 400. Most of the camping huts, the cheapest accommodations for hikers and campers, are open only during the summer. There are a hundred or so guest-houses offering room-and-board for tourists who wish to have a restful time in the countryside — these are mostly in the southwest part of the country and in the Åland Islands. Similarly there are also ordinary farm-houses in which vacationers may live with the farm-family — about a hundred in Finland. Within the last few years a couple of hundred of so-called "vacation villages" have been built in Finland and they have been especially popular: they include restaurants and frequently other services. The summer-cottages situated off by themselves where the occupants are expected to prepare their own meals and take care of themselves are also very popular. Some thousands of these are offered by their owners for rent to tourists every year; the facilities include a boat, a sauna and fishing. Among the most remarkable overnight places are the wilderness huts of which there are a couple of hundred in Lapland. One is expected to stay only one night in such a hut and then to travel on the next day.

Camping is the main form of summer tourism: there are some three hundred camping areas with over two million overnight accommodations used during the summer. The areas are completely "at the international level" and there are camping-cottages available and other inside accommodations in the event of changeable weather and also to be sure the opportunity of enjoying a sauna, Finnish-style. A considerable number of the camping-areas are located in the countryside at the edge of water so they are suitable also for spending a longer part of the vacation-time than just over-night.

The easiest and most reliable way of arranging a vacation and being sure of enjoying what a vacation has to offer is to buy a so-called package-trip; the themes of these dozens of prepared-trips include architecture, history, lakes, the specialities of Lapland, fishing, hiking, gold-prospecting etc. But the traveller who is traveling on his own will also easily locate the sightseeing-attractions, be able to participate in the more interesting public occasions, make contact with the culture and experience everywhere the proximity of nature. There are dozens of marked hiking-routes in Finland most of them in North-Finland, but one can set out on a hundred-kilometer hiking-pilgrimage from as far south as Pirkanmaa. Fishing is an essential part of Finnish vacation-time activities; there are also opportunities for tourists to engage in hunting at different places.

In Finland there is a flood of events in summer-time. There is a chain of Finland Festivals which offers a program of cultural events from the Spring to the Fall in some ten different localities. At the beginning of June there is a week of dancing and playing at Kuopio. In the middle of June there is a discussion of social problems in Vaasa. In June-July there is an attractive ten-day program of culture and congresses in Jyväskylä. In the beginning of July there is the Jazz Festival in Pori. In the middle of July there is a tremendous popular Folk Music Festival in Kaustinen. At the end of July there is the Opera Festival in Savonlinna. In the beginning of August it is the turn of the Turku Music Festival and in the middle of August the Tampere Theater festival. The Helsinki Festival Weeks at the end of August and the beginning of September bring this series of cultural events to a close. Among the hundreds of others one can mention popular occasions dealing with fishing, occasions presenting the life of different parishes, church events and ceremonies, sports competitions, popular music performances, industrial and agricultural exhibitions, yacht races on the sea and on the lakes, logging competitions, rowing races also for tourists, art-exhibitions located in places of natural beauty and the perennal favorites of the Finns — summer-theater dramas.

Finland is said to be the last extensive unspoiled natural area of Europe and without doubt nature is Finland's greatest resource, both materially and spiritually. Two-thirds of Finland is forest, but industry is in the throes of a wood-shortage. Finland is one-third swamp-land but the experts are already warning regarding the exhaustion of certain types of peat. Finland is a unique lake-area but due to the shallowness of the lakes it has comparatively little water and that water is easily subject to pollution. Compared to many other countries however Finland is more of a country of nature and less of a country of man. Nature in the north is easy to wound and hard to renew and sometimes the very minimum of tourist-movement seriously threatens the values of nature. Finland has been paying a good deal of attention to the protection of nature; a dozen national parks open to tourism and the same number of natural parks open to scientific research-work serve to protect the integrity of nature. Lemmenjoki, the 1,720 square-kilometer national park in Lapland, is among the largest natural protection areas of Europe. Persons in charge of tourism are becoming more and more aware of their responsibilities; many brochures have been printed for the benefit of both domestic and foreign tourists in which an attempt is made to teach how nature in Finland can be preserved and thus be kept as not only a national but an international spiritual possession.

The pictures of this book for the most part depict beautiful Finland in summer, sunny and smiling nature, the best of what is to be seen in Finland. The Finnish summer is short — it is then that nature and the sights of nature are to be enjoyed. It is in summer that man gathers his forces for the long winter. The emphasis of the photographer on this one period of the year is thus perhaps justifiable. When winter dominates the country, it puts an end to the pleasures associated with the summertime, and closes many of the places connected with summer activities.

Winter freezes the lakes and makes them impassable for boats. Winter covers nature over with snow. Winter is the time for concentrating on man and on the achievements of man. Finland is an interesting country also in the Fall and in the Winter.

Pitkän pohjoisen maan vuodenaikojen vaihtelussa on oma mieltä kiihottava jännityksensä: kesän, syksyn, talven ja kevään aikataulu on erilainen vuosittain, ja lisäksi vuodenaikojen toisiinsa nivoutumisen voimakkuus vaihtelee maan eri osissa. Etelässä vuodenajat kohtaavat toisensa tavallisesti lempeästi, mutta napapiirin takana tapaamisessa on usein rajuutta, muutama päivä muuttaa luonnon toiseksi. Hämärien öiden lyhyt kesä vaihtuu vähitellen täyte-läisen kypsäksi elonkorjuujaksi, pitkä pimeä syksy masentaa ihmisen, valmistelee kauan kestävän, vähitellen valostuvan talven tuloa, kunnes koittaa kevät, iloisin vuodenaika. Keväässä on valoa, vähän lämpöä: kuulaus on kevään tunnus. Kirjailijat, taiteilijat, säveltäjät ovat aina ammentaneet luonnosta sisältöä luomiseensa: myös tunnetuimman suomalaisen taiteen luojan, Jean Sibeliuksen töitä hallitsee luonto.

En uppeggande spänning ligger i årstidernas växling i det långsträckta landet: sommaren, hösten, vintern och våren har olika tidtabell varje år och dessutom varierar årstidernas kraft i olika landsändor. I söder möter årstiderna vanligen varandra med mildhet, men i mötena norrom polcirkeln ligger ofta ett ursinne, på någon dag förändras naturen helt. Den korta sommaren med nattlig skymning växlar småningom till en yppigt mogen skördetid, den långa mörka hösten gör människan nedstämd förbereder den långvariga småningom ljusnande vinters ankomst, tills våren randas, den gladaste årstiden. Ljus, värme, klarhet är vårens signum. Författarna, konstnärerna, kompositörerna har alltid inspirerats av naturen vid sitt skapande; också den bäst kända av dem, Jean Sibelius visar i sina verk att han mästerligt behärskar Finlands växlande natur.

Der Wechsel der Jahreszeiten wird in Finnland mit besonderer Spannung erwartet: Sommer, Herbst, Winter und Frühling beginnen jedes Jahr zu verschiedener Zeit. Im Süden gehen die Jahreszeiten gewöhnlich behutsam ineinander über, aber hinter dem Polarkreis kann sich die Natur oft innerhalb weniger Tage überraschend ändern. Der kurze Sommer mit den dämmerigen Nächten geht langsam in die Zeit der Reife über, der dunkle Herbst bedrückt den Menschen und bereitet die Ankunft des langen, nur allmählich heller werdenden Winters vor, bis zuletzt der Frühling anbricht. Helligkeit und Klarheit sind die charakteristischen Merkmale des finnischen Frühlings. Schriftsteller, Komponisten und andere Künstler haben zu allen Zeiten den Stoff für ihre Werke aus der Natur geschöpft. Auch in den Arbeiten von Jean Sibelius stellt die abwechslungsreiche Natur ein vorherrschendes Motiv dar.

There is a special excitement in the change of the seasons in Finland, this long-extended country of the northlands. The time-schedule of summer, fall, winter and spring is different every year and the way the seasons turn into each other is different in the different parts of the country. In the south the seasons are each succeeded by the next in a gradual way but in the north changes can be very sudden and a few days can make startling changes in the life of nature. The summer is short with twilight nights. The dark fall has a depressing effect, preparing people for the long Winter which only gradually becomes lighter and finally joyfully ends in Spring. There is light and clarity in the spring — but not too much warmth. The creative artists of Finland have always drawn their inspiration from nature, as for example Jean Sibelius.

Hämeenlinnassa v. 1865 synty-
neen säveltäjämestari **Jean
Sibeliuksen**, koko maailman
tunteman romantikon, suoma-
laiskansallisten aiheiden tulkit-
sijan, ensimmäinen suurtyö
oli v. 1892 valmistunut Kullervo.
Sitä seurasi kalevalaisuuden ja
luonnon hallitsema kausi, jonka
merkittävimmät työt ovat Satu,
Karelia-sarja ja Lemminkäinen-
sarja tunnettuine Tuonelan
Joutsenineen. Sibelius sävelsi
runsaasti myös Kanteletarta ja
Aleksis Kiven runoja. Kuuluisim-
man sävellyksensä, Finlandian,
mestari loi vaikeina routavuosina
v. 1899. Myös ensimmäinen sin-
fonia syntyi samana vuonna,
viimeinen, seitsemäs, v. 1924.
Luomistyö loppui v. 1931.
Sibelius asui v:sta 1904 lähtien
Järvenpään Ainolassa /5/ aina
kuolemaansa, v:een 1957 asti;
myös hänen hautansa /6/ on
Ainolassa. Kuvanveistäjä Eila
Hiltusen **Sibelius-monumentti**
on **Helsingissä** säveltäjän
nimeä kantavassa puistossa /4/.

Tonsättarmästaren **Jean Sibelius**,
född år 1865 i Tavastehus är en
romantiker, känd över hela värl-
den, en tolkare av finsknationel-
la motiv. Hans första storverk
var Kullervo som färdigställdes
år 1892. Det följdes av en period
med Kalevala och naturmotiv, de
mest betydande verken är Sagan
samt Karelia- och Lemminkäi-
nen-sviten med den välkända
Tuonelas svan. Sibelius tonsatte
också många dikter ur Kantele-
tar och Aleksis Kivis lyrik. Sin
berömdaste komposition, Fin-
landia, skapade mästaren under
de svåra froståren 1899. Första
symfonin kom till samma år och
den sista, den sjunde år 1924.
Sibelius skapande arbete ebbade
ut 1931. Han bodde efter 1904 i
Ainola i Järvenpää /5/ ända till
sin död år 1957. Hans grav /6/
ligger också här. Skulptrisen
Eila Hiltunens **Sibelius-monu-
ment** står i **Helsingfors** i den
park som bär Sibelius namn /4/.

Der 1865 in Hämeenlinna
geborene Komponist **Jean
Sibelius** vollendete 1892 sein
erstes grosses Werk Kullervo.
Danach folgte eine vom Kalevala
und der Natur bestimmte
Periode, deren bedeutendste
Werke Eine Sage, die Karelia-
Suite sowie die Lemminkäinen-
Suite mit dem bekannten
Der Schwan von Tuonela sind.
Sibelius schrieb auch viele
Kompositionen zum Kanteletar
und zu den Gedichten von
Aleksis Kivi. Sein berühmtestes
Werk Finlandia schuf er 1899
während der Jahre der russischen
Unterdrückung. Die erste
Symphonie entstand im selben
Jahr und die letzte, die siebente,
1924. Die schöpferische Arbeit
des Komponisten endete 1931.
Sibelius wohnte seit 1904 bis zu
seinem Tod 1957 im Haus **Ainola**
in **Järvenpää** /5/, wo sich auch
sein Grab /6/ befindet. Das
Sibelius-Monument der
Bildhauerin Eila Hiltunen steht
in **Helsinki** im Sibelius-Park /4/.

Jean Sibelius, the world-famou
Finnish master-composer, was
born in Hämeenlinna in 1865.
He was a romantic, an inter-
preter of the Finnish national
tradition. After his first great
work, Kullervo, appeared in
1892 there was a period domin
ted by the themes of the storie
from the Kalevala epic and by
Finnish nature. To this period
belong the Karelian suite and
the Lemminkäinen suite with
the famed Swan of Tuonela.
Sibelius also set the poems of
the Kanteletar and Aleksis Kivi
music. His most famous work,
Finlandia, was composed in
1899 during a difficult period
for Finland. His first symphon
appeared also that same year
and the last, the Seventh, in
1924. He stopped composing i
1931. Sibelius lived from 1904
until his death in 1957 in Aino
in **Järvenpää** /5/. His grave is
also in Ainola /6/. There is a
Sibelius Monument by the
sculptress Eila Hiltunen in the
park in **Helsinki** named after t
composer /4/.

5

6

Ensimmäiset asukkaat ottivat elantonsa riistametsistä ja kalavesistä, mutta vähitellen oli ryhdyttävä viljelemään karua, kituliasta maata. Aluksi poltettiin kaskea: kaadettiin metsä, sytytettiin tuleen ja kylvettiin muutamana vuotena tuhkaan siemen, kunnes kaski muuttui karjan laitumeksi ja alkoi myöhemmin kasvaa koivikkoa. Lopuksi syntyivät pysyvät pellot, jotka nyt läikittävät Suomen enimmiltään metsäistä maata. Mutta sopeutuminen oli joskus

vaikeaa, ihminen rakasti metsiään, epäili peltojen viljavuutta. Suomen kansan rakkaat sankarit, Aleksis Kiven luomat seitsemän veljestä, elivät vaihettumisen aikaa, temmelsivät nykyisen Uudenmaan asutuksen reunamilla, polttivat kaskea, pakenivat metsiin, mutta vakiintuivat sitten ja ryhtyivät perheineen viljelemään peltoa. Kiven mestarillinen romaani, tapahtumien ja tunnelmien yhdistelmä, sai arvonsa vasta vuosikymmeniä kirjailijan kuoleman jälkeen.

Landets första bebyggare fick sin utkomst genom jakt i skogarna och fiske i sjöarna, men småningom var man nödd att börja odla den karga, torftiga jorden. Först brände man sved, man fällde skog, tände eld på den och sådde några år frön i askan, tills sveden blev betesmark för boskapen. Senare växte där upp björkskog. Till slut fick man åkerjord, fläcklika inslag i Finlands främst skogiga terräng. Men det var ibland svårt att anpassa sig, människan älskade

sina skogar, tvivlade på åkrarnas bördighet. Det finska folkets kära hjältar, Aleksis Kivis sju bröder, levde i brytningstiden, tumlade om i gränstrakterna till nutida bosättningsområden i Nyland, brände sved, flydde till skogs, men stadgade sig sedan och började med sina familjer odla jorden. Kivis händelse- och stämningsrika roman blev fullt uppskattad först årtionden efter författarens död.

Die ersten Bewohner Finnlands lebten von Jagd und Fischfang, aber allmählich gingen sie dazu über, das unergiebige Land zu bebauen. Zuerst wurden Bäume gefällt und das Gelände in Brand gesteckt, danach streute man einige Jahre lang Saat in die Asche, bis sich das gerodete Gebiet in Weideland verwandelte. Zum Schluss entstanden Felder, die heute überall in der Landschaft verstreut liegen. Die Anpassung an die neuen Verhältnisse war manchmal schwierig, der Mensch liebte seine Wälder und stand der Fruchtbarkeit der Felder misstrauisch gegenüber. Die von Aleksis Kivi geschaffenen Sieben Brüder lebten in dieser Zeit des Umbruchs, sie trieben sich in den Randgebieten des heutigen Uusimaa herum, wurden zum Schluss aber sesshaft und begannen, Ackerbau zu betreiben. Kivis Roman, eine Kombination von Ereignissen und Stimmungen, fand erst Jahrzehnte nach dem Tod des Schriftstellers Anerkennung.

The first inhabitants lived by hunting and fishing but they gradually began to cultivate the land. It was at first necessary to fell the trees and to burn the brush and to sow seed for several years in the ashes until the land became suitable for pasture for cattle and finally for fields which now are scattered throughout the whole of forest-dominated Finland. But this adaption to agriculture was sometimes difficult — the people loved the forests and had their doubts about the cultivability of the fields. The beloved fictional heroes of the Finnish people, the Seven Brothers created by Aleksis Kivi, lived through a transition-time in the border-area of settlement of the present province of Uusimaa until they finally settled down and became respectable farmers. The novel of Aleksis Kivi received full recognition only decades after the death of the author.

Aleksis Kivi syntyi v. 1834 **Nurmi-järven** Palojoella Taaborin-vuoren juurella, talossa, joka nykyisin museona esittelee kirjailijan lapsuutta ja nuoruutta /9-10/. Kiven oma aika ei ym-märtänyt mestariaan, sammutti luomistyön tyystin. Kivi kuoli v. 1872 vain 38-vuotiaana, yksinäi-senä, hylättynä, mielisairaana **Tuusulassa** sijaitsevassa mökki-pahasessa /11/, joka suorastaan pakottaa vieraan hiljentymään.

Aleksis Kivi föddes år 1834 i Palojoki, i **Nurmijärvi**, invid Taborberget, i ett hus som nu-mera i museiform visar oss för-fattarens barndom och ung-domstid /9-10/. Kivis egen tid förstod inte mästaren, släckte skapararbetet helt. Kivi dog år 1872, endast 38-årig, ensam, försmådd, sinnesrubbad i en usel kåkbyggnad i **Tusby** /11/ där besökaren inte kan annat än respektfullt tiga.

Aleksis Kivi wurde 1834 im Dorf Palojoki in **Nurmijärvi** am Fusse des Taaborinvuori geboren. Sein Elternhaus dient heute als Museum, in dem man einen Eindruck von der Kindheit und Jugend des Schriftstellers bekommt /9-10/. Kivis Zeit-genossen verstanden ihn nicht, und der Schriftsteller starb 1872, erst 38-jährig, einsam, verstossen und geisteskrank in einer elenden Hütte in **Tuusula** /11/, die den Besucher heute schaudernd verstummen lässt.

Aleksis Kivi was born in 1834 in the village of Palojoki in **Nurmi-järvi** at the foot of the Taabori mountain. The house in which he was born is now a museum giving an impression of the childhood and youth of the writer /9-10/. Kivi was not understood or appreciated by his contemporaries and he died in 1872, only 38 years old, alone, rejected and mentally ill. The house in which he died was a miserable hut in **Tuusula** /11/ which has a melancholy effect on visitors.

Helsinki

Helsingfors

Suomen suurimman kaupungin synnytystuskat olivat vaikeat. Kustaa Vaasa päätti v. 1550 perustaa Vantaanjoen varteen Tallinnan kilpailijaksi kauppakaupungin ja määräsi sen ensimmäisiksi asukkaiksi porvareita muista Suomen kaupungeista. Nämä eivät viihtyneet uudessa, pienessä paikassa, vaan palailivat vähitellen kotiseuduilleen. Helsinki kitui lähes vuosisadan, ja vasta uuden keskustan luominen v. 1640 nykyisen Senaatintorin seutuville elvytti hieman elämää. Asukasluku ei kuitenkaan aikoihin kohonnut yli kahden tuhannen; tarvittiin jälleen vuosisata ennen kuin seuraava sysäys alkoi kohottaa kaupungin arvoa. V. 1748 aloitettu Sveaborgin — myöhemmältä nimeltään Suomenlinnan — linnoitustyö antoi uskoa ja Helsingistä kehittyi lopulta vuosisadan loppuun mennessä kaupunkimainen asutustaajama.

Sveaborgista piti tulla Suomenlahden hallitseva merilinnoitus ja Helsingin piti kehittyä sen suojissa mahtikaupungiksi, mutta pian linnoitus antautui Suomen sodassa 1808 venäläisille taisteluitta ja saman vuoden syksyllä tulipalo tuhosi Helsingistä kolmasosan — kaupunki oli menettänyt jälleen arvonsa.

Uudet vallanpitäjät halusivat maan pääkaupungin idemmäksi, ja niin v. 1812 siirrettiin maan keskushallinto Turusta Helsinkiin. Samalla alettiin uudelle pääkaupungille suunnitella uutta, edustavaa keskustaa. J. A. Ehrenströmin ja J. C. L. Engelin toimesta syntyikin 1820- ja 1830-luvulla koko Euroopassa ainutlaatuisen arvokas monumentaalinen uusklassillinen keskusta Senaatintorin ympärille. Pääasiassa julkisista rakennuksista koostuva empiretyylinen alue on säilynyt näihin päiviin asti muuttumattomana maan ainoan suurkaupungin uusissa muualla kasvojaan — Helsingin nähtävyyksistä merkittävin!

Tämän vuosisadan alussa asukasluku kohosi sataan tuhanteen ja kaupunki alkoi levittäytyä pieneltä niemeltä viereisiin saariin ja tunkeutui myös mantereen metsiin. Nyt asukkaita on yli puoli miljoonaa eli kymmenes osa koko maan väestöstä. Kaupungin elämässä on erilaisia sykkeitä: vanhassa arvokkaassa keskustassa on vain virastoja, vieressä nopeatempoinen liike-Helsinki, sen ulkopuolella tiheästi rakennetut asuinalueet, välissä teollisuusalueita ja uloimpana maaseudun rauhassa uusia, avaria asuintaajamia. Mutta tiheistä kivimuureista huolimatta Helsinki on säilyttänyt luonnonläheisyytensä: aivan kaupungin sydämestä alkaa kauas pohjoiseen ulottuva puistojen ja metsien viherketju, Keskuspuisto. Muita hengähdyspaikkoja ovat mm. Seurasaari ja Korkeasaari sekä kauempana, venematkan päässä, Suomenlinna ja Pihlajasaari.

Kaupungin tapahtumallisia keskuksia ovat Kauppatori, kansainvälistä tasoa oleva Linnanmäen huvipuisto, v. 1952 päänäyttämönä ollut Olympiastadion, uusittu Eduskuntatalo ja uusi ylpeilyn aihe, Kansainvälinen Messukeskus. Satojen nähtävyyksien joukosta kohoavat tärkeimmiksi Kansallismuseo, Ateneumin taidemuseo, Finnish Design Center, monet kirkot, vehmaat puistot patsaineen, Kaupunginteatteri jne.

Maailma oppi tuntemaan Helsingin olympialaisten aikaan, myöhemmin ovat suuret kansainväliset konferenssit, kuten ETYK ja SALT, kääntäneet katseet tähän pohjoiseen suurkaupunkiin. Pian maailma nähnee uudistuvan Helsingin, sillä akateemikko Alvar Aallon fantastinen suunnitelma uudesta, moniulotteisesta keskustasta alkanee toteutua näinä vuosina.

Födelsevåndorna för Finlands största stad var svåra. Gustaf Wasa beslöt år 1550 att grunda en handelsstad vid Vanda å som en konkurrent till Reval och han beordrade borgare från andra städer i Finland att bli dess första invånare. Dessa trivdes inte på den nya, lilla orten, utan återflyttade småningom till sina hemorter. Helsingfors levde tvinande i nästan hundra år och först då ett nytt centrum år 1640 skapades kring nuvarande Senatstorget blev stadsbilden livligare. Invånarantalet steg ändå inte ännu på länge över tvåtusenstrecket, det behövdes igen ett århundrade innan nästa påstöt inverkade utvecklande på staden. Befästningsarbetena på Sveaborg — på finska Suomenlinna (Finlands borg) — som påbörjades år 1748 ökade tilltron och slutligen utvecklades Helsingfors fram mot sekelskiftet till en stadslik tätort.

Det var meningen att Sveaborg skulle bli en havsfästning som behärskade Finska Viken och Helsingfors skulle i dess skydd utvecklas till en mäktig stad. Men snart kapitulerade fästningen i Finska kriget 1808 utan strid åt ryssarna och på hösten samma år förstörde en eldsvåda tredjedelen av Helsingfors — staden hade återigen förlorat sin värdighet.

De nya härskarna ville att rikets huvudstad skulle ligga längre österut och sålunda flyttades år 1812 rikets centralförvaltning från Åbo till Helsingfors. Samtidigt började man för den nya huvudstaden planera ett nytt, representativt centrum. På initiativ av J. A. Ehrenström och J. C. L. Engel skapades på 1820- och 1830-talet ett i hela Europa exceptionellt värdefullt, monumentalt, nyklassiskt centrum kring Senatstorget. Det område i empirestil, vars huvuddelar består av offentliga byggnader, har bevarats då Finlands enda storstad förnyat sitt anlete och utgör det mest betydande bland Helsingfors' sevärdheter!

I början av detta århundrade steg invånartalet till 100.000 och staden började breda ut sig från den lilla udden till närliggande öar och trängde också in i inlandets skogar. Nu bor här mer än en halv miljon människor eller tiondedelen av landets befolkning. I stadens liv förnimmer man olika pulsslag, i stadens gamla värdiga centrum ligger enbart ämbetsverk, nära intill har man Det snabbpulserande affärs-Helsingfors, utanför tätt utbyggda bostadsområden, mellan dem industriområden och längst ute i lantlig ro nya, vidsträckta förorter. Men trots de täta stenmurarna har Helsingfors bevarat sin naturnärhet. Mitt i stadens hjärta börjar ett grönområde av parker och skogar som sträcker sig långt mot norr, Centralparken. Andra utandningsställen för helsingforsarna är bl.a. Fölisön och Högholmen samt längre borta, Sveaborg och Rönnskär, dem når man med båt.

Centra för skeendet i staden är Salutorget, nöjesfältet Borgbacken av internationell klass, Olympiastadion som 1952 var världsarena, det renoverade Riksdagshuset och en ny byggnad att ståta med, Mässcentret. Av hundratals sevärdheter har vi bland de främsta Nationalmuseet, Konstsamlingarna i Ateneum, Finnish Design Center, många kyrkor, frodiga parker med statyer, Statsteatern o.s.v.

Världen lärde känna Helsingfors under de olympiska spelen 1952, senare har stora internationella konferenser såsom ESSK och SALT vänt blickarna mot denna nordliga storstad. Snart ser världen troligen ett Helsingfors i förnyelse, ty Alvar Aaltos fantastiska plan gällande det nya, mångdimensionella centrum, börjar verkställas under de närmaste åren.

Helsinki

Helsinki

Helsinkis Entwicklung zur grössten Stadt Finnlands verlief nicht ohne Schwierigkeiten. Gustaf Wasa beschloss im Jahre 1550, am Fluss Vantaanjoki eine Handelsstadt als Gegengewicht zu Reval zu gründen, und rief Bürger aus allen anderen Teilen Finnlands zusammen. Diese fühlten sich an dem neuen, kleinen Ort nicht sonderlich wohl und kehrten allmählich in ihre Heimatgegend zurück. Helsinki führte ein Jahrhundert lang ein bescheidenes Dasein, und erst die Gründung eines neuen Zentrums in der Nähe des heutigen Senaatintoris im Jahre 1640 brachte etwas Aufschwung. Trotzdem stieg die Einwohnerzahl lange Zeit nicht über zweitausend. Ein Jahrhundert später, im Jahre 1748, begannen die Arbeiten an der Festung Sveaborg — später Suomenlinna genannt. Sveaborg sollte den Finnischen Meerbusen beherrschen und Helsinki sollte sich im Schutz dieser Festung zu einer mächtigen Stadt entwickeln, aber im Finnischen Krieg 1808 kapitulierte Sveaborg kampflos vor den Russen und im Herbst desselben Jahres vernichtete ein Grossfeuer ein Drittel von Helsinki — die Stadt hatte wieder ihren Wert verloren.

Die neuen Machthaber wollten die Hauptstadt des Landes weiter nach Osten verlegen, und daher wurde die Zentralverwaltung im Jahre 1812 von Turku nach Helsinki übertragen. Gleichzeitig wurde mit der Planung eines neuen, repräsentativen Zentrums für die neue Hauptstadt begonnen. J. A. Ehrenström und J. C. L. Engel kommt das Verdienst zu, dass in den 20er und 30er Jahren des 19. Jahrhunderts um den Senaatintori herum ein in ganz Europa einzigartiges, neuklassizistisches Zentrum entstand. Der im Empirestil erbaute Bezirk ist bis heute unverändert erhalten geblieben.

Zu Beginn dieses Jahrhunderts zählte Helsinki schon 100.000 Einwohner, und die Stadt begann, sich von einer kleinen Halbinsel auf die benachbarten Inseln auszudehnen und in die Waldgebiete auf dem Festland einzudringen. Heute ist die Einwohnerzahl der Stadt auf über eine halbe Million angestiegen. In der Stadt gibt es verschiedene Lebensbereiche: im alten Zentrum befinden sich nur Amtsgebäude, daneben liegt das schnellebige Geschäftszentrum, danach kommen die dicht bebauten Wohngebiete mit Industriegeländen dazwischen und am weitesten entfernt liegen neue, weite Wohnviertel. Trotz seiner Steinmauern hat Helsinki auch Natur bewahrt: ganz im Herzen der Stadt beginnt der Zentralpark, ein grüner Streifen von Parks und Wäldern, der sich bis weit nach Norden erstreckt.

Höhepunkte im Leben der Stadt sind der Marktplatz, der Vergnügungspark Linnanmäki, das Olympiastadion, in dem die Olympischen Spiele von 1952 stattfanden, das restaurierte Parlamentsgebäude und das neue Messezentrum. Von den Hunderten von Sehenswürdigkeiten sind die wichtigsten das Nationalmuseum, die Kunsthalle Ateneum, das Finnish Design Center, viele Kirchen, das Stadttheater usw.

Die Welt lernte Helsinki während der Olympischen Spiele kennen, später haben die grossen internationalen Konferenzen wie die Europäische Sicherheitskonferenz und die Abrüstungskonferenzen die Aufmerksamkeit auf diese Grossstadt im Norden gelenkt. Bald wird die Welt ein neues Helsinki sehen, denn der von Alvar Aalto entworfene phantastische Plan eines neuen, stufenförmig angelegten Zentrums dürfte in diesen Jahren beginnen, konkrete Formen anzunehmen.

The King of Sweden-Finland, Gustav Vasa, decided in 1550 to found a city on the banks of the Vantaa River to be a competitor to Tallinn and ordered citizens from a number of other cities in Finland to move there to be its first inhabitants. The new settlement did not keep its inhabitants however and they gradually moved back to their old homes. Helsinki languished for almost a century and only with the creation of a new center in 1640 in the area of the present Senate Square did it come a little bit to life. The population however did not rise above two thousand; a new stimulus was needed to make the city more of a city and this stimulus came a century later, in 1748, with the beginning of the building of Sveaborg, a fortress which was later named Suomenlinna (Finland's Fortress). Sveaborg was supposed to be the fortress that would dominate the Gulf of Finland and Helsinki was expected to develop into a great city in connection with it, but in the Finnish War of 1808 the fortress surrendered to the Russians without firing a shot and in September of the same year a great fire destroyed a third of Helsinki.

The new rulers of Finland wanted the capital city of the country to be closer to Russia and accordingly in 1812 moved the central administration of Finland from Turku to Helsinki. At the same time the planning of a new impressive center for the city was initiated. In the 1820's and 1830's, under the direction of J. A. Ehrenström and J. C. L. Engel, an impressive neo-classical monumental center came into being in the Senate Square area, an architectural creation which was unique in Europe. The Empire-style area of Helsinki has been preserved almost unchanged.

At the beginning of this century the population of the city of Helsinki rose to 100,000 and the city began to spread from the little peninsula to the neighboring islands and into the forest-area of the mainland. At present the population of Helsinki is over 500,000 or about a tenth of the population of the whole of the country. In the structure of the city different functional-areas can be distinguished — the government-buildings in the old, impressive center, beside it the business-center of Helsinki, fast-moving and modern, then densely settled dwelling areas and industrial areas with new open dwelling-areas located farther out in the midst of the surrounding nature. The city has preserved the character of being close-to-nature — right in the center of the city there begins a central park-area which extends to the north in a chain of greenery, parks and forest. The areas which give the Helsinkians breathing-space include the islands of Seurasaari, Korkeasaari, Suomenlinna and Pihlajasaari.

Among the centers of activity of interest to tourists are the Market Square, the Linnanmäki amusement-park, the Olympia Stadium built for the 1952 Olympics in Helsinki, the re-built Parliament House and the new show-place, the Fairs Center. Among the hundreds of things which should be seen are the National Museum, the Art Museum of the Ateneum, the Finnish Design Center, the City Theater, the many churches and the green parks with their statuary.

The world learned to know Helsinki during the Olympics and later the great international conferences in Helsinki, CSCE and the SALT talks, drew world-attention. In the future the world will see a Helsinki rebuilt in accordance with the new plan of the world-famous Alvar Aalto for a new multi-dimensional center.

12

13

Akateemikko Alvar Aallon suunnittelema, v. 1971 valmistunut Helsingin konsertti- ja kongressikeskus **Finlandia-talo** /12–13/ sijaitsee kaupungin sydämessä Töölönlahden rannalla tasakattoisen eduskuntatalon ja terävätornisen Kansallismuseon naapurina. Marmorin ja harmaan graniitin hallitsemassa kompleksissa on 1.700 hengen konserttisali, 350 hengen kamarimusiikkisali, 1.300 hengen kongressihuoneosa ja 300 hengen ravintola.

Helsingfors' konsert- och kongresscentrum, **Finlandia-huset** /12-13/ av år 1971, med akademiker Alvar Aalto som planläggare, ligger i stadens hjärta vid Tölöviken, som granne till Riksdagshuset med dess flata tak och Nationalmuseet med dess spetsiga torn. Komplexet, dominerat av marmor och grå granit, rymmer en konsertsal för 1700 personer, en kammarmusiksal för 350, en avdelning för kongresser på upp till 1300 personer och en restaurang för 300 gäster.

Das von Alvar Aalto entworfene und 1971 fertiggestellte Konzert- und Kongresszentrum Helsinkis, das **Finlandia-Haus**/12-13/, liegt mitten in der Stadt in der Nähe des Parlamentsgebäudes und des Nationalmuseums. In dem vorwiegend aus Marmor und grauem Granit gebauten Komplex befinden sich ein Konzertsaal für 1.700 Personen, ein Kammermusiksaal für 350 Personen, eine Kongressabteilung für 1.300 Personen sowie ein Restaurant für 300 Personen.

The **Finlandia House**, the concert and conference center of Helsinki, designed by the Member of the Finnish Academy Alvar Aalto and completed in 1971/12-13/, is located on the bank of the Töölö Bay in the heart of the city, its neighboring buildings being the flat-roofed Parliament House and the sharp towered National Museum. The whole complex includes a concert-hall seating 1,700 people, a chamber-music hall for 350, a congress-hall for 1,300 and a restaurant seating 300.

V. 1969 valmistuneesta **Temppeli-aukion kirkosta** /14—15/ kohoaa kohti taivaita vain louhinta-kivisen muurin ympäröimä kuparista ja lasista rakennettu kupoli. Timo ja Tuomo Suomalaisen suunnittelema 630 hengen kirkko on louhittu peruskalliioon, joka yhdessä betonin kanssa muodostaa kirkkosalin kehyksen. Kalliin rakennuksen vastustajat maalasivat kirkon kallio-seiniin vieläkin näkyvästi puhuttelevan sanan 'Biafra'.

I **Tempelplatsens kyrka** /14—15/ av år 1969 är det endast en av koppar och glas byggd kupol som reser sig mot himlen om-ringad av en mur av sprängsten. Kyrkan, planerad av Timo och Tuomo Suomalainen, rymmer 630 personer. Den är insprängd i urberget, som samman med betong bildar en ram för kyrko-rummet. Motståndarna till det kostsamma projektet målade det vältaliga ordet "Biafra" på kyrkans bergvägg och där står det alltjämt.

Von der 1969 fertiggestellten **Kirche am Temppeliaukio** /14—15/ ragt nur die aus Kupfer und Glas gebaute Kuppel zum Himmel empor. Die von Timo und Tuomo Suomalainen entworfene Kirche für 630 Personen ist direkt in den ausgesprengten Felsgrund gebaut worden, der zusammen mit Beton den Rahmen für den Kirchensaal bildet. Die Gegner dieses teuren Projekts haben auf die Felsen-wände der Kirche das noch immer sichtbare vielsagende Wort Biafra gemalt.

The walls of the **Taivallahti Church** in **Temple Place** in Helsinki /14—15/ consist of the sheer rock into which the construction was placed, while the roof is a cupola of copper and glass. This remarkable church, completed in 1969, was designed by Timo and Tuomo Suomalainen to hold a congregation of 630 persons. It was carved directly out of the base-rock which, faced with cement, provided the floor of the central hall of the church as well as the surrounding walls.

14

15

17

18

19

20

Toukokuun ensimmäisenä päivänä suomalainen herää talviunestaan, riehaantuu viettämään ainoaa karnevaaliaan. Ylioppilaiden ja työväen juhlaan, **vappuun** /16-20/ kuuluu olennaisena osana ilmapallo, vappuviuhka ja alkoholi. Vappuyön tapahtumiin kuuluu Kauppatorilla seisovan Havis Amandan lakittaminen /19/. Ja vappupäivän aamuna virkeimmät pitävät juhliaan ja marssivat tuhatpäisin joukoin pitkin katuja.

Första maj vaknar finländaren ur sin vintersömn och firar då med uppsluppenhet årets enda karneval. Till studenternas och arbetarnas fest, **valborgsmässan** /16-20/ hör som viktiga inslag ballonger, majruskor och alkohol. Till valborgsnattens traditioner hör att klä Havis-Amanda-statyn på Salutorget med studentmössa /19/. De som är piggast festar på morgonen första maj och tågar i tusenhövade skaror längs gatorna.

Am 1. Mai erwacht der Finne aus dem Winterschlaf, um ausgelassen seinen Karneval zu feiern. Zum Fest der Studenten und Arbeiter, dem **Vappufest** /16-20/, gehören als wesentliche Bestandteile Luftballons, Vappufächer und Alkohol. Die Vappunacht erreicht ihren Höhepunkt, wenn der Statue Havis Amanda die Studentenmütze aufgesetzt wird /19/. Am Morgen des Vapputages marschieren die Muntersten wieder durch die Strassen.

The only really carnival-like celebration in Finland is **Vappu**, the Finnish version of May Day /16-20/. It belongs traditionally both to the university-students and to the workers. Among its essential appurtenances are rubber-balloons, brightly colored May-Day whisks, and unrestrained imbibing of alcohol. On the eve of May Day the statue of Havis Amanda on the Market Square is climbed by a university-student who crowns the head of the charming maiden with a student-cap /19/.

21

22

23

24

Suomen suurimman ulkomuseon **Seurasaaren** lähes sadan rakennuksen joukossa on mm. kahdeksan eri puolilta maata tuotua talonpoikaistaloa ja yksi herraskartano. Umpipihainen Antintalo /22/ on satakuntalaisesta Säkylästä. Karunan kirkossa /21/ pidettävien jumalanpalvelusten lisäksi kesäohjelmaan kuuluu mm. teatteria, tanhuja ja työnäytöksiä.

På **Fölisön** ligger landets största friluftsmuseum med närapå hundra byggnader bl.a. åtta bondgårdar som hämtats från olika delar av landet och en herrgård. Anttigården /22/ med gårdsplanen helt omgärdad av byggnader har transporterats från Säkylä. I Karuna kyrka /21/ hålls sommartid gudstjänster. — Också teaterföreställningar, folkdans- och arbetsuppvisningar förekommer då.

Zu den annähernd hundert Gebäuden des grössten finnischen Freiluftmuseums **Seurasaari** gehören u.a. acht aus den verschiedenen Provinzen des Landes herbeigebrachte Bauernhäuser sowie ein Herrensitz. Das Antintalo /22/ stammt aus Säkylä in Satakunta. Ausser den in der Kirche von Karuna /21/ abgehaltenen Gottesdiensten gehören Theater, Volkstänze u.a. zum Sommerprogramm.

Finland's largest outdoors museum is located on the island **Seurasaari** on the outskirts of Helsinki. Among the hundred or so buildings are eight typical old farmhouses brought from different parts of Finland and a manorhouse. The enclosed farmyard of Antti's House /22/ is from Säkylä in Satakunta. The summer-program includes divine service held in the Karuna church /21/ as well as theater-performances and folk-dance demonstrations.

Viime vuosisadalla perustetussa, maailman pohjoisimpiin kuuluvassa **Korkeasaaren** eläintarhassa, joka sijaitsee kilometrin päässä Helsinginniemestä kallioisessa saaressa, on nykyisin eläimiä tuhat yksilöä. Saaren palveluihin sisältyy ravintola. Pienoislaivamatka /27/ on olennainen osa Korkeasaaren retkestä.

Högholmen är en av världens nordligaste djurparker, grundlagd på 1800-talet. Den ligger på en bergig ö, 1 km från Helsingfors-näset och där finns tusentalet djur, bland dem några publikfavoriter såsom den skälmska sälen. Till servicen på ön hör också en restaurang. Den korta båtturen /27/ till ön utgör en väsentlig del av en utflykt till Högholmen.

Der im vorigen Jahrhundert gegründete Zoo **Korkeasaari** gehört zu den nördlichsten Tiergärten der Welt und liegt auf einer felsigen Insel ungefähr einen Kilometer von Helsinki entfernt. Gegenwärtig befinden sich dort eintausend Tiere. Die Fahrt mit dem kleinen Schiff /27/ macht einen wesentlichen Teil des Ausflugs nach Korkeasaari aus.

There are at present a thousand animals in the zoo of **Korkeasaari**, the world's northernmost zoo, founded in the last century and located on a rocky island a kilometer's ferry-trip /27/ from Helsinki.

25

26

27

Tasavallan presidentin linna
kohoaa meren äärellä, kaupungin lämminhenkisen Kauppatorin laidalla. Presidentin virka- ja edustusasunto rakennettiin alun perin v. 1818 kauppiastaloksi, mutta muutettiin myöhemmin keisarilliseksi palatsiksi; tuoreimmat uudistukset on tehty 1970-luvulla. Linnaan keskittyvät tärkeimmät valtiolliset juhlat, suurimpana vuosittainen itsenäisyyspäivän vastaanotto.

Republikens presidents slott
reser sig invid havet, vid kanten av stadens vänligt leende Salutorg. Presidentens tjänste- och representationsvåning byggdes ursprungligen år 1818 för en handlande, men ändrades senare till kejserligt palats, senast renoverades huset på 1970-talet. Till slottet koncentreras de viktigaste statliga festerna, störst bland dem den årligen anordnade mottagningen på självständighetsdagen.

Das **Schloss des Präsidenten der Republik** ragt am Rande des stimmungsvollen Marktplatzes empor. Die Dienst- und Repräsentationswohnung des Präsidenten wurde 1818 als Kaufmannshaus errichtet, aber später zum Kaiserpalast umgebaut. Im Schloss werden die wichtigsten Staatsfeste arrangiert, das grösste davon ist der alljährliche Empfang am Unabhängigkeitstag.

The **Castle of the President of the Republic** is at the edge of the sea and near the busy Market Square. The building which now serves as the official residence and office of the President was originally built in 1818 as the house of a merchant and was then later adapted as an imperial palace; the most recent changes were made during the 1970's. The Castle is used for the most important State ceremonies and the annual Independence Day reception takes place there.

Ihminen lähestyy, lämpenee kesäpäivänä Helsingin **Kauppatorilla** kukkaloiston, tuoreiden hedelmien ja kasvisten, kalan ja merentuoksun tunnelmassa. Värikkäänä erikoistapahtumana ovat syksyiset silakkamarkkinat. Ystävällisen kojumaailman kehyksinä ovat v. 1833 rakennettu kaupungintalo /30/, presidentin linna, 13-kupolinen Uspenski-katedraali ja sen juurella Enso Gutzeit Oy:n pääkonttori /31/.

Människan kommer oss närmare, blir varm, en sommardag på **Salutorget** i Helsingfors där stämningen blandas av blomsterfröjd, färsk frukt, grönsaker, fisk och havsdoft. Ett färgrikt inslag utgör också strömmingsmarknaden varje höst. Som en ram till den vänliga byn av salustånd står stadshuset /30/, presidentens slott, Uspenskikatedralen med sina 13 kupoler och vid foten av den, Enso Gutzeit Ab:s huvudkontor /31/.

Die Menschen kommen einander näher, wenn sie sich an warmen Sommertagen auf dem **Marktplatz** von Helsinki inmitten von leuchtenden Blumen, frischem Obst und Gemüse, Fisch und würziger Meeresluft treffen. Diese anziehende Welt der Verkaufsbuden ist umrahmt vom 1833 erbauten Stadthaus /30/, dem Präsidentenschloss, der Uspenski-Kathedrale mit ihren 13 Kuppeln und dem Hauptkontor der Enso-Gutzeit Oy /31/.

People are approachable and approach one another in the warm summer day of the **Market Square** in Helsinki among the flowerstands, fruit-and-vegetable stands, the fish-stands and the smell of the sea. The teeming throngs are given a backdrop by the City Hall /30/, the President's Castle, the Uspenski Cathedral with its 13 cupolas and the main office of Enso Gutzeit at the foot of the cathedral hill /31/.

29

30

31

Olympiastadion rakennettiin jo vuodeksi 1940, mutta sodat siirsivät Helsingin Olympiakisat vuoteen 1952. Urheilupyhätössä on tilaa 50.000 hengelle. Yli 70 m korkea torni näyttää edustavasti kaupungin näkymiä; stadionin siipirakennuksessa on urheilumuseo. Joka toinen vuosi stadionilla järjestettävä Suomen ja Ruotsin välinen yleisurheilumaaottelu on urheiluväen todellinen kansanjuhla, katsomon täyttäjä.

Olympiastadion byggdes redan för år 1940, men krigen framflyttade de olympiska spelen i Helsingfors till år 1952. I sporthelgedomen finns plats för 50.000 åskådare. Från det 70 m höga tornet syns stadens sevärdheter. I en flygelbyggnad finns ett sportmuseum. Varannat år anordnas på Stadion en tävling i friidrott mellan Sverige och Finland, en folkfest för idrottsfantaster som fyller läktarna.

Das **Olympiastadion** wurde schon für das Jahr 1940 gebaut, aber wegen des Krieges musste man die Olympischen Spiele auf 1952 verschieben. In diesem Stadion ist Platz für 50.000 Zuschauer. Vom über 70 m hohen Turm hat man eine wunderschöne Aussicht über die Stadt. Der jedes zweite Jahr veranstaltete Leichtathletikländerkampf zwischen Finnland und Schweden ist ein wahres Volksfest, und die Tribünen sind brechend voll.

The **Olympic Stadium** was buil for the 1940 Olympics but the outbreak of war shifted the games to 1952. There is room f 50,000 spectators in this shrine of sport. The sights of the city can be seen from the tower, over seventy meters high. The wing-structure is a sports museum. Every other year ther is a match between Finland and Sweden here which constitutes a "must" for the sports-lovers o both nations and the stands are always absolutely full.

Katajanokan korkeimmalla kallivolla kohoava **Uspenski-katedraali** /31/ on Suomen suurin ortodoksinen kirkko. V. 1868 valmistuneessa, venäläisen arkkitehdin A.M. Gornostajeffin piirtämässä kirkossa on penkittömän pääsalin etuosassa ikonostaasi eli kuvaseinä /33/, joka erottaa salista maallikoilta kielletyn alttariosan. Neitsyt Marialle pyhitetyn kirkon ikonit on tavanomaisten luonnonvärien asemesta maalattu öljyväreillä.

På Skatuddens högsta berg reser sig **Uspenski-katedralen** /31/ av år 1868, den största ortodoxa kyrkan i Finland ritad av de ryske arkitekten A.M. Gornostajeff. I den främre delen av det bänklösa kyrkorummet ser vi en ikonostas eller en bildvägg /33/ som avskiljer salen från altardelen, förbjudet område för besökaren. Ikonerna i den åt jungfru Maria helgade kyrkan är målade med oljefärg i stället för vanliga naturfärger.

Die auf dem höchsten Felsen von Katajanokka emporragende **Uspenski-Kathedrale** /31/ ist die grösste orthodoxe Kirche in Finnland. In der 1868 fertiggestellten, von dem russischen Architekten A.M. Gornostajeff entworfenen Kirche befindet sich im Vorderteil des Hauptschiffs, in dem es keine Bänke gibt, eine Ikonenwand /33/, die den Saal von dem für Laien verbotenen Altarraum abtrennt. Die Ikonen in dieser der Jungfrau Maria geweihten Kirche sind mit Ölfarben gemalt.

The **Uspenski Cathedral** /31/ standing on the high rock-hill of Katajanokka is Finland's largest Orthodox church. Designed by the Russian architect A.M. Gornostajeff and completed in 1868, the church has a main hall without benches in the front of which an ikonostase or picture-covered wall /33/ separates the altar-section which is forbidden to laymen from the rest of the hall. The icons of the church, which is dedicated to the Virgin Mary, are painted in oils instead of in the ordinary natural pigments.

Engelin luoman Helsingin monumentaalisen vanhan keskustan tunnuskuvaksi kohoaa kauppatorin varren arvorakennusten /29-30/ yläpuolelle v. 1852 valmistunut **Tuomiokirkko** /36/. Viime vuosisadan tykit katsovat vanhoillisina merelle 15 minuutin venematkan päässä sijaitsevassa **Suomenlinnassa** /37/, jonka perustajan, sotamarsalkka August Ehrensvärdin hautamuistomerkki /35/ lepää Susisaaren linnoituksen suojaisalla pihalla.

Som en symbol för det av Engel skapade monumentala gamla centrum i Helsingfors reser sig **Domkyrkan** /36/ av år 1852 högt över de förnäma husen /29-30/ vid Salutorget. Kanonerna från förra århundradet blickar konservativt mot havet på **Sveaborg** /37/, som ligger på 15 minuters båtfärd från torget. Dess grundare var fältmarskalk August Ehrensvärd vars gravmonument /35/ står på den välskyddade gårdsplanen till fästningen på Vargön.

Als Wahrzeichen des monumentalen alten Zentrums Helsinkis ragt der 1852 fertiggestellte **Dom** /36/ über den ehrwürdigen Gebäuden am Marktplatz empor. Die Festung **Suomenlinna** /37/ erreicht man nach einer viertelstündigen Fahrt mit dem Schiff. Das Grabmal des Gründers dieser Festung, des Feldmarschalls August Ehrensvärd /35/, befindet sich im geschützten Hof der Festung Susisaari.

The **Cathedral Church** /36/ designed by Engel and completed in 1852 towers over the Senate Square, the symbol of the monumental center of Helsinki alongside the Market Square /29-30/. The antiquated guns of the last century look out upon the sea guarded by the Fortress of Finland, **Suomenlinna** /37/, founded by Marshal August Ehrensvärd whose burial monument /35/ is in the sheltered yard of the Susisaari fortification.

Seitsemästä saaresta muodostuva **Suomenlinna** työntyy kohti etelää jykevien muurien reunustamana Kustaanmiekkana kätkien suojaansa mm. Kuninkaanportin ja holviravintola Walhallan. Keskimmäisessä osassa, Susisaaressa on vanha komendantintalo ja Ehrensvärdin hauta. Ison Mustasaaren tunnuksena on kasarmialueella sijaitseva 1850-luvulla rakennettu kirkko, jonka torni toimii majakkana. — Talvi jäädyttää meren Helsingin edustalla joulukuussa ja vasta huhtikuussa kevät vapauttaa vedet. Kylmimpänä aikana tammi- ja helmikuussa on pakkasta keskimäärin —6°C.

Sveaborg består av sju öar. På den sydligaste ligger fästningen Gustavssvärd, i vars skydd bl.a. Kungsporten och restaurang Walhalla ligger. På Vargön i områdets mitt, står det forna kommendanthuset och där ligger Ehrensvärds grav. Signum för Stora Svartön är den på kasernområdet belägna kyrkan från 1850-talet. Dess torn fungerar som fyrbåk för flyget. Om vintern fryser havet utanför Helsingfors vanligen i december och våren gör vattnen fria i april. Under den kallaste tiden, i januari-februari, är medeltemperaturen —6°C.

Suomenlinna besteht aus sieben Inseln. Auf der südlichsten davon liegt die Befestigung Kustaanmiekka, in deren Schutz sich u.a. das Tor Kuninkaanportti und das Kellerrestaurant Walhalla befinden. Im mittleren Teil der Inselgruppe, auf Susisaari, liegen die ehemalige Kommandantur und das Grab von Ehrensvärd. Das Wahrzeichen der Insel Iso Mustasaari ist die in den 50er Jahren des 19. Jahrhunderts gebaute Kirche, deren Turm heute als Leuchtfeuer dient. — Im Winter friert das Meer vor Helsinki gewöhnlich im Dezember zu, und erst im April befreit der Frühling das Wasser. Während der kältesten Zeit im Januar und Februar herrscht eine Durchschnittstemperatur von —6° C.

The fortress of Finland, **Suomenlinna**, consists of seven islands. On the southernmost is the fortification Kustaanmiekka (Gustav's Sword) within the shelter of which are the King's Gate and the stone-vaulted restaurant Walhalla. The old Command Post and the grave of Ehrensvärd are in the central part, on Susisaari island. On Iso Mustasaari island there is a church built in the 1850's the tower of which is used today as a light-beacon. — Ordinarily the water in front of Helsinki freezes by December and is free of ice only in April. The average temperature in January and February is six degrees below zero, Centigrade, but sometime the thermometer falls to twenty below zero.

Järvet jäätyvät Pohjois-Suomessa lokakuussa ja Etelä-Suomessa marraskuussa. Jäät lähtevät etelässä huhtikuussa ja pohjoisessa toukokuussa. Suuret selkävedet jäätyvät ja sulavat kuukauttakin myöhemmin kuin pikkujärvet. Ammattikalastajat käyttävät jäiden aikana nuottia, verkkoja, rysiä, katiskoja ja syöttikoukkuja — harrastelijat pilkkivät /40, 42/. Pilkkiminen on saanut välillä kansanliikkeen muodot: kilpailuihin, joissa on palkintoina jopa autoja, ottaa usein osaa tuhansia pilkkijöitä. Lajissa järjestetään myös maa-otteluja mm. Ruotsia ja Neuvostoliittoa vastaan. Mutta yleensä pilkkiminen on leppoisa harrastus istumisineen ja eväiden syömisineen, vaikka reiän kairaaminen joskus metrinkin paksuun jäähän vaatii voimaa ja taitoa. Yleisin saalis on ahven, mutta myös hauki, joskus myös taimen, siika, kuha ja made iskevät pilkkiin. — Talven erikoisimpia, karaisevimpia harrastuksia on avantouinti /41/, joka liittyy yleensä saunomiseen /319/.

Sjöarna fryser i oktober i norra Finland och i november i södra Finland. Isen går upp i april i söder, i maj i norr. De vida insjöarna fryser och smälter ända upp till en månad senare än de små. Yrkesfiskarna använder, sedan isen lagt sig, not, garn, ryssja och gäddkrokar — hobbyfiskarna använder pimpel /40, 42/. Detta sätt att fiska har ibland fått karaktär av en folkrörelse. Tusentals pimpelfiskare tar del i tävlingar där prisen kan bestå t.o.m. av bilar. I denna sportgren ordnas också landskamper bl.a. mot Sverige och Sovjet. Men i allmänhet är pimpelfisket en vilsam hobby, man sitter, spisar matsäckens gåvor, men att borra upp hålet i ofta metertjock is kan kräva kraft och kunskap. Det vanligaste bytet är abborre, men också gäddan, ibland laxöringen, siken, gösen och laken kan hugga i pimpeln. Till vinterns mest speciella, härdande hobbyn, hör badandet i isvak /41/, i allmänhet förbundet med sauna-besök. /319/.

Die Seen frieren in Nordfinnland im Oktober und in Südfinnland im November zu. Das Eis beginnt im Süden im April und im Norden im Mai zu schmelzen. Die grossen Wasserflächen frieren ca. einen Monat später als die kleinen zu, und das Eis taut mit derselben Verspätung auf. Die berufsmässigen Fischer verwenden während dieser Zeit Schleppnetze, Reusen, Fischzäune und Köder — die Amateure angeln am Eisloch /40, 42/. Diese Art des Fischens hat inzwischen die Form einer Volksbewegung angenommen: an den Wettbewerben nehmen oft viele tausend Eisangler teil. In dieser Sportart werden sogar Länderkämpfe veranstaltet. Im allgemeinen ist das Eisangeln mit dem langen Sitzen und dem Verzehren des mitgebrachten Proviants eine gemütliche Beschäftigung, obwohl das Bohren des Loches durch die manchmal einen Meter dicke Eisschicht Kraft und Geschick erfordert. Die gewöhnlichste Beute ist der Barsch, aber manchmal beissen auch Hechte, Grauforellen, Schnäpel, Zander oder Aalraupen an. Zu den besonders abhärtenden Übungen des Winters gehört das Schwimmen im Eisloch /41/, das sich im allgemeinen ans Saunabaden /319/ anschliesst.

In North Finland the lakes freeze over in October and in South Finland in November. The ice has melted in the south by April and in the north by May. The larger lakes freeze and mel a month later than the little lakes. The professional fishermen in wintertime use nets, traps, weirs, fykes, baited hook: amateurs use shallow-bottom hooks /40, 42/. This latter avocation has reached the proportions of a national move ment with competitions, sometimes with automobiles as the prizes, in which thousands participate. Matches are organized with other countries, for example Sweden and the Sovie Union. But in general fishing through a hole in the ice is a quiet solitary way of spending time, the high point of which may be eating the sandwiches one has brought along. Boring the hole in the ice, which may be a meter thick, requires skill and strength. The most usual catch is perch, although pike, trout, whitefish, and burbot sometimes take the hook. — Among the especially rugged activities pertaining to winter i swimming through an opening in the ice /41/, usually done in connection with taking a saun /319/.

40

41

Parhaimmillaan kevättalvella järjestettävissä talviurheilukisoissa on yleisöä kymmeniä tuhansia. Perinteiset pohjoismaiset lajit murtomaahiihto ja mäenlasku — jotka keskieurooppalaiset nyt ovat valtaamassa — kiinnostavat suomalaista enemmän kuin pujottelu. Talvisiksi kansanjuhliksi ovat muodostuneet Rovaniemen Ounasvaaran /386/, Kuusamon Rukatunturin /379/, Kuopion Puijon /285/ ja Lahden Salpausselän /43-45/ kisat. Yli 90.000 asukkaan Lahdessa järjestettiin hiihdon pohjoismaisten lajien maailmanmestaruuskilpailut v. 1978. Yleensä suurissa hiihtokisoissa on lajeina 15 km:n ja 50 km:n hiihto ja mäenlasku. Kaksi, kolme päivää kestävien kilpailujen väliajat suomalainen huvittelee omaan vakaaseen tapaansa. Suurmäkiä /45/ verrataan joskus kirkkoihin: molemmat ovat kalliita ja niitä käytetään vähän. Uusin hiihtokilpailumuoto ovat puistohiihdot, joissa kilpailijat kiertävät lyhyttä rataa jopa kaupunkien keskustassa.

Vid vintersport-spelen under vårvintern kan man i bästa fall ha tiotalstusen åskådare. De traditionella nordiska grenarna, terrängskidning och backhoppning intresserar finnarna mer än slalomåkning. Spelen på Ounasvaara vid Rovaniemi /386/, Rukatunturi i Kuusamo /379/, Puijo i Kuopio /285/ och Salpausselkä invid Lahtis /43-45/ har blivit något av vintriga folkfester. Salpausselkä-spelen i Lahti, som har 90.000 invånare, är de internationellt bäst kända, de motsvarar Falunspelen i Sverige och Holmenkollen-spelen i Norge. Vanligen är grenarna vid stora skidspel kappskidningar på 15 och 50 km samt backhopp. Under pauserna mellan de två-tre dagar pågående tävlingarna roar sig finnarna på sitt eget solida sätt. Ibland jämför man storbackarna /45/ med kyrkor: båda är dyra och används sällan. Vår nyaste skidtävlingsform är parkskidningen, där tävlarna rentav i centrum av städerna åker runt på korta banor.

Wenn die gegen Ende des Winters veranstalteten sportlichen Wettkämpfe ihren Höhepunkt erreichen, finden sich viele tausend Zuschauer ein. Die traditionellen skandinavischen Arten wie der Langlauf und das Skispringen interessieren den Finnen mehr als der Slalom. Die Wettkämpfe vom Ounasvaara bei Rovaniemi /386/, Rukatunturi bei Kuusamo /379/, Puijo bei Kuopio /285/ und Salpausselkä bei Lahti /43-45/ sind zu winterlichen Volksfesten geworden. Die in Lahti (90.000 Einwohner) veranstalteten Spiele auf dem Salpausselkä sind international am bekanntesten, sie entsprechen den Spielen von Falun in Schweden und den Holmenkollenläufen in Norwegen. Die Hauptarten bei den grossen Skiwettbewerben sind der 15 km und 50 km Langlauf sowie das Skispringen. Während der Pausen zwischen den 2 bis 3 Tage dauernden Wettkämpfen amüsiert sich der Finne auf die ihm eigene stillvergnügte Art. Die grosse Sprungschanze /45/ wird manchmal mit einer Kirche verglichen: beide sind teuer und selten in Gebrauch. Die neueste Art der Skiwettbewerbe sind die Park-Skiläufe, bei denen die Teilnehmer eine kurze Strecke sogar mitten in der Stadt mehrmals zurücklegen.

There are tens of thousands of spectators at the winter sports competitions organized toward the end of the Winter. The traditional cross-country skiing and ski-jumping interest the Finns more than slalom. The competitions at Ounasvaara /386/ near Rovaniemi, at Rukatunturi /379/ near Kuusamo, at Puijo /285/ near Kuopio and at Salpausselkä near Lahti /43-45/ have become national wintertime festivals. The competition at Salpausselkä has become especially well-known internationally — corresponding to the competition at Falun in Sweden and Holmenkollen in Norway. The lengths of the cross-country skiing are generally 15 kilometers and 50 kilometers. During the intervals of the competitions which last two or three days the spectators amuse themselves in their own settled ways. The giant ski-jumps /45/ are sometimes compared to churches — since they are expensive and infrequently used. The latest development in skiing competition is the park ski run, in which the participants traverse a short distance right in the center of the city.

Hiihto on suomalaisen ikivanha, muinoin talvisen luonnon välttämättä vaatima kulkutapa. Kaupungistuva, fyysisesti surkastuva nykyihminen on hylkäämässä sukset, mutta vielä riittää Suomessa sujuttelijoita. Ja houkuttarnassa ovat esimerkiksi kansanhiihdot, joita on järjestetty yli 30 vuotta. Yksityishenkilöt, teollisuuslaitokset, kunnat, läänit ja monet muut kilpailevat keskenään keräten pisteitä pitkin talvea hiihtämällä kunnon ja iän mukaisen matkan, 3—10 km. Helmikuussa vietetään jopa valtakunnallista hiihtopäivää. Pitkänmatkan massahiihtoja, laturetkiä, järjestetään talven mittaan n. 200, ja osanottajia kertyy parhaina talvina yli 100.000; hiihtomatkat vaihtelevat 15 km:sta 91 km:iin. Uusin suurin ja kaupallisin laturetki on v. 1974 ensimmäisen kerran järjestetty, kansainväliseen Euroloppet-sarjaan kuuluva **Finlandia-hiihto** /48-50/, jonka 75 km:n mittainen latu johtaa Hämeenlinnasta Lahteen.

Skidandet är finnarnas uråldriga och fordom vintertid naturnödtvungna sätt att färdas. Nutidsmänniskan, urbaniserad, fysiskt förtvinad håller på att överge skidorna, men ännu finns i Finland de, som gärna glider fram. Det som lockar är bl.a. folkskidningarna, som anordnats i mer än 30 års tid. Privatpersoner, industrier, kommuner, län och många andra tävlar med varandra i att samla poäng hela vintern, genom att skida 3—10 km beroende på fysisk form och ålder. I februari firar man en nationell skiddag. Långdistanserade masskidningar, utflykter i spåren anordnas under vinterns lopp ca 200 och deltagarantalet är under de bästa vintrarna mer än 100.000, sträckorna varierar från 15 till 91 km. Den nyaste, största och mest kommersiella av spårutflykterna är den 1974 f.f.g. ordnade, till internationella Euroloppetserien hörande **Finlandia-skidningen** /48-50/, på ett 75 km langt skidspår mellan Tavastehus och Lahtis.

Skilaufen ist eine uralte Fortbewegungsart der Finnen, die sich bei den natürlichen Verhältnissen im Winter als unbedingte Notwendigkeit erwiesen hat. Der in der Stadt verweichlichte Mensch von heute fängt an, die Skier zu verschmähen, aber vorläufig gibt es in Finnland noch genug begeisterte Skiläufer. Die Volksläufe, die seit über 30 Jahren veranstaltet werden, sind z.B. ein starker Anreiz. Privatpersonen, Industriebetriebe, Gemeinden, Regierungsbezirke und viele andere wetteifern miteinander, indem sie den ganzen Winter über je nach Verfassung und Alter 3—10 km zurücklegen und dabei Punkte sammeln. Im Februar wird sogar ein Skilauf auf nationaler Ebene durchgeführt. Im Laufe eines Winters werden ca. 200 Massenlangläufe und Skiwanderungen veranstaltet, und die Zahl der Teilnehmer steigt bis auf über 100.000. Die Strecken liegen zwischen 15 und 91 km. Der neueste Wettbewerb ist der 1974 zum ersten Mal durchgeführte **Finlandia-Lauf** /48-50/, dessen 75 km lange Strecke von Hämeenlinna nach Lahti führt.

Skiing is an old Finnish form o transportation required by the nature of winter. The citypeople no longer grow up with knowing how to ski taken for granted but there are still plen of enthusiastic skiers. Massskiing has been organized for over 30 years. Private persons, factories, local communities, regions and other competing units collect points through th winter by skiing distances whi range from 3 to 10 kilometers depending on the age and condition of the competitors. February there is a national skiing day. About 200 mass long-distance skiing-expediti along set trails, are organized each winter with about 100,00 participants; the distances var from 15 kilometers to 91 kilometers. The most recent and largest such trail-skiing event the **Finlandia Ski-run** /48-50/ belonging to the internationa Euroloppet series. The 75 kilometer trail goes from Hämeen linna to Lahti.

48

49

50

Suomen toiseksi vanhimman kaupungin, v. 1346 perustetun **Porvoon** puutalot ovat sijoittuneet kuin turvaa etsien v. 1418 valmistuneen goottilaistyylisen kirkon ja 1700-luvulta peräisin olevien Vanhan raatihuoneen ja tuomiokapitulin rakennuksen juureen /51—52/. Ranta-aittojen rivi Porvoonjoen partaalla on sattumanvaraisen rakennustaiteen ihmeteltävän onnistunut kokonaisuus. Tulipalo on kautta aikojen ollut vanhojen puukaupunkien pahin vihollinen; ahneimmin liekit ovat syöneet Turkua /113/ ja Vaasaa /159/. Jäljellä on kuitenkin vielä monia erikoisia kaupunginosia. Tammisaaressa, Raumalla, Kristiinankaupungissa, Kokkolassa ja Kuopiossa on yhä kapeiden katujen ja seinä seinää vasten asettuneiden talojen idylliä. Omalaatuisia koettuneiden talojen idylliä. Omalaatuisia koettavia ovat myös Tampereen Pispala /199/ ja Helsingin Pasila.

Trähusen i Finlands nästäldsta stad, **Borgå**, grundad 1346, har placerat sig om sökte de skydd av den 1418 färdigställda kyrkan i gotisk stil, samt vid foten av Gamla rådhuset från 1700-talet och domkapitlets byggnad /51-52/. Strandbodarnas rad längs Borgå å visar en förundransvärt lyckad helhet med hänsyn till det slumpartade byggandet på den tid de restes.
Elden har i alla tider varit de gamla trästädernas värsta fiende, mest glupskt har lågorna i Finland slukat Åbo /113/ och Vasa /159/. Kvar står dock alltjämt många särpräglade stadsdelar i vilka människans kontakt med människor varit intim. I Ekenäs, Raumo, Kristinestad, Gamlakarleby och Kuopio existerar ännu idyller med smala gränder och hus som står vägg mot vägg. Speciella upplevelser ger också Pispala i Tammerfors /199/ och Fredriksberg (Pasila) i Helsingfors.

Die Holzhäuser der zweitältesten Stadt Finnlands **Porvoo** (Gründungsjahr 1346) liegen gleichsam schutzsuchend am Fuss der 1418 fertiggestellten Kirche und der aus dem 18. Jahrhundert stammenden Gebäude des Alten Rathauses und des Domkapitels /51-52/. Die Reihe der Speicherhäuser am Ufer des Porvoonjoki stellt das bewundernswerte Beispiel einer zufällig entstandenen baukünstlerischen Gesamtheit dar. Das Feuer ist von jeher der schlimmste Feind der alten Holzstädte gewesen. In Finnland haben die Flammen Turku /113/ und Vaasa /159/ am meisten heimgesucht. Trotzdem sind noch viele Stadtteile erhalten geblieben, in denen ein enger Kontakt zwischen den Menschen bestand. In Tammisaari, Rauma, Kristiinankaupunki, Kokkola und Kuopio findet man weiterhin idyllisch enge Strassen und Wand an Wand gedrängte Häuser. Einen besonderen Eindruck hinterlassen auch die Stadtteile Pispala in Tampere /199/ und Pasila in Helsinki.

The wooden houses of Finland's second oldest city, **Porvoo**, founded in 1346, cluster around the Gothic-style church completed in 1418 and the Old Townhall and Cathedral from the 1700's /51-52/. The row of river-bank sheds along the Porvoo River is one of the lucky accidents of the art of architecture. Throughout the ages fire has been the worst enemy of the old wooden cities. The most destructive fires were those which consumed Turku /113/ and Vaasa /159/. But there are still many cities where there are sections with narrow streets and wooden houses set close together, wall to wall in the oldfashioned idyllic way — Tammisaari, Rauma, Kristiinankaupunki, Kokkola and Kuopio. The Pispala section in Tampere /199/ and the Pasila section in Helsinki are especially noteworthy in being old-fashioned, and charming.

53

Suomalainen taideteollisuus hankki ensimmäisen kerran kansainvälistä mainetta 1900-luvun vaihteessa Pariisin maailmannäyttelyssä Akseli Gallen-Kallelan /60—61/ antaessa suuren alkusysäyksen huonekaluillaan, julisteillaan, ryijyillään, koruillaan ja lasimaalauksillaan. Myös pääasiassa rakennusten suunnittelijana tunnettu Alvar Aalto vei muotoilua maailmalle. Nykymuotoilun suuntaa on vahvasti ohjaillut 1950-luvulta lähtien Tapio Wirkkala, alueina valaisimet, vanerityöt, ja tunnetuimpana taidelasi. Myöhemmin on tienosoittajana toiminut mm. Timo Sarpaneva, joka taidelasin lisäksi on keskittynyt myös tekstiileihin, talousesineisiin ja grafiikkaan. Tekstiilien alalla ovat toimineet menestyksekkäästi myös Maija Isola, Vuokko Nurmesniemi ja Marjatta Metsovaara. Luonto on vahva tekijä tälläkin taiteen alalla: lasi ja jää, tekstiilit ja luonnonvärit, korut ja lapinkulta.

Den finländska konstindustrin grundlade sitt internationella anseende då Akseli Gallen-Kallela /60-61/ vid senaste sekelskifte under världsutställningen i Paris gav den en god begynnelsepåstöt med sina möbler, plakat, ryor, smycken och glasmålningar. Den i huvudsak som byggplanerare kända Alvar Aalto gjorde finsk design känd ute i världen. Tapio Wirkkala har sedan 1950-talet kraftigt dirigerat riktningen för modern design, hans område är belysningar, fanerarbeten och bäst känd är han för sin glaskonst. Senare har bl.a. Timo Sarpaneva fungerat som vägvisare, utom glas har han koncentrerat sig på textilier, hushållsföremål och grafik. Med framgång har också Maija Isola, Vuokko Nurmesniemi och Marjatta Metsovaara arbetat på textilområdet. Också här ger naturen kraftig inspiration: glas och is, textilier och naturfärger, smycken och lappländskt guld.

Das finnische Kunstgewerbe wurde zum ersten Mal um die Jahrhundertwende auf der Pariser Weltausstellung international berühmt, als Akseli Gallen-Kallela /60-61/ mit seinen Möbeln, Plakaten, Ryijy-Teppichen, Schmuckstücken und Glasmalerein an die Öffentlichkeit trat. Auch der in erster Linie als Architekt bekannte Alvar Aalto machte das finnische Design weltberühmt. Seit Beginn der 50er Jahre hat Tapio Wirkkala ausschlaggebend auf die Entwicklung der modernen Formgebung eingewirkt, seine Spezialgebiete sind Beleuchtungskörper, Sperrholzarbeiten und vor allem Kunstglas. Später trat Timo Sarpaneva als richtungsweisende Kraft auf. Er hat sich ausser auf Kunstglas auch auf Textilien, Hausgeräte und Graphik spezialisiert. Auf dem Gebiet der Textilkunst sind Maija Isola, Vuokko Nurmesniemi und Marjatta Metsovaara erfolgreich tätig. Die Natur ist auch auf diesem Sektor der Kunst ein wesentlicher Bestandteil: Glas und Eis, Textilien und natürliche Farben, Schmuckstücke und Lapplandgold.

Finnish design first received international recognition at the turn of the century in the Paris World Exhibition with Akseli Gallen-Kallela's /60-61/ furniture, placards, ryijy-rugs, jewelry and glass-painting. Alvar Aalto, known primarily as an architect and planner, also furthered the reputation of Finland as a country of design. Since the beginning of the 1950's Tapio Wirkkala has made striking contributions to modern design, his specialties being illumination devices, plywood-constructs and glassware. Later Timo Sarpaneva was a trailblazer who worked not only with glass but with textiles, household equipment and graphics. Among those who have worked with outstanding success in textiles have been Maija Isola, Vuokko Nurmesniemi and Marjatta Metsovaara. Elements of nature in Finland have influenced the choice of artistic materials — there are elements of ice in the glassware, natural colors in the textiles, Lappish gold in the jewelry.

56

57

58

15.000 esinettä käsittävä **Riihi-mäellä** sijaitseva **Suomen lasi-museo** /56—59/ esittelee sekä entisyyttä että luo katsauksen tämän päivän muotoiluun. Vanhimmat esineet ovat pari-tuhatvuotiset syyrialaiset kyy-nelpullot, dramaattisimmat sodanaikaiset polttopullot, harvinaisimpiin kuuluu 1940-luvun suomalaiseksi taideteolli-suusesineeksi valittu Sibelius-maljakko. Kiehtovimpia suoma-laisia museoita!

Finlands glasmuseum/56-59/ i **Riihimäki** omfattar 15.000 före-mål. Här presenteras en gången tid och ges perspektiv på våra dagars design. De äldsta föremå-len är tvåtusenåriga syriska tårflaskor, de mest dramatiska brännflaskor från krigen. Till de mest sällsynta hör den på 1940-talet till finländskt konstindus-triföremål valda Sibelius-vasen. Ett av de mest fascinerande fin-ländska museerna!

Das **Finnische Glasmuseum** /56-59/ in **Riihimäki,** in dem ungefähr 15.000 Gegenstände ausgestellt sind, vermittelt einen Einblick in die Vergangen-heit und stellt gleichzeitig heutiges Design vor. Die ältesten Ausstellungsgegen-stände sind die 2.000 Jahre alten syrischen Tränenflaschen, die dramatischsten sind die Molotow-Cocktails aus dem Krieg und zu den seltensten gehört die zum finnischen Kunstgewerbegegenstand der 40er Jahre gewählte Sibelius-Vase.

The **Finnish Glass Museum** in **Riihimäki** contains some 15,00 objects /56-59/ which represe both the past and the present. The oldest objects are the two thousand years old Syrian tear bottles. The most dramatic are the Molotov Cocktails of the war-period. Among the rarest i the Sibelius-vase selected in th 1940's as representative of Finnish design. A charming museum!

Uusimaa

Nyland

Uudellamaalla on asuttu jääkauden päättymisestä asti, kymmenen tuhatta vuotta, mutta kiinteän asutuksensa tämä Suomen eteläisin maakunta sai Suomenlahdelta Salpausselän juurelle vasta 1300-luvulla. Uusimaa muodostaa pinta-alallisesti vain kolmaskymmenesosan Suomesta, mutta asukkaita on tätä nykyä peräti neljännes koko maan väestöstä. Helsinki ja sen naapurikaupungit, Espoo, Kauniainen ja Vantaa, ovat houkuttaneet pääosan ihmisistä; muut maakunnan kaupungit ovat pienehköjä. Mutta asutuksen laajuudesta huolimatta Uudellamaalla on jopa viidentoista kilometrin mittaisia yhtenäisiä tiettömiä taipaleita.

Helsinkiin ja sen ympäristöön keskittynyt teollisuus sekä palvelutoiminnat muodostavat ammattien enemmistön; maanviljelys on modernisoitua, tilat keskimääräistä suurempia, lasinalaisviljelmät ovat yleisiä. Metsätalouden merkitys on vähäisempi.

Uudenmaan maasto on pienipiirteisen vaihtelevaa, äkkiä silmäten kaikkialla samanlaista. Vaatimattomat mäet, entiset meren saaret, ovat tavallisesti jyrkkäseinäisiä, komeimmat vuoret maakunnan länsiosissa kohoavat 160 metriin merestä. Sameavetiset, pienet joet virtailevat Salpausselän juuresta etelään mutkittelevina ja vähäkoskisina. Idässä ja pohjoisessa on myös laajoja savikkoja välissään moreenin peittämiä vuoria. Iloisemman ilmeen Uusimaa ottaa lännessä: suuria selkävesiä ja pikkujärviä on kymmenesosa pinta-alasta kun niitä muualla on vain 1—5 prosenttia. Tämä Lohjanjärven ja Hiidenveden alue on muutenkin vehmaudessaan harvinainen; lehtojen kasvisto ja linnusto on hämmästyttävän monipuolinen. Myös Salpausselkä, joka on saanut harteilleen Lahden, Hyvinkään, Lohjan, Tammisaaren ja Hangon kaupungit tuo maakunnan näkymiin eloisuutta, joskin kiihkeärytminen nuori yhteiskunta on monin paikoin jauhanut uhmaavan paljon sen soraa kehityksen rattaisiin.

Yleensä vähäjärvisen sisämaan vastapainona Uudellamaalla on meri, peittonaan 10—20 km leveä saarivyö. Huvila-asutus on vallannut suuren osan rannikosta ja saaristosta, mutta kunnat ovat varanneet yleiseen käyttöön tiettyjä alueita. Meren pitkät lahdet työntyvät kauas sisämaahan venyttäen rantaviivan eläväksi.

Maakuntaa, ja samalla koko maata, hallitsevasta Helsingistä ylpeinä moottoriteinä muualle Suomeen hyökkäävät valtatiet vievät matkailijan helposti pois Uudeltamaalta ja sen nähtävyyksien äärelta. Matkailija löytää maakunnan annin pienten, mutkaisten ja mäkisten sivuteiden varsilta: kulttuurimuistot, kirkot ja kartanot, taiteilijayhdyskunnat, modernin arkkitehtuurin ja ihmisen muovaamat maisemat.

Uudenmaan itäpuolella vyöryttää Päijänteen vesiä Suomenlahteen voimakas Kymijoki, joka on synnyttänyt varrelleen oman pikkumaakuntansa, **Kymenlaakson.** Lukuun ottamatta Kymijokea maakunta muistuttaa luonnoltaan suuresti Uuttamaata; pohjoisosissa saa otteen järvisuomimainen vesien labyrintti. Kymijoen rannoilla on teollisuutta, keskuspaikkoina Kuusankoski, Myllykoski, Anjalankoski ja Kotka.

I Nyland har det bott människor sedan slutet av istiden, tiotusen år, men det dröjde ända till 1300-talet innan hela landskapet från Finska Viken till Salpausselkä koloniserades. Till arealen utgör Nyland endast en trettiondedel av Finland, men här bor nu en fjärdedel av landets alla invånare. Helsingfors med omgivningar har lockat huvudparten av människorna, de övriga städerna är rätt små. Trots att bosättningen är vidsträckt finns det i Nyland upp till 15 km långa, sammanhängande, väglösa skogsområden.

I fråga om yrkesfördelning utgörs majoriteten av arbetare i de industrier som koncentrerat sig kring Helsingfors och av anställda i servicebranschen. Jordbruket är moderniserat, ägorna större än genomsnittet, odling under glas är vanlig. Skogshushållningen har mindre vikt.

Terrängen i Nyland är detaljrikt växlande, vid en snabb blick ser allt lika ut. De anspråkslösa backarna har ofta branta väggar, de ståtligaste bergen i väster når 160 meter över havsytan. Nedsmutsade älvar rinner söderut från Salpausselkä, forsar förekommer sparsamt. I öster och norr finns också vida lerjordar, mellan sig har de av moräner täckta berg. En glad uppsyn tar Nyland i väster, kring Lojo sjö och Hiidenvesi finns stora fjärdar och småsjöar, de utgör här 10% av ytan, annorstädes 1—5%. Också Salpausselkä som på sina axlar bär städerna Lahtis, Hyvinge, Lojo, Ekenäs och Hangö ger liv åt bilden, även om det snabbpulserande nya samhället i utvecklingens hjul mångenstädes hotfullt har malt sönder åsen.

Det inre av landet här i Nyland är sjöfattigt, men havet står som en motvikt, en 10—20 km bred skärgård täcker kusten. Sommarstugorna har ockuperat en stor del av kusten och skären, men kommunerna har reserverat vissa områden för allmänt bruk. Havets långa vikar skjuter djupt in i inlandet, drar ut strandlinjen och ger den liv.

Från Helsingfors som behärskar landskapet och hela landet stormar stolta motorvägar mot övriga delar av landet och för ledigt bort turisten från Nyland och sevärdheterna här. Turisten finner landskapets gåvor längs de små, krokiga och backiga sidovägarna: kulturminnesmärken, kyrkor och herrgårdar, konstnärssamhällen, landskap som formats av modern arkitektur och människan.

Öster om Nyland vräker den kraftiga Kymmene älv sina vatten från Päijänne ut i Finska Viken, den har längs sin fåra skapat ett eget miniatyrlandskap, **Kymmenedalen.** Men undantag för Kymmene älv liknar naturen i landskapet storligen Nyland, i norr dominerar en sjöfinland-lik vattenlabyrint. Längs Kymmene älvs stränder ligger industrier, med Kuusankoski, Myllykoski, Anjalankoski och Kotka som centralorter.

Uusimaa

Uusimaa

Die Besiedlung von Uusimaa begann nach der letzten Eiszeit, also vor zehntausend Jahren, aber die Erschliessung der ganzen Provinz vom Finnischen Meerbusen bis zum Salpausselkä dauerte bis zum 14. Jahrhundert. Flächenmässig gesehen nimmt Uusimaa nur den dreissigsten Teil von ganz Finnland ein, aber die Einwohnerzahl beträgt ein Viertel von der des ganzen Landes. Helsinki und die benachbarten Städte Espoo, Kauniainen und Vantaa haben die meisten Menschen in den Süden gelockt; die anderen Städte sind kleiner. Trotz der dichten Besiedlung gibt es in Uusimaa bis zu 15 km lange Waldgebiete ohne Wege!

Die Industrie, die sich in Helsinki und Umgebung konzentriert hat, und der Dienstleistungssektor bieten den Menschen die meisten Berufsmöglichkeiten. Die Landwirtschaft ist modernisiert, die Höfe sind überdurchschnittlich gross und Gewächshaus-Kulturen allgemein verbreitet. Der Forstwirtschaft kommt nur geringe Bedeutung zu.

Die Landschaft in Uusimaa ist abwechslungsreich und wirkt bei schnellem Hinsehen überall gleich. Die bescheidenen Hügel haben gewöhnlich steil abfallende Hänge, die grössten Berge im Westen der Provinz ragen bis zu 160 m über dem Meer empor. Die kleinen Flüsse mit ihrem trüben Wasser strömen eine kurze Strecke vom Salpausselkä nach Süden, Stromschnellen gibt es nur wenig. Im Osten und im Norden findet man auch weite Lehmböden, zwischen denen von Moränen bedeckte Berge liegen. Am freundlichsten wirkt Uusimaa im Westen: grosse und kleine Seen bedecken ein Zehntel der Fläche, anderswo beträgt der Anteil der Seen nur 1—5 Prozent. Dieses Gebiet um die Seen Lohjanjärvi und Hiidenvesi ist auch ansonsten selten in seiner Üppigkeit; die Vielseitigkeit der Pflanzen- und Vogelwelt in den Hainen ist erstaunlich. Auch der Salpausselkä, an dem sich die Städte Lahti, Hyvinkää, Lohja, Tammisaari und Hanko entlangziehen, bringt Leben ins Bild, obwohl die hektisch voranschreitende Gesellschaft an vielen Stellen bedrohlich viel Kies von seinen Hängen abgetragen hat.

Als Kontrast zu dem im allgemeinen nicht sehr seenreichen Landesinneren hat Uusimaa das Meer, in dem sich ein 10—20 km breiter Schärengürtel entlangzieht. Die Sommerhäuser haben einen grossen Teil der Küste und der Schärenwelt erobert, aber bestimmte Gebiete sind für allgemeinen Gebrauch freigehalten worden. Die tiefen Meeresbuchten dringen weit in das Landesinnere ein und beleben das Bild der Küstenlinie.

Auf den Bundesstrassen, die von Helsinki aus in die übrigen Landesteile führen, kann der Tourist Uusimaa schnell verlassen. Die schönsten Sehenswürdigkeiten dieser Provinz liegen jedoch an den schlechten Nebenstrassen: Kulturdenkmäler, Kirchen und Herrensitze, Künstlerkolonien, moderne Architektur und landschaftliche Schönheit.

Östlich von Uusimaa befördert der Fluss Kymijoki die Wasser des Päijänne in den Finnischen Meerbusen. Dieser Fluss hat an seinen Ufern eine eigene kleine Provinz, **Kymenlaakso**, hervorgebracht. Abgesehen vom Kymijoki erinnert die Provinz sehr an Uusimaa. In den nördlichen Teilen findet man ein Wasserlabyrinth wie in der Finnischen Seenplatte. An den Ufern des Kymijoki gibt es Industrie, deren Zentren sich in Kuusankoski, Myllykoski, Anjalankoski und Kotka befinden.

The region of Uusimaa has been lived in ever since the end of the ice age, ten thousand years ago, but this southernmost province of Finland received stable settlement of population only in the 1300's. In surface-area Uusimaa is only one-thirtieth of the whole of Finland but currently a good quarter of the total population of Finland is in Uusimaa. Helsinki and its neighboring cities Espoo, Kauniainen and Vantaa have attracted most of the people of the province; the other cities of the province are rather small. In spite of the comparatively dense settlement of Uusimaa, compared to other provinces in Finland, there are however still stretches of roadless areas extending for fifteen kilometers or so.

The industry and services of the province are mainly concentrated in Helsinki and its surrounding area. Agriculture in Uusimaa is particularly modernized, the farms are larger than is common elsewhere in Finland and cultivation under glass is widespread. Forestry is not so significant.

The landscape of Uusimaa is generally similar everywhere, varying in small details. The hills, formerly islands of the sea, are usually steep-walled, the more impressive mountains in the western parts of the province rise to a height of 160 meters from the sea-level. The turbid waters of the little rivers flow from the base of the Salpaus ridge to the south, windingly and with a few rapids. In the east and in the north there are extensive clayey areas with moraine-covered hills in between. In the western part of Uusimaa there are large open bodies of water and little lakes which make up 10 per cent of the surface-area whereas elsewhere they make up only 1 to 5 per cent. The Lohjanjärvi and Hiidenvesi area is otherwise unusual in its luxuriant growth: there are surprisingly many different kinds of trees and birds. The Salpaus ridge which bears the cities of Lahti, Hyvinkää, Lohja, Tammisaari and Hanko on its shoulders brings a vitality to the visual character of the province, although the needs of development of the society have required digging into it for gravel in many places, leaving scars on the face of nature.

There is a 10 to 20 kilometer wide belt of islands in the sea off the coast of Uusimaa. The greater part of the coast and the archipelago has been taken up by summer-cottages, but the local communities have reserved certain areas for public use. Along the whole shore-line deep bays penetrate far into the interior, giving the shore-line a more interesting quality.

The splendid motor-ways leading from Helsinki to the rest of Finland draw the tourist easily away from Uusimaa and what is to be seen there. There are however many attractions for the tourist to be found alongside the little curving and hilly side-roads: cultural monuments, churches and manor-houses, artist-colonies, modern architecture.

To the east of Uusimaa the Kymi River flows from Lake Päijänne to the Gulf of Finland and on its shores there is a tiny province named after the river, **Kymenlaakso** (the Kymi Valley). Except for Kymi River itself the natural aspects of the region remind one of Uusimaa; in the northern part of Kymenlaakso there is a connection with the water-labyrinth of the Finnish lake-country. There is industrial development on the shores of the Kymi River — in Kuusankoski, Myllykoski, Anjalankoski and Kotka.

Suomen romanttiskansallisen nousukauden tunnetuin taiteilija, 1865—1931 elänyt Akseli Gallen-Kallela rakennutti v. 1913 **Espoon** Laajalahden rannalle linnamaisen **Tarvaspään** /61/, jossa on varsinaisen ateljeen lisäksi torni ja käytävän ympäröimä kirjasto. Jo suunnitteluvaiheessa taiteilija ajatteli rakennusta museoksi; museo perustettiin v. 1961. Kalustuksen ja työvälineistön lisäksi esillä on 500 taiteilijan omaa työtä.

Den bäst kända konstnären under Finlands romantiskt-nationella uppsvingsperiod, Akseli Gallen-Kallela (1865—1931) lät 1913 i **Esbo**, vid Bredvikens strand uppföra, **Tarvaspää**, i borgstil /61/. Utom ateljen kan vi besöka ett torn och biblioteket runt vilket en korridor löper. Konstnären ville göra huset till museum, detta grundades 1961. Utom arbetsredskapen /60/ kan man betrakta ca 500 av konstnärens egna arbeten.

Der bekannteste Künstler der finnischen Nationalromantik Akseli Gallen-Kallela (1865-1931) baute 1913 am Ufer des Laajalahti in **Espoo** das schlossartige **Tarvaspää** /61/, in dem sich ausser dem eigentlichen Atelier ein Turm und eine von einem Rundgang umgebene Bibliothek befinden. Der Künstler plante das Gebäude schon von Anfang an als Museum. Ausser der Inneneinrichtung und den Werkzeugen /60/ sind 500 Arbeiten des Künstlers ausgestellt.

Akseli Gallen-Kallela, the most famous artist representative of the Finnish national-romantic tradition, who lived from 1865 to 1931, built in 1913 on the shore of Laajalahti bay in **Espoo** his castle-like **Tarvaspää** /61/, including in addition to his atelier a tower and a library surrounded by a walk. The museum was founded in 1961. In addition to the furnishings and equipment /60/ used by the artist the museum contains some 500 of his works.

61

Yli 110.000 asukkaan **Espoon** tärkein asuin- ja liikekeskus **Tapiola** on yksi Suomen nykyarkkitehtuurin mahtavimmista luomuksista. Jo 1950-luvulta lähtien on luontoon rakennettu puutarhamaista kaupunkia, jossa asukkaita on lähes 20.000; varsinkin keskusta /62/ uudistuu jatkuvasti. Suihkulähteisen altaan reunalla on tavanomaisten liike- ja palvelupisteiden lisäksi mm. hotelli, kirkko ja uimahalli.

Till **Esbo**, med mer än 110.000 invånare, hör **Tapiola (Hagalund)**, ett viktigt bostads- och affärscentrum, en märklig skapelse av nutidsarkitektur. Sedan 1950-talet har man byggt denna naturnära trädgårdsstad, med närmare 20.000 invånare. Speciellt dess centrum /62/ förändrar sig ideligen. Vid randen av en springbrunnsbassäng ligger utom sedvanliga affärs- och servicepunkter även ett hotell, en kyrka och en simhall.

Tapiola ist das wichtigste Wohn- und Geschäftszentrum der über 110.000 Einwohner zählenden Stadt **Espoo** und eine der grossartigsten Schöpfungen der modernen finnischen Architektur. Seit Beginn der 50er Jahre dieses Jahrhunderts ist hier eine gartenähnliche Stadt mitten in der Natur gebaut worden, die jetzt annähernd 20.000 Einwohner hat. Besonders das Zentrum /62/ wird laufend modernisiert. Neben dem Bassin mit den Springbrunnen befinden sich u.a. ein Hotel und eine Kirche.

The most important housing and business centre of **Espoo**, which has over 110,000 inhabitants, is **Tapiola**, one of the most remarkable creations of modern Finnish architecture. The famous so-called Garden City of Tapiola was built into and adapted to the surrounding nature in the 1950's: its present population is almost 20,000. The center with its shopping area is being continually modernized /62/. Alongside the basin with its fountains there is a hotel, a church, and a swimming-hall.

63

Tapiolan naapurin **Otaniemen** kymmenien tutkimuslaitosten tuloksista mainittakoon saavutetut maailman alhaisimmat lämpötilat. Alvar Aallon suunnittelemalla alueella on **Teknillisen korkeakoulun** rakennuskompleksi erikoismuotoisine päärakennuksineen /64/. Reima Pietilän suunnittelema kiven, betonin ja hongan hallitsema **Dipoli** /63/ on moderneine teknisine laitteineen yksi Suomen tunnetuimmista kongressikeskuksista.

Till de forskningsresultat man nått i tiotalet institut i **Otnäs**, som är Hagalunds granne, hör världens lägsta temperaturer. På ett område, planerat av Alvar Aalto, ligger **Tekniska Högskolans** byggnadskomplex med sina specialformade huvudbyggnader /64/. **Dipoli** /63/ planerad av Reima Pietilä och behärskad av sten, betong och furu, hör med sin moderna tekniska apparatur till de bäst kända kongresscentra i Finland.

Von den Ergebnissen der zahlreichen Forschungsinstitute im Tapiola benachbarten Stadtteil **Otaniemi** seien die dort erreichten tiefsten Kältegrade der Welt erwähnt. Auf dem von Alvar Aalto geplanten Gelände liegt der Gebäudekomplex der **Technischen Hochschule** mit seinem originell geformten Hauptgebäude /64/. Das von Reima Pietilä entworfene, von Stein, Beton und Kiefer beherrschte **Dipoli**/63/ ist eines der bekanntesten Kongresszentren in Finnland.

Among the achievements of **Otaniemi**, the research-institute center near Tapiola, is the lowest temperature ever produced. The area, planned by Alvar Aalto, is the seat of the so-called "technical university" /64/ incorporated in a number of buildings constituting a construction-complex. **Dipoli** /63/, designed by Reima Pietilä and constructed of stone, concrete, and logs, is one of Finland's most famous congress-centers.

64

Luonnonkivi ja hirsi rakennus-aineena symbolisoivat muodon lisäksi kansallisen kulttuurin voimakasta nousukautta v. 1904 valmistuneessa arkkitehti Eliel Saarisen, Armas Lindgrenin ja Herman Geselliuksen ateljee-kodissa **Kirkkonummen Hvit-träskissä** /65-67/. Nykyisin moni-ilmeisenä kulttuurikeskuk-sena toimiva rakennusryhmä yhdessä ympäröivän luonnon kanssa muodostaa kokonaisuu-den, joka on aikakautensa mer-kittävimpiä luomuksia koko Euroopassa.

I arkitekterna Eliel Saarinens, Armas Lindgrens och Herman Gesellius' ateljehem i **Kyrk-slätt, Hvitträsk** /65-67/ av år 1904 symboliserar byggnads-materialet natursten och stoc-kar, den nationella kulturens kraftiga uppsving. Byggnads-komplexet, som numera funge-rar som ett mångfasetterat kulturcentrum bildar till-sammans med den omgivande naturen en helhet, som hör till de mest betydelsefulla skapel-serna från den tiden i hela Europa.

Stein und Balken als Baumaterial sind ein Symbol für den kräfti-gen Aufschwung der nationalen Kultur in dem 1904 fertigge-stellten Atelierhaus **Hvitträsk** der Architekten Eliel Saarinen, Armas Lindgren und Herman Gesellius in **Kirkkonummi** /65-67/. Dieser Gebäude-komplex, der heute als viel-seitiges Kulturzentrum dient, bildet zusammen mit der ihn umgebenden Natur ein Ganzes, das eine der bedeutendsten Schöpfungen dieser Zeit in ganz Europa darstellt.

Hvitträsk was built in 1904 in **Kirkkonummi** by the architects Eliel Saarinen, Armas Lindgren and Herman Gesellius as their joint atelier and home /65-67/. Constructed of natural rock and logs, it symbolized the vigorous upswing of Finnish national culture. It is currently used as a cultural center, and together with its surrounding nature constitutes one of the most significant creations of that period in Europe.

Osoituksena suomalaisten urheiluhenkisyydestä ovat monet valtakunnalliset urheilujärjestöt; omat organisaationsa ovat mm. poliittisesti sitoutumattomilla, työväen aatetta ajavilla ja ruotsinkielisillä. Yleisurheilu ja hiihto ovat suosituimmat, määrätietoisimmin kehitetyt lajit. Järjestöjen kymmenkunta urheiluopistoa eri puolilla maata kouluttavat urheiluohjaajia ja ovat samalla urheilijoiden ja voimistelijoiden harjoittelupaikkoja. **Kisakallion urheiluopisto** Lohjalla on keskittynyt nais- ja tyttöurheiluun. Naisvoimistelu on Suomessa laajaa ja verrattain korkeatasoista.

De många nationella idrottsorganisationerna utgör ett bevis på finnarnas sportintressen: bl.a. har de politiskt obundna, de som driver arbetarnas ideologi och de svenskspråkiga var sin egen organisation. Friidrott och skidning är de mest populära grenarna. Organisationernas tiotal idrottsinstitut runtom i landet skolar idrottsinstruktörer och är samtidigt träningsplatser för idrottsmän och gymnaster. **Kisakallio idrottsinstitut** i Lojo har koncentrerat sig på kvinno- och flickidrott. Kvinnogymnastiken är i Finland en utbredd, rätt högklassig gren.

Beweis für den Sportgeist der Finnen sind die vielen überregionalen Sportverbände: eine eigene Organisation haben u.a. die politisch Ungebundenen, die Vertreter der Arbeiterbewegung und die Schwedischsprachigen. Leichtathletik und Skilaufen sind die beliebtesten Sportarten. Die zehn Sportinstitute dieser Organisationen bilden Sportlehrer aus und sind gleichzeitig Trainingsplätze. Das **Sportinstitut Kisakallio** bei Lohja hat sich auf die Ausbildung von Sportlerinnen konzentriert. Die Frauengymnastik ist in Finnland weit verbreitet und befindet sich auf relativ hochem Niveau. In ihrer fliessenden Eleganz nähert sie sich oft dem modernen Tanz.

The many nation-wide sports organizations of Finland are an indication of the interest Finns take in sports. There are sports-organizations which are politically neutral, some which have a working-class tradition and others for Swedish-speaking Finns. Gymnastics and skiing are the favorite forms of sport in Finland. There are a dozen sports-institutes throughout the country to train sports directors and at the same time to provide facilities for practising sports and gymnastics. The **Kisakallio Sports Institute** at Lohja concentrates on sports and athletic for women. Gymnastics for women is at a specially high level in Finland.

Suomen Kansan Sananlaskujen, Kantelettaren ja ennen kaikkea kansalliseepoksen Kalevalan kokoaja ja kirjoittaja, kielentutkija ja lääkäri Elias Lönnrot syntyi nykyisin museona toimivassa **Paikkarin torpassa** /69-70/ pienessä **Sammatin** pitäjässä, missä hän vietti lapsuutensa sekä sitten elämänsä viimeiset vuodet kuolemaansa, v. 1884, asti. Lönnrotin runonkeruuretket ulottuivat v. 1828—32 kauas Karjalaan /325-333/.

Elias Lönnroth, språkforskare och läkare, mannen som samlade in materialet till och skrev Finska Folkets Ordspråk, Kanteletar och nationaleposet Kalevala, föddes i det nu som museum fungerande **Paikkari torp** /69-70/ i **Sammatti** socken, där han också tillbringade sin barndom och sedan sina sista levnadsår, intill sin död år 1884. Lönnroths runoinsamligsresor sträckte sig åren 1828—32 långt ut i Karelen /325-333/.

Elias Lönnrot, der die finnischen Sprichwörter, das Kanteletar und vor allem das Nationalepos Kalevala zusammengetragen und aufgeschrieben hat, wurde auf dem **Kleinpachthof Paikkari** /69-70/ in der Gemeinde **Sammatti** geboren, wo er seine Kindheit und auch die letzten Jahre seines Lebens bis zu seinem Tod 1884 verbrachte. Lönnrots Liedersammlungsreisen erstreckten sich in den Jahren 1828—32 bis weit nach Karelien hinein /325-333/.

Elias Lönnrot was a physician who compiled the folk-sayings of the Finnish people, the Kanteletar and the national epic, the Kalevala. He was born in the **Paikkari Cottage** /69-70/ in the parish of **Sammatti** where he spent his childhood and then his last years until his death in 1884. The cottage now serves as a museum. Lönnrot's travels collecting ancient poems and songs led him far into Karelia /325-333/ in 1828-32.

Lohjanjärveen pistävän pitkän niemen kärjessä sijaitseva sadan hehtaarin laajuinen **Karkalin luonnonpuisto** on kalkkipitoisen maaperän ansiosta kasvillisuudeltaan täysin keskieurooppalainen /71/; vehmaissa lehdoissa on myös runsas linnusto. — Suomen kolmanneksi suurimman keskiaikaisen kirkon, 1300-luvulta peräisin olevan **Lohjan Pyhän Laurin kirkon** /74/ erikoisuutena ovat kansainvälisestikin tunnetut kalkkimaalaukset /72-73/.

I ändan på en udde som sticker långt ut i Lojo sjö ligger en hundra hektar stor naturpark, **Karkali** (Karislojo). Tack vare jordmånens rika kalkhalt är vegetationen helt mellaneuropeisk /71/ och i de frodiga lundarna finns en riklig fågelvärd. I den **Heliga Laurentius kyrka** /74/ i **Lojo**, Finlands tredje största medeltida kyrka, från 1300-talet, har vi internationellt välkända kalkmålerier /72-73/.

Die Flora in dem 100 ha grossen **Naturpark von Karkali,** der auf der Spitze einer langen, in den Lohjanjärvi hineinragenden Landzunge liegt, ist aufgrund des kalkhaltigen Bodens völlig mitteleuropäisch /71/. In den dichtbelaubten Hainen findet man auch eine mannigfaltige Vogelwelt. — Eine Besonderheit in der aus dem 14. Jahrhundert stammenden **St. Lauri Kirche** in **Lohja** /74/ sind die auch international bekannten Fresken /72-73/.

In the 100-hectare **Nature-preserve of Karkali** which lies a the end of a long projection of land into Lake Lohja, the plant growth, because of the lime-content of the soil, is quite similar to that of Central Europ There are many birds of many different varieties in the thick woods. The **Church of the Blessed Lauri** in **Lohja** /74/, Finland's third largest medieva church, is internationally fame for its frescoes /72-73/.

76

77

8

79

Suomen mantereen eteläisin kohta Hankoniemi oli ennen merkittävä ankkuripaikka idän ja lännen välisessä merenkulussa. Hangon kaupungin /80/ kohdalla, Tullisaarten kapeassa salmessa on myrskyjä kestänyt vieraskirja; 1400-luvulta lähtien laivurit, sotilaat, virkamiehet ja kauppiaat hakkasivat rantakallioihin neljäsataa nimeä ja vaakunaa /75-79/. Lisäksi tässä **Hauensuoleksi** kutsutussa paikassa on kuvasarjoja vanhasta elämästä.

Hangö udd, det sydligaste stället på Finlands fastland, var tidigare en betydelsefull ankarplats för sjöfarten mellan öst och väst. Hangö stad /80/ har i det smala sundet mellan Tullöarna en gästbok som bestått stormarna. Ända från 1400-talet har sjöfararna, soldaterna, ämbetsmännen och köpmännen knackat in närapå fyrahundra namn och vapen /75-79/ i strandbergen. Dessutom finns här vid **Gäddtarmen** bildserier som visar forntida leverne.

Die südlichste Stelle des Festlands Hankoniemi war früher ein Anlegeplatz für die Schifffahrt zwischen Ost und West. Bei der Stadt Hanko /80/ befindet sich ein Gästebuch, das stürmische Zeiten erlebt hat: seit dem 15. Jahrhundert haben Schiffer, Soldaten, Amtspersonen und Kaufleute 400 Namen und Wappen in die Uferfelsen /75-79/ geschlagen. Ausserdem findet man an dieser **Hauensuoli** genannten Stelle Bilderserien vom Leben in alten Zeiten.

Hankoniemi was long an important putting-in point in the commerce between East and West. Near the city of Hanko, on the narrow strait of Tullisaari /80/ there is a unique kind of guest-book, a record of those times. Beginning with the 15th century the vessels, soldiers, officials and merchants would hack their names and emblems into the rock of the shore /75-79/. In addition to the some 400 names at this place, called **Hauensuoli,** there is a series of pictures of the life of the time.

Entinen iloinen, vilkas loma- ja kylpyläkaupunki, 10.000 asukkaan **Hanko** on kilometrisine hiekka- ja kalliorantoineen /80/ muodostumassa jälleen hiljais-elon jälkeen merkittäväksi kesä-kaupungiksi. On uusia hotelleja ja ravintoloita ja laajaa yksityis-majoitusta, mutta ennen kaikkea ohjelmaa: kesää hallit-sevat tennis-, bridge- ja purjeh-dusviikot. Kuulun Hangon regatan /81-83/ aikana kaupun-gin väkiluku kaksinkertaistuu.

Den förr glada, livfulla semester-och badorten, **Hangö**, med 10.000 invånare, har med sina kilometerlånga sand- och bergs-stränder /80/ efter en stillsam mellanperiod igen blivit en spe-ciell sommarstad. Nya hotell och restauranger finns, likaså god privatinkvartering, men framför allt program: sommaren fylls av tennis-, bridge- och se-gel-veckor. Under tiden för den berömda Hangö-regattan /81-83/ fördubblas stadens invånar-antal.

Die früher belebte Urlauber- und Bäderstadt **Hanko,** 10.000 Einwohner, wird mit ihrem kilometerlangen, freien Sand- und Felsenstrand /80/ nach einer Pause allmählich wieder zur Sommerstadt. Es gibt neue Hotels und Restaurants sowie viele Privatunterkünfte. Zum Sommerprogramm gehören Tennis-, Bridge- und Segel-wochen. Während der berühm-ten Hanko-Regatta /81-83/ verdoppelt sich die Einwohner-zahl der Stadt.

Hanko, popular during the las century as a vacation seaside resort, has again become an important summer-time cente largely because of its kilomete long sandy beach and rocky shore /80/. There are new hotels and restaurants as well guest-houses. During the summer there are tennis-week bridge-weeks and sailing-week The ordinary population of th city, 10,000, doubles for the time of the famous annual Hanko regatta /81-83/.

Saaristo-Suomi

Maa ja vesi kohtaavat toisensa Suomessa tavoilla, joille ei löydy vertaa muualta maailmasta. Järvi-Suomessa pohjakuviona on maa, johon vesi piirtää sokkeloisen, sinisen verkkonsa — kuin vastakuvana on rannikko, missä sinisestä merestä kohoaa saarten rikkonainen, kaunis labyrintti.

Niin Pohjanlahdella kuin Suomenlahdellakin on oma kapea saarivyönsä, mutta parhaimmilleen saaristo muovautuu lounaassa, missä Ahvenanmaan ja Turun saaristoista muodostuu Saaristo-Suomeksi mainittu alue — asiantuntijain mielestä yksi maailman erikoisimmista ja viehättävimmistä saaristoista.

Tuhansista kareista, luodoista, pikkusaarista ja vain muutamista harvoista suursaarista koostuva merenkulkijain paratiisi on hämmästyttävän laaja, sillä itäisimmästä ääripisteestä, Hanko-niemestä, Ahvenanmaan länsipuolelle, Ruotsin tuntumaan mitattuna pituutta kertyy yli 200 km ja leveyttäkin on Itämereltä Selkämerelle lähes 130 km.

Pienimmät saaret, luodot, ovat jäätikön aikanaan paljastamia kallioita, suurten saarten rinteissä kasvaa havumetsää ja laak-soissa joskus vehmaita, tosin useimmiten pelloiksi raivattuja lehtoja. Laajempia viljelyksiä on vain Ahvenanmaalla ja mante-reen lähistön suurissa saarissa; hedelmänviljely kukoistaa meren keskellä. Asutuksen vähyydestä kertoo se, että joissakin kunnissa on saari jokaista asukasta kohti. Maanviljelys, kalastus, meren-kulku ja vähitellen nouseva matkailu ovat saaristolaisten elättäjiä.

Pohjoisesta etelään avautuvan satakilometrisen Kihdin selän länsipuolella sijaitsevan **Ahvenanmaan saariston** 6.500 saaresta on asutusta vain sadalla. Suurin osa pääasiassa ruotsia puhuvista 23.000 asukkaasta on sijoittunut pääsaarelle, jonka suurimmat ulottuvuudet ovat 50 km ja 40 km, mutta jonka pitkät lahdet pirstovat kuin moneksi eri saareksi. Puolet maakunnan väestöstä asuu Maarianhaminassa. Ahvenanmaalla on voimakas itse-hallinto Färsaarten tyyliin.

Ahvenanmaan kesä on pitempi kuin talvi — mantereella on päinvastoin — ja kesä on myös kuivempi kuin muualla Suomessa. Kasvirunsaus kilpailee Itämeren kuulun Gotlannin kanssa, vaikka yleiskuva on karu. Luonto, kalastus, purjehdus, modernit hotellit, sadat lomamajat, kymmenet täysihoitolat sekä historial-liset nähtävyydet ja kirkot ovat matkailun kehyksinä tällä Suomen vilkkaimmalla turistialueella.

Myös **Turun saariston** rikkonaisuus johtuu muinaisista kallio-perän murtumista ja siirtymistä. Mitä lähemmäksi mannerta purjehditaan sitä täyteläisemmiksi luonnoltaan saaret käyvät ja sitä suuremmiksi ne kasvavat. Maan kohoaminen 40—60 cm 100 vuodessa muuttaa hitaasti maiseman kuvaa, yhdistää saaria ja synnyttää uusia.

Matkailija näkee pinnallisesti saariston kauneuden Turusta ja Naantalista Ahvenanmaan kautta Ruotsiin kulkevien autolautto-jen kannelta. Paremman kuvan saa asumalla kalastajien parissa, jopa Maarianhaminasta ja Turusta alkavilla vesibussiristeilyillä. Turun saariston ruotsinkielisellä vyöhykkeellä Paraisilta Hout-skäriin on ylikuormitettu monien pikkulauttojen täydentämä matkailutie. — Veneilijöillä on omat tarkat määräyksensä saaris-tossa.

Skärgårds-Finland

Land och vatten möter varandra i Finland på ett sätt som inte har sin like annorstädes i världen. Som bottenfigur i Sjöfinland har vi landet, på vilket vattnet ritar in sitt invecklade, blåa nät — som en spegelbild är havskusten, där öarnas splittrade, vackra labyrint reser sig ur det blåa havet.

Både Bottenviken och Finska Viken har sitt eget smala öbälte, men på bästa sätt utformas skärgården i sydväst, där Ålands och Åbolands skärgårdar bildar ett område som kallas Skärgårds-Finland — enligt experterna en av de mest särpräglade och tjusi-gaste skärgårdarna i världen.

Det av tusende grund, kobbar, småöar och endast några få större öar sammansatta paradiset för havsfararen är förvånans-värt vidsträckt ty från dess östligaste ytterpunkt, Hangö udd, till västsidan av Åland, till Sveriges grannskap, mäter man en längd av mer än 200 km, bredden är också från Östersjön till Botten-havet näraapå 130 km.

De små öarna, kobbarna är berg som fastlandsisen gnagat bara, på sluttningarna till de större öarna växer barrskog och i dalarna ligger ofta frodiga, till åkrar uppbrutna lundar. Större odlingar finns bara på Åland och på de stora öarna; fruktodlingen blomstrar här vid havet. I vissa kommuner bor det i medeltal bara en in-vånare per ö, det är glesbygd; Skäriboarna får sin försörjning genom fiske, sjöfart och turism.

I den tiomila **Åländska skärgården** väster om Skiftet, finns 6.500 öar, endast hundra av dem är bebodda. Största delen av de i huvudsak svenskatalande 23.000 invånarna bor på huvudön, vars största dimensioner är 50 km och 40 km, men huvudön splittras av många långa vikar. Hälften av befolkningen i land-skapet bor i Mariehamn. På Åland har man en utvecklad själv-styrelse i färisk stil.

Sommaren på Åland är längre än vintern — på fastlandet är det tvärtom — och sommaren är också torrare än i övriga Finland. Växtrikligheten tävlar med den på Gotland, fastän helhetsbilden verkar karg. Naturen, fisket, seglingen, moderna hotell, hundra-tals semesterstugor, tiotalet pensionat och de historiska sevärd-heterna bildar ramen för turismen här på Finlands livligaste turistområde.

Allt det splittrade i **Åbo skärgård** beror på forntida brott och förflyttningar i berggrunden. Ju närmare fastlandet man seglar, desto fylligare blir naturen på öarna och desto större blir öarna till formatet. Landet höjer sig 40—60 cm på 100 år, det samman-binder öar och skapar nya.

Turisten ser skärgårdens skönhet från däcket på de bilfärjor som går från Åbo och Nådendal via Åland till Sverige. En bättre bild får man genom att bo bland fiskare, eller genom en vatten-busskryssning från Åbo eller Mariehamn.

I den svenskspråkiga zonen av Åbo skärgård mellan Pargas och Houtskär har vi en överbelastad turistväg med många småfärjor. Båtfararna måste följa noggranna föreskrifter i skärgården.

Das Finnische Schärengebiet

Archipelago-Finland

Land und Wasser treffen sich in Finnland in einer Weise, wie man es nirgendwo anders in der Welt findet. Grundelement in der Finnischen Seenplatte ist das Land, in welches das Wasser sein verschlungenes, blaues Netz zeichnet — gleichsam das Gegenbild dazu ist die Meeresküste, wo aus dem blauen Meer ein zersplittertes, schönes Labyrinth von Inseln emporsteigt.

Sowohl im Bottnischen Meerbusen als auch im Finnischen Meerbusen gibt es einen schmalen Schärengürtel, aber am schönsten wird die Inselwelt im Südwesten, wo die Schären von Ahvenanmaa und Turku das sogenannte Finnische Schärengebiet bilden — nach Meinung der Experten eine der eigentümlichsten und schönsten Inselgruppen der Welt.

Dieses aus Tausenden von Riffen, Klippen, kleinen Schären und nur einigen wenigen grossen Inseln bestehende Paradies ist erstaunlich ausgedehnt, denn seine Länge vom östlichsten Punkt bei der Halbinsel Hankoniemi bis westlich von Ahvenanmaa in der Nähe der schwedischen Küste beträgt über 200 km und auch die Breite von der Ostsee bis zum Südteil des Bottnischen Meerbusens beläuft sich auf annähernd 130 km.

Die kleinsten Schären, die Klippen, sind vom Inlandeis freigelegte Felsen, auf den Böschungen der grossen Inseln wachsen Nadelbäume und in den Tälern manchmal üppige Haine. Ausgedehnte Anbauflächen gibt es nur auf Ahvenanmaa und auf den grossen Inseln in der Nähe der Küste; Obstbäume blühen mitten im Meer. Die Besiedlung ist so spärlich, dass in einigen Gemeinden eine Insel auf einen Einwohner entfällt. Die Schärenbewohner leben vom Fischfang, von der Schiffahrt und vom aufblühenden Tourismus.

Von den 6.500 Inseln des **Schärengebiets von Ahvenanmaa** sind nur 100 bewohnt. Der grösste Teil der 23.000 vorwiegend schwedischsprachigen Bewohner lebt auf der Hauptinsel, die von langen Buchten in viele kleinere Inseln aufgeteilt wird. Die Hälfte der Bevölkerung lebt in Maarianhamina. Ahvenanmaa hat eine weit entwickelte Selbstverwaltung und eine eigene Fahne.

Der Sommer ist auf Ahvenanmaa länger als der Winter — auf dem Festland ist es umgekehrt — und auch trockener. Die reiche Pflanzenwelt kann mit dem berühmten Gotland in der Ostsee konkurrieren, obwohl der allgemeine Eindruck karg wirkt. Natur, Fischen, Segeln, moderne Hotels, Hunderte von Ferienhäusern und historische Sehenswürdigkeiten bilden den Rahmen für den lebhaften Fremdenverkehr in diesem Gebiet.

Die Zersplitterung des **Schärengebiets von Turku** ist auf alte Brüche und Verschiebungen im Felsengrund zurückzuführen. Je näher man an das Festland heransegelt, desto reicher wird die Natur auf den Schären. Das Land steigt in 100 Jahren 40—60 cm an und verändert allmählich das Bild der Landschaft, die Schären verbinden sich miteinander und es entstehen neue.

Der Tourist sieht die Schönheit der Schärenwelt nur oberflächlich, wenn er mit der Autofähre von Turku und Naantali nach Schweden fährt. Ein besseres Bild bekommt er, wenn er bei den Fischern wohnt oder an einer Wasserbuskreuzfahrt teilnimmt. Die Welt der Schären ist ein Paradies für Segel- und Motorboote, deren Besitzer sich hier an genaue Vorschriften halten müssen.

The land and the water complement each other in Finland in ways which are not to be found anywhere else in the world. In the lake-country of Finland the land is the background on which the water traces a knotted, blue network — while the opposite picture is presented by the sea-shore where the blue sea is broken by a mass of islands, a beautiful labyrinth.

Both the Gulf of Bothnia and the Gulf of Finland have their own narrow belt of islands, but the clearest archipelago is formed in the southwest where the archipelago of the Åland Islands and the Turku archipelago make up what we have called archipelago-Finland' — according to the experts one of the most remarkable and attractive archipelagoes in the world.

This navigator's paradise, made up of thousands of crags, reefs, islets and only a few large islands is surprisingly large in extent, since from its extreme eastern end, the Hanko cape, to the western part of the Åland Islands it is over 200 kilometers long and 130 kilometers wide.

The smallest islands, the crags, are rocks bared by the glacier. On the slopes of the large islands there are sprig-growths of spruce or fir, in the valleys sometimes luxurious groves although these have frequently been cleared for fields. There is extensive cultivation only in the Åland Islands and on the large islands near to the mainland — the paradox of berry-cultivation in the middle of the sea! The sparseness of the population is indicated by the fact that in some communities there is only one inhabitant per island. The islanders earn their living through fishing and through tourism, which is gradually on the increase.

Of the 6,500 islands of the **Åland Island archipelago** located on the west side of the Kihti ridge running for a hundred kilometers from north to south there is settlement on only one hundred. The greater part of the 23,000 inhabitants, mainly Swedish-speaking, are located on the main island, the maximun dimensions of which are 50 kilometers and 40 kilometers, but which is split up by long bays as if it were many different islands. Half of the population of the district live in Maarianhamina. The Åland Islands have a strong system of local self-government.

In the Åland Islands the summer is longer than the winter — unlike the mainland — and the summer is also drier than elsewhere in Finland. Although the general impression of the Åland Islands is one of barrenness, the islands compete in the abundance of plant growth with Gotland. Nature, fishing, sailing and the historical monuments and churches have made the Åland Islands attractive to tourists.

The broken-up character of the **Turku archipelago** is also due to the effect of the ice-age on the base-rock. The closer one sails to the mainland the richer the islands appear in their natural development and the larger in size. The gradual rise of the land from the sea, some 40 to 60 centimeters per 100 years, is gradually changing the picture of the landscape, combining islands and giving rise to new ones.

The tourist has the opportunity of getting a good picture of the archipelago by going among the fishermen or taking a water-bus trip starting from Maarianhamina or Turku. The Turku archipelago is becoming overloaded with small craft and boating in the archipelago is subject to strict and definite regulation especially framed for the unique situation of the islands.

84

85　86

87

88 89

91

92

93

Ahvenanmaan kallioisen ja yleensä hyvin karun saariston keskuspaikka, 9.000 asukkaan **Maarianhamina**, yllättää vehmaudellaan. Tuhansien lehmusten kaupunki kohoaa kapealla kannaksella, jonka molemmilla rannoilla sijaitsevat satamat yhdistää pitkä lehmuskuja. Suomen ja Ruotsin välillä kulkevat parikymmentä modernia autolauttaa poikkeavat kaupungin Länsisatamassa.

Centralorten i Ålands bergiga och överhuvud mycket karga skärgård, **Mariehamn** med 9.000 invånare, överraskar oss med sin frodighet. De tusende lindarnas stad reser sig på ett smalt näs, och hamnarna som är belägna på stränderna på var sida om näset förenas av en lång lindallé. Ett tjugotal moderna bilfärjor som trafikerar mellan Finland och Sverige viker in till Västra hamnen.

Das Zentrum der felsigen und im allgemeinen sehr kargen Schärenwelt Ahvenanmaas, **Maarianhamina** mit seinen 9.000 Einwohnern, überrascht durch seine üppige Vegetation. Die Stadt der tausend Linden erhebt sich auf einer schmalen Landenge, an deren beiden Ufern Häfen liegen, die durch eine lange Lindenallee miteinander verbunden sind. Die zwischen Finnland und Schweden verkehrenden Autofähren legen im Westhafen der Stadt an.

Maarianhamina (pop. 9.000), the central settlement of the rocky and generally very barren Åland Islands, is surprisingly lush in its vegetation. The city with thousands of linden trees rises high above its narrow isthmus, on both shores of which are harbours linked together by long avenues of linden trees. Over twenty modern auto-ferries plying between Finland and Sweden put in at the west harbour of the city.

Ahvenanmaan itsehallinnosta kertoo maakunnan oma lippu /95/, muinaisista loistokkaista purjelaivojen aikakausista nykyisin museona toimiva nelimastoparkki **Pommern** /96/ ja lukuisista säilyneistä vanhoista kansantavoista juhlavin menoin alkukesästä pystytettävä **juhannussalko** /98/. Ahvenanmaan kymmenistä historiallisista nähtävyyksistä merkittävimmät ovat Bomarsundin linnoituksen rauniot, joiden lähellä englantilaiset ja ranskalaiset kävivät

v. 1854 venäläisiä vastaan raivokkaan taistelun, ja **Kastelholman linna** /94/, jonka historiaan liittyy monen Ruotsin kuninkaan nimi. Linnan eteläinen osa torneineen rakennettiin 1380-luvulla ja pohjoisosa 1500-luvulla. Rakennusaineena käytettiin Ahvenanmaan omaa värikästä graniittia. Linnan siipirakennuksessa on maakunnan kulttuurihistoriallinen museo.

Om Ålandsöarnas självstyre berättar oss landskapets egen fana /95/, om segelskeppens forna glansfulla tider berättar den numera som museum använda fyrmastade barken **Pommern** /96/ och om ett otal gamla folkseder som bevarats berättar **midsommar-stången** som reses i början av sommaren /98/. Till de betydelsefullaste av tiotalet historiska sevärdheter på Åland hör ruinerna av Bomarsunds fästning. I närheten av den utkämpade engelsmän-

nen och fransmännen år 1854 en ursinning strid. Till **Kastelholms slotts** /94/ historia är många svenska konungars namn förknippat. Slottets södra del med sina torn restes på 1380-talet och den nordliga delen på 1500-talet. Som byggnadsmaterial användes Ålands egen färggranna granit. I slottets flygel befinner sig landskapets kulturhistoriska museum.

94

Von der Selbstverwaltung Ahvenanmaas legt die eigene Fahne /95/ Zeugnis ab, von der alten Glanzzeit der Segelschiffe erzählt die Viermastbark **Pommern** /96/ und von den zahlreichen alten Volksbräuchen ist der zu Beginn des Sommers errichtete **Mittsommerbaum** /98/ erhalten geblieben. Von den vielen historischen Sehenswürdigkeiten auf Ahvenanmaa sind die bedeutendsten die Ruinen der Festung Bomarsund, in deren Nähe die Engländer und Franzosen 1854 den Russen eine erbitterte Schlacht lieferten, sowie das **Schloss Kastelholm** /94/, mit dessen Geschichte der Name vieler schwedischer Könige verbunden ist. Der südliche Teil des Schlosses mit den Türmen wurde in den 80er Jahren des 14. Jahrhunderts erbaut und der Nordteil im 16. Jahrhundert. Im Seitenflügel des Schlosses befindet sich das kulturhistorische Museum der Provinz.

The extent of the autonomy of the Åland Islands is indicated by the islands' having their own flag /95/. The four-master bark **Pommern** /96/, now converted into a museum, is a reminder of a past glorious period of sailing-ships. The **Midsummer Night Tree** /98/ is erected for the celebration on June 21st. The most significant of the historical monuments of the Åland Islands include the ruins of the Bomarsund fortifications where the British and the French had an artillery duel with the Russians in 1854 and the **Kastelholm Castle** /94/ which is associated with many of the kings of Sweden. The southern part of the castle with its towers was erected in the 1380's and the northern part after 1500. The coloured granite of the Åland Islands was used as the construction-material. The cultural-historical museum of the province is in a wing of the castle.

95

96

97

98

Maarianhaminan Länsisatamassa museolaiva Pommern'in vieressä sijaitseva **merenkulku-museo** /99/ esittelee monipuolisesti maakunnan tärkeimmän elinkeinon historiaa talonpoi-kaispurjehduksen ajoista nyky-päivään. — Kaupungista 25 km:n päässä, Kastelholman linnan /94/ vieressä herää **Jan Karlsgårdenin ulkoilmamuseo** kesäisin eloon kertoen havain-nollisesti entisistä käsityö-taidoista kuten pitsinnypläyk-sestä /101, 102/.

Sjöfartsmuseet /99/ som ligger invid museiskeppet Pommern /96/ i **Mariehamns** Västra hamn, presenterar på ett mång-sidigt sätt historiskt landskapets viktigaste näringsfång, från den tid då bönderna seglade fram till nutiden. På 25 km:s avstånd från staden, invid Kastelholms slott /94/ vaknar **Jan Karls-gårdens friluftsmuseum** som-martid till liv och berättar på ett åskådligt sätt om forntida hantverkarskicklighet såsom spetsknyppling /101, 102/.

Das im Westhafen von **Maarian-hamina** neben dem Museums-schiff Pommern liegende **Schiffahrtsmuseum** /99/ stellt die Geschichte des wichtigsten Gewerbes der Provinz von den Zeiten der Schiffahrt betrei-benden Landbevölkerung bis zum heutigen Tag dar. — 25 km von der Stadt entfernt erwacht neben dem Schloss Kastelholm /94/ jeden Sommer das **Frei-lichtmuseum Jan Karlsgården** zum Leben und erzählt von der Handarbeitskunst vergangener Zeiten /101, 102/.

The **Maritime Museum** /99/ located alongside the museum-ship Pommern in the west harbour of Maarianhamina presents a history of the econo-mic life of the province from the days of the peasant-farmer seafaring to the present. — Twenty-five kilometers from the city the **Jan Karlsgården outdoor museum** near the Kastelholm castle comes to life each summer with an exhibition of handicraft such as lace-making /101, 102/.

Suomen suurin ja historialtaan värikkäin linna, **Turun linna**, perustettiin Aurajoen suulle 1280-luvulla. 1300-luvun alussa se muutettiin suljetuksi asuin-linnaksi. Nopeasykkeisellä 1500-luvulla linnasta taisteltiin ainakin kuusi kertaa ja monet aikansa johtohenkilöt asuivat siellä joko hovia pitäen tai vankityrmässä lojuen. Juhana-herttuan aikana 1550-luvulla linnassa vietettiin hovielämää, jonka loistokkuuteen ei sen jäl-keen Suomessa ole ylletty.

V. 1614 tapahtuneesta tulipalosta alkoi linnan rappeutuminen huipentuen pahaan vaurioitumi-seen sodan aikana v. 1941. V. 1946 alkaneen ja v. 1961 päät-tyneen entisöinnin tarkoituk-sena oli paitsi saattaa linna ulko- ja sisäasultaan entiseksi, tehdä siitä myös nykyaikaisesti toimiva. Nyt osa siitä toimii kaupungin virallisina juhla-huoneistoina.

Finlands största och till sin historia färgrikaste slott, **Åbo slott**, grundlades på 1280-talet vid Aura ås mynning, under början av 1300-talet blev det en sluten bostadsborg. Under det livligt pulserande 1500-talet stred man minst sex gånger om borgen och många ledande personer bodde där, antingen så att de höll hov där eller var instängda i fängelsehålan. Un-der hertig Johans tid på 1550-talet var hovlivet i slottet säll-synt glansfullt. Efter den elds-

våda som härjade år 1614 började slottet långsamt förfalla. 1941 blev slottet und[er] kriget illa skadat. Den restaur[e-] ring som påbörjades år 1946 [och] avslutades år 1961 återgav slottet dess tidigare skick och gjorde det användbart genom modernisering. Nu fungerar e[n] del av det som stadens officie[lla] festvåning.

Finnlands grösstes Schloss, das **Schloss von Turku,** wurde in den 80er Jahren des 13. Jahrhunderts an der Mündung des Auraflusses gegründet und zu Beginn des 14. Jahrhunderts zu einem geschlossenen, bewohnbaren Schloss umgebaut. Während der turbulenten Ereignisse des 16. Jahrhunderts wurde mindestens sechs mal um das Schloss gekämpft. Zur Zeit des Herzogs Juhana in den 50er Jahren des 16. Jahrhunderts wurde auf dem Schloss ein Hofleben geführt, dessen Glanz in Finnland später nie wieder erreicht wurde. Nach der Feuersbrunst von 1614 begann der allmähliche Verfall des Schlosses. Die 1946 begonnene und 1961 abgeschlossene Restaurierung sollte dem Schloss nicht nur sein früheres Aussehen zurückgeben, sondern man wollte es auch den Anforderungen der Gegenwart entsprechend umgestalten. Heute wird ein Teil der Räumlichkeiten für offizielle Festveranstaltungen der Stadt verwendet.

The **Castle of Turku**, the largest in Finland and the one with the most colourful history, was founded in 1280 at the mouth of the Aurajoki river. During the fourteenth century it was made suitable for dwelling. During the 16th century battles raged around the castle at least six times. Many of the leading personages of the time lived within its walls, either holding court or languishing in its dungeons. During the period of Duke Juhana in the 1550's there was a splendor in the courtlife of the castle never thereafter surpassed in Finland. After the fire of 1614 the castle steadily deteriorated. It was damaged during the war in 1941. The reconstruction of the castle was begun in 1946 and completed in 1961. Part of the castle is currently used on official occasions by the City of Turku.

Muinaisen vilkkaan kauppapaikan ympärille vähitellen syntyneen **Turun**, Suomen vanhimman kaupungin, ikä voidaan laskea vuodesta 1229, jolloin sinne siirrettiin piispanistuin. Turun pitkässä historiassa oli keskiaika synkintä kautta, mutta vaikka sodat, rutto ja tulipalot yrittivät usein hävittää maan hallinnollisen keskuksen, se pysyi pääkaupunkina aina vuoteen 1812, jolloin oikeudet siirrettiin Helsingille. Nykyisin 165.000 asukkaan Turku on läntisen matkailun portti; aikaisemmin läntiset aate- ja kulttuurivirtaukset saapuivat maahan Turun kautta.

Kaupungin halki virtaava Aurajoki on kesäisin vene- ja saaristolaivaliikenteen tukikohta. Aivan kaupungin sydämestä alkavat myös matkailijoille tarkoitetut risteilyt. Uljain joen laivoista on Martinsillan kupeeseen ankkuroitu, nykyisin merimiesammattikouluna toimiva **Suomen Joutsen** /111/, laivaston entinen koululaiva, 96 m pitkä ranskalaista alkuperää oleva teräsfregatti.

Aurajoen rantojen muita nähtävyyksiä ovat Sibelius-museo, Wäinö Aaltosen museo, uusi teatteritalo, vanha tuulimylly ja moderni hotelli, mutta ennen kaikkea koko kaupungin tunnus, **tuomiokirkko** /112/, yli 700-vuotias Suomen kansallispyhättö.

Turun pahimmassa koettelemuksessa kautta aikojen, Pohjoismaiden laajimmassa kaupunkipalossa v. 1827 tuhoutui kaikkiaan 2.500 rakennusta; vain laitaosissa säilyi muutamia kortteleita. Yksi näistä, Vartiovuoren juurella kohoava **Luostarinmäki** /113/, muodostettiin v. 1940 eläväksi museokortteliksi. Alueen 18 talossa on yli 30 erilaista verstasta, joista jotkut toimivat koko kesän lähes kaikkien herätessä työhön syyskuun alussa Käsityötaidon päivinä vanhojen mestareiden esitellessä taitojaan.

Kaupungin edustalla sijaitsevan **Ruissalon** saaren /114/ anteja ovat keskieurooppalaisen vehmas luonto mahtavine tammimetsineen, kasvitieteellinen puutarha, vanhat ravintolat, uusi hotelli, nykyaikainen leirintäalue ja saaren kärjessä sijaitseva uimaranta.

Finlands äldsta stad Åbo, som så småningom utvecklades kring en forntida livlig handelsplats, kan dateras till år 1229 då ett biskopssäte placerades där. I Åbo stads långa historia var medeltiden den mörkaste perioden, men fastän krigen, pesten och eldsvådorna ofta försökte förstöra landets administrativa centrum förblev Åbo huvudstad ända fram till år 1812, då dessa rättigheter överflyttades på Helsingfors. Åbo av i dag med sina 165.000 invånare är den västliga turismens port; tidigare kom idé- och kulturströmningarna från väster till Finland just över Åbo.

Aura å som flyter genom staden är sommartid en livlig stödjepunkt för trafiken med småbåtar och skärgårdsångare; Alldeles i stadens hjärta startar också de rundturer med båt som arrangeras för turisterna. Det ståtligaste skeppet på ån är den alldeles invid Martinsbron förankrade, i detta nu som yrkesskola för sjömän fungerande **Suomen Joutsen**, Finlands svan /111/, ett tidigare skolskepp för marinen, en 96 m lång stålfregatt ursprungligen av fransk härkomst.

Andra sevärdheter längs **Aura ås** stränder är Sibelius-museet, Väinö Aaltonen-museet, det nya teaterhuset, den gamla väderkvarnen och ett modernt hotell, men framförallt hela stadens kännetecken, **domkyrkan** /112/, en mer än 700-årig nationalhelgedom.

Vid den genom tiderna värsta prövningen för Åbo stad, den vidsträcktaste stadsbranden i Norden år 1827 förstördes allt iallt 2.500 byggnader; endast i stadens utkanter bevarades några kvarter. Ett av dessa, den vid foten av Vårdberget belägna **Klosterbacken** /113/ gjordes år 1940 till ett levande museikvarter. I områdets 18 hus finns mer än 30 olika verkstäder, av vilka några hålls i funktion hela sommaren medan nästan alla årligen väcks till liv i början av september på Konsthantverkanas dag då gamla mästare här visar upp sitt kunnande.

I närheten av staden ligger ön **Runsala** /114/ som bjuder på en frodig natur av mellaneuropeisk stöpning med mäktiga ekskogar, en botanisk trädgård, åldriga restauranger, ett nytt hotell, ett modernt campingområde och på öns yttersta udde en badstrand.

111

112

Die älteste Stadt Finnlands ist **Turku**, das um einen alten belebten Handelsplatz herum entstanden ist. Als Gründungsjahr der Stadt kann man 1229 ansetzen, als der Bischofssitz dorthin verlegt wurde. In der langen Geschichte Turkus stellt das Mittelalter eine der düstersten Perioden dar, aber obwohl Kriege, Pest und Grossfeuer des öfteren versuchten, das administrative Zentrum des Landes zu vernichten, blieb dieses bis 1812 Haupstadt des Landes. Heute ist Turku mit seinen 165.000 Einwohnern Eingangstor für den Fremdenverkehr im Westen des Landes, früher fanden die geistigen und kulturellen Strömungen aus dem Westen über Turku Eingang in Finnland.

Der die Stadt durchziehende Aurafluss ist im Sommer ein belebter Stützpunkt für den Boots- und Schiffsverkehr in der Schärenwelt. Ganz im Zentrum der Stadt befindet sich auch der Ausgangspunkt für die Kreuzfahrten der Touristen. Das prächtigste von den Schiffen auf dem Fluss ist der an der Martinsilta vor Anker liegende, heute als Ausbildungsstätte für Seeleute dienende **Suomen Joutsen** /111/, ein ehemaliges Schulschiff der Marine, eine 96 m lange Stahlfregatte französischer Herkunft.

Andere Sehenswürdigkeiten an den Ufern des **Auraflusses** sind das Sibelius-Museum, das Wäinö Aaltonen-Museum, das neue Theatergebäude, die alte Windmühle und ein neues Hotel, vor allem aber das Wahrzeichen der ganzen Stadt, die **Domkirche** /112/, das über 700 Jahre alte nationale Heiligtum Finnlands.

Die schlimmste Heimsuchung aller Zeiten erlebte Turku 1827, als beim grössten Städtebrand in der Geschichte Skandinaviens insgesamt 2.500 Gebäude zerstört wurden, nur in den Randgebieten der Stadt blieben einige Häuserblöcke erhalten. Einer davon, der am Fusse des Vartiovuori emporsteigende **Luostarinmäki** /113/, wurde 1940 zu einem Stadtviertel in Form eines Freilichtmuseums umgebildet. In den 18 Häusern des Bezirks befinden sich über 30 verschiedene Werkstätten, von denen einige den ganzen Sommer über in Betrieb sind. Beinahe alle nehmen jedes Jahr Anfang September ihre Arbeit auf, wenn die alten Meister während der Tage der Handarbeitskunst ihre Fertigkeiten zur Schau stellen.

Die vor der Stadt gelegene Insel **Ruissalo** /114/ bietet dem Besucher mitteleuropäisch üppige Natur mit grossen Eichenwäldern, einen botanischen Garten, alte Restaurants, ein modernes Campinggelände und den an der Spitze der Insel gelegenen Badestrand.

The oldest city of Finland is **Turku**, which gradually grew around an ancient tradingplace. It became the seat of a diocese in 1229. Despite wars, plague and fire the city remained the administrative center of the country until 1812, when Helsinki became the capital city.

The city has traditionally been the point of entrance of cultural influences from the West. It is still a point of entrance for tourism from the West. The present population is 165,000.

The Aura River which flows through the city provides a base for boating and sailing around the archipelago. Cruises for tourists start right in the center of the city. The proudest vessel on the Aura River is the **Suomen Joutsen** (Swan of Finland), /111/, the former training-ship of the fleet, which is now serving as a school for sailors. The 96-meter steel frigate, originally from France, is anchored at the Martti bridge.

Among the sights to be seen along the **Aura River** are the Sibelius Museum, the Väinö Aaltonen Museum, the new theater building, the old windmill and a new modern hotel — but one must see the **Cathedral Church**, the symbol of the whole city of Turku /112/, which for over seven hundred years has been the national shrine of Finland.

The worst ordeal undergone by Turku was the Great Fire of 1827, the most extensive fire suffered by any of the cities of the Scandinavian countries. It destroyed over 2,500 buildings. Only a few blocks were spared. One of these, the **Monastery Hill** /113/ at the base of the Vartiovuori mountain, was turned in 1940 into a living-museum area. There are 30 different workshops in the 18 houses of the area. Some of the workshops are functioning the whole summer but almost all are put in operation at the beginning of September during the Handicrafts Days and old craftsmen demonstrate their skills.

The **Ruissalo** island /114/ lying in front of the city offers the visitor luxuriant oak-tree forests, a botanical garden, old restaurants and a new hotel, a modernized camping-area and a swimming-beach located at the end of the island.

113

114

Varsinais-Suomi
Satakunta

Egentliga Finland
Satakunta

Ennen Uuttamaata ja Helsinkiä oli Varsinais-Suomi ja Turku. Koko maalle nimensä aikoinaan lainannut lounainen maankolkka oli läntisten virtausten portti, seulontapaikka, josta kulttuurin ja uskonnon murusia levitettiin luontosuomeen, sekoittumaan idän antiin. Kirkko ensimmäisenä työntyi Nousiaisiin, muutti sitten Turkuun ja perässä seurasivat maalliset hallitsijat. Nyt on entisestä mahdista jäljellä enää arkkipiispan istuin. Mutta matkailijalle Varsinais-Suomen entisyys on innostava pohja: Maakunnassa on kymmeniä mielenkiintoisia kirkkoja, joista seitsemän on sijoittunut oman matkailureittinsä varteen. Kymmenet kartanot kertovat maanhallinnasta; uljaimpana rakennuksena on Turun linna.

Osa **Varsinais-Suomesta** on todellista vilja-aittaa: Turun, Salon ja Loimaan seudun savikoista on viljeltyä maata 30—40 %. Koko maan viljellystä alasta on maakunnassa kymmenesosa, mutta suotuisan ilmaston ansiosta sato on vielä merkittävämpi. Myös teollisuutta on kehitetty viime vuosikymmeninä tehokkaasti: perinteisen laivanrakentamisen lisäksi uudet tehtaat ovat elvyttäneet kokonaisia, aikaisemmin nukahtaneita kaupunkeja: satama ja öljynjalostus herätti Naantalin, autoteollisuus Uudenkaupungin.

Savikkojen tasaisuuden vastapainona on varsinkin rannikolla ja maakunnan keski- ja pohjoisosissa jyrkkäreunaisia mutta matalia mäkiä, korkeuserot enimmillään 50 m. Suota on vain 10 %. Kasvillisuus on yleisesti katsoen rehevää, rannikolla valtaavat suomalaisen puun tilan paikoin jalot lehtipuut. Maakunnan 12 jokea ja muutamat kymmenet järvet muodostavat maa-alasta vain sadanneksen. Mutta järvettömyyden vastapainona Varsinais-Suomella on satakilometrinen merenranta ja tuhatsaarinen lomailijan paratiisi, Saaristo-Suomen itäosa.

Turku on matkailun keskus, muualla on vähän hotelleja, mutta sitä enemmän lomamajoja ja leirintäalueita. Turun lentokenttä on myös useiden kansainvälisten lentojen välilaskupaikka. Kaupungista suuntautuu eri puolille maata valtateiden hyväkuntoinen suonisto, joka houkuttelee huomaamattoman matkailijan ajamaan muihin maakuntiin ohi Varsinais-Suomen kymmenien merkittävien nähtävyyksien. Meren antiin pääsee vaivattomasti tutustumaan kaupungeista alkavilla meriristeilyillä.

Satakunta, jonka nimi johtuu entisestä vilkkaasta maanviljelystuotteiden sekä lohen ja siian kaupasta, esittelee kolme erilaista vesielementtiä: vähäsaarisen meren, voimalaitosten kahlitseman ja teollisuuden samentaman Kokemäenjoen sekä puhdasvetisen Pyhäjärven. Asutus, teollisuus ja maanviljelys ovat keskittyneet maakunnan mahtijoen eteläpuolelle pääpaikkoinaan Eura, Kokemäki, Harjavalta, Rauma ja maakunnan pääkaupunki Pori; pohjoispuolella on etelän tasaisen maan vastapainoksi mäkisyyttä, metsäisyyttä ja paikoin runsaasti järviä.

Innan Nyland och Helsingfors kom i bilden stod Egentliga Finland och Åbo i fokus. Den sydvästliga landsändan, som i tiden lånade sitt namn åt hela landet, var en port för västliga strömningar, en sikt genom vilken bildningens, kulturens, trons smulor breddes ut till naturfinland, för att blandas med den giv som kom österifrån. Först trängde kyrkan sig in i Nousis, flyttade så till Åbo och i dess släp kom de jordiska härskarna. Nu är bara ärkebiskopens säte kvar av den forna makten. Men åt turisten ger Egentliga Finlands forntid ett inspirerande basvetande. I landskapet finns tiotals intressanta kyrkor, av dem har åtta placerat sig vid ett av turiststråken. Tiotals herrgårdar förtäljer oss om jordägandet, som den ståtligaste byggnaden står Åbo slott.

En del av **Egentliga Finland** är en verklig kornbod: Av lerfälten i trakterna kring Åbo, Salo och Loimaa är 30—40 % odlade. En tiondedel av hela rikets odlade areal ligger i detta landskap, tack vare gynnsamt klimat är skörden proportionellt mer betydande än så. Men också industrin har under de senaste årtiondena effektivt utvecklats. Utom det traditionella båtbyggandet har nya fabriker gett nytt liv åt många städer, som förr låg i slumrande ro. Hamnen och oljeraffineringen väckte Nådendal, bilindustrin Nystad.

Som en motvikt till lerjordens jämnhet har man speciellt vid kusten och i landskapets mitt och norröver brantstupande backar där nivåskillnaden ändå inte går över 50 m. Kärren utgör endast 10 %. Växligheten är allmänt sett frodig, vid kusten tränger ädla lövträd ställvis ut de finska trädarterna. Landskapets tolv älvar och några tiotal sjöar upptar endast hundradedelen av landskapets yta. Som motvikt till sjöfattigdomen har Egentliga Finland en kustremsa på hundrade kilometer och ett tusende öars semesterparadis, västra delen av Skärgårds-Finland.

Åbo är centrum för turismen, annorstädes är hotellen få, men desto flera är semesterstugorna och campingområdena. Åbo flygfält är mellanlandningsstation för också flera internationella flygturer. Från staden löper ett nät av huvudvägar i gott skick till olika delar av landet, den lockar en ouppmärksam turist att åka till andra landsdelar, förbi Egentliga Finlands tiotals märkliga sevärdheter. Havets tjusning kan man njuta av under de skärgårdskryssningar som startar i städerna.

Satakunta (eg. hundramannalag) har fått sitt namn på basen av den livliga forntida handeln med lantbruksprodukter samt lax och sik. Här presenteras tre olika vatten-element: havet med få öar, den av kraftverk bundna och av industrin nedsmutsade Kumo älv samt Pyhäjärvi med rent vatten. Bosättningen, jordbruket och industrin har koncentrerat sig till södra sidan av landskapets mäktigaste älv, främst till Eura, Kokemäki, Harjavalta, Raumo och landskapets huvudort Björneborg. Norr om Kumo älv har man som motvikt till det flacka landet i söder en backig och skogig terräng, ställvis rik på sjöar.

Das eigentliche Finnland
Satakunta

Vor Uusimaa und Helsinki gab es schon das Eigentliche Finnland und die Stadt Turku. Diese Provinz war das Eingangstor für die Strömungen aus dem Westen, von hier aus drangen Kultur und Religion in das unberührte Finnland ein und vermischten sich mit den Einflüssen aus dem Osten. Die Kirche fasste zuerst Fuss in Nousiainen, dann zog sie nach Turku und in ihrem Gefolge kamen die weltlichen Herrscher. Von der früheren Macht ist nur noch der Sitz des Erzbischofs übrig. Der Tourist findet in dieser Provinz viele interessante Kirchen, und zahlreiche Herrensitze legen Zeugnis vom Grundbesitz ab. Das prächtigste Bauwerk ist das Schloss von Turku.

Das **Eigentliche Finnland** ist teilweise eine wirkliche Kornkammer: von den Lehmböden in der Gegend um Turku, Salo und Loimaa sind 30—40 % bebaute Ackerfläche, was ein Zehntel von der Anbaufläche des ganzen Landes darstellt. Wegen des günstigen Klimas ist der Ertrag ausserordentlich gut. Während der letzten Jahrzehnte hat sich aber auch die Industrie intensiv entwickelt. Neben dem traditionellen Schiffbau haben neue Fabriken ganze Städte aus ihrer Verschlafenheit erweckt. So haben der Hafen und die Erdölraffinerie Leben nach Naantali gebracht, und Uusikaupunki blühte infolge der Autoindustrie auf.

Als Kontrast zu den ebenen Lehmböden findet man besonders an der Küste und in den mittleren und nördlichen Teilen der Provinz niedrige Hügel mit steilen Abhängen, deren Höhenunterschiede höchstens 50 m betragen. Sümpfe bedecken nur 10 % des Landes. Die Vegetation ist im allgemeinen üppig, an der Küste treten manchmal Laubbäume an die Stelle der gewöhnlichen Nadelbäume. Die 12 Flüsse und einige Dutzend Seen der Provinz nehmen nur ein Hundertstel von der Fläche des Landes ein. Der See Pyhäjärvi in der Provinz Satakunta ist eine geradezu fremdartig anmutende Erscheinung. Als Entschädigung für die wenigen Seen bietet das Eigentliche Finnland jedoch eine hundert Kilometer lange Küste und ein Urlauberparadies mit Tausenden von Schären.

Turku ist das Zentrum des Fremdenverkehrs, in den anderen Orten gibt es weniger Hotels, aber um so mehr Ferienhäuser und Campingplätze. Der Flugplatz von Turku dient auch als Zwischenlandestation bei den Flügen von Helsinki nach Schweden. Von der Stadt führt ein gut ausgebautes Bundesstrassennetz nach allen Richtungen des Landes. Schärenrundfahrten werden jeden Tag veranstaltet.

In **Satakunta** wurde früher lebhaft Handel mit Getreide und Fischen getrieben. Man findet in dieser Provinz drei verschiedene Gewässertypen: das Meer mit verhältnismässig wenig Schären, den von Kraftwerken gebändigten, verschmutzten Fluss Kokemäenjoki und den See Pyhäjärvi, dessen Wasser sauber ist. Besiedlung, Landwirtschaft und Industrie haben sich südlich von dem grössten Fluss der Provinz konzentriert, die wichtigsten Orte sind Eura, Kokemäki, Harjavalta, Rauma und die Hauptstadt der Provinz, Pori. Nördlich vom Kokemäenjoki findet man als Kontrast zum ebenen Land im Süden Hügel, Wälder und stellenweise viele Seen.

Finland-Proper
Satakunta

Before there was Uusimaa and Helsinki there was Finland-Proper and Turku. The southwestern corner of the country which in due time gave its name to the whole country was the gate of entry for the currents from the West, the funnel, or the sieve, through which the seeds of culture and religion passed to be spread throughout the land and to combine with what came from the East. It was the church which first penetrated to Nousiainen, moved then to Turku, and brought in its wake the temporal power. The archbishopric is still located in Turku. The historic past of Finland-Proper has left behind many monuments of interest to the tourist. There are dozens of interesting churches and many manors bear witness to the mode of administration of the country; the proudest construction is the Castle of Turku.

Part of **Finland-Proper** is a real granary: some 30 to 40 per cent of the clayey soil of the countryside around Turku, Salo and Loimaa is cultivated. A tenth of the cultivated area of the whole of Finland is in this one province, Finland-Proper, but because of the comparatively favourable climatic conditions the proportion of the total harvest is much greater. In the last few decades industry has developed vigorously: in addition to the traditional ship-building industry, new factories and new industries have enlivened whole cities — Naantali has been roused by its harbour and by oil-refining, Uusikaupunki by the automobile industry.

In contrast to the clayey fields there are steep-banked but low hills, chiefly on the coast and in the central and northern parts of the province. The differences in height come to 50 meters at the most. Only 10 % of the land-surface is swampy. The plant-growth is generally flourishing, on the coast there are places where leafy trees have displaced the evergreens. The 12 rivers and many dozens of lakes of the province make up only one-hundredth of the surface-area. But to balance its lack of lakes Finland-Proper has a hundred kilometers of seashore and a thousand-island vacationer's paradise, the western part of the Finnish archipelago.

Turku is the tourism-center; elsewhere in Finland-Proper there are only a few hotels but more vacation-cottages and camping-areas. The air-field of Turku is an intermediate landing-point for many international flights. A well-constructed network of highways streams out of Turku leading the motorist easily on to the other provinces and perhaps too quickly past many of the noteworthy sights of Finland-Proper. A number of sea-cruises from the city enable the traveler to become acquainted with the islands and the sea.

The name of **Satakunta** is derived from the traditional trade in agricultural products as well as in salmon and hogs. There are three types of water characteristic of the province: the open sea with relatively few islands, the Kokemäki River hemmed in by power-Plants and muddied by industry and the pure water of Lake Pyhäjärvi. Settlement, industry and agriculture are all concentrated in the area south of the main river of the province, the main places being Eura, Kokemäki, Harjavalta and Rauma as well as the capital of the province, Pori. To the north of the Kokemäki River, in contrast to the flat land of the south, there are many hills, forests and here and there lakes.

Vanhan asutuksen, pitkän kasvukauden ja viljavien savikkojen ansiosta Varsinais-Suomessa viljellään mm. rypsiä, sokerijuurikasta, syysvehnää ja hedelmäpuita huomattavasti enemmän kuin muualla maassa. Maakunnan itä- ja keskiosissa on viljeltyä maata 30—40 % maa-alasta, Turun luoteispuolella Mietoisten kunnassa jopa yli 70 %. Maanviljely on pitkälle koneellistettu ja tilat ovat keskimääräistä suurempia.

Tack vare en åldrig bosättning en lång vegetationsperiod och bördig lerjord kan man i egentliga Finland odla bl.a. ryps, sockerbetor, höstvete och fruktträd i betydligt större skala än annorstädes i landet. I landskapets östra och mellersta delar är 30—40 % av jordområdet odlat, i Mietoinen kommun som ligger nordväst om Åbo mer än 70 %. Jordbruket är i hög grad mekaniserat.

Frühe Besiedlung, eine lang andauernde Wachstumsperiode und ertragreiche Lehmböden sind die Gründe dafür, dass im Eigentlichen Finnland bedeutend mehr Raps, Zuckerrüben, Herbstweizen und Obstbäume angebaut werden als in den anderen Teilen des Landes. In den östlichen und zentralen Gebieten der Provinz macht die bebaute Fläche 30-40 % von der Gesamtfläche aus, nordwestlich von Turku in der Gemeinde Mietoinen sogar über 70 %.

Because of the long growing-period and the character of the clay soil there is considerably more turnip rape, sugar-beet, fall wheat and fruit produced in Finland-Proper than elsewhere in the country. In the east and central part of the district from 30 to 40% of the surface of the land is cultivated, whereas in Mietoinen, northwest of Turku, the percentage of cultivated land is over 70. Farming is largely mechanized.

115

116

117

118

120

121

Varsinais-Suomessa kohtaavat maataloudessa laskelmoitu nykyaika ja idyllinen mennei-syys. Vanhat kartanot häviävät vähitellen, mutta vielä voi mat-kailija ihastella vanhaa raken-nustaitoa, talonpoikaisesineis-töä ja nauttia vanhoista herkuista monissa paikoissa. **Auran** kun-nassa on Kuuskosken kartanon 37 m pitkään väentupaan, Kos-kipirttiin, perustettu toimiva museokahvila /124/, jonka pito-pöytä notkuu maakunnan ruoista.

I Egentliga-Finland möts den välutnyttjade nutiden och det idylliska förgångna i jordbruket. De åldriga herrgårdarna för-svinner, men alltjämt kan turis-ten beundra gammal byggnads-konst, böndernas föremålsbe-stånd och njuta av åldriga läc-kerheter. I den i **Aura** kommun belägna Kuuskoski-herrgård har man inrymt ett museikafé i den 37 m långa allmogestugan Koskipirtti /124/ och festbordet dignar av landskapets mat-specialiteter.

Im Eigentlichen Finnland treffen in der Landwirtschaft geplante Neuzeit und idyllische Vergan-genheit aufeinander. Der Reisende kann immer noch alte Baukunst und rustikale Gerät-schaften bewundern sowie nach alten Rezepten angerichtete Leckerbissen geniessen. In der Gemeinde **Aura** ist in der 37 m langen Gesindestube Koskipirtti des Landgutes Kuuskoski ein Museumscafé eingerichtet worden, dessen festlich her-gerichteter Tisch mit den Spezialitäten der Provinz überladen ist.

In agriculture in Finland-Prope the planned present and the idyllic past confront each othe The old manor-houses are disappearing but the tourist ca still admire the old architecture in many places and can look at collections of objects used by the farmers years ago. In **Aura** there is a museum -cafe set up in the old servants-room of the Kuuskoski manor /124/ with a smörgasbord table laden with the traditional food of the province.

122

123

Lounais-Suomen suurin järvi, 25 km pitkä ja 10 km leveä Pyhäjärvi on ihmeteltävän puhdasvetinen ja kalainen: järvestä saadaan esimerkiksi siikaa vuosittain 25 — 30 kg hehtaarilta koko maan keskiarvon ollessa 5 — 10 kg. Vähäsaarisesta järvestä on muodostumassa suosittu matkailukeskus; monien lomakylien lisäksi palveluja tarjoavat siikaherkuistaan tunnetun **Säkylän** leirintäalue /125/ ja Yläneen hiekkarannat /126/ ravintoloineen.

Sydvästra Finlands största sjö, den 25 km långa och 10 km breda Pyhäjärvi (Den heliga sjön) har rent vatten och är fiskrik; ur sjön lyfter man årligen 25 — 30 kg sik per hektar medan landets medeltal är 5 — 10 kg. Den på öar fattiga sjön är ett populärt turistcentrum; liksom de många semesterbyarna, det för sina sikläckerheter kända campingområdet i **Säkylä** /125/ och restaurangerna invid sandstränderna vid Yläne /126/.

Der grösste See in Südwestfinnland, der 25 km lange und 10 km breite Pyhäjärvi, hat erstaunlich sauberes Wasser und ist überaus fischreich: aus dem See fischt man jährlich 25 — 30 kg Felchen pro Hektar, während die Durchschnittsmenge im ganzen Land 5 — 10 kg beträgt. Neben den zahlreichen Feriendörfern bieten das für seine Felchenleckerbissen bekannte Campinggelände **Säkylä** /125/ und die Sandstrände von Yläne /126/ den Feriengästen ihre Dienste an.

Pyhäjärvi, Southwest-Finland's largest lake, 25 kilometers long and 10 kilometers wide, is famous for its pure water and for being full of fish: from 25-30 kilograms of whitefish per hectare are taken annually from the lake whereas the average catch in the rest of the country is 5-10 kilograms. The lake is turning into a popular touristcenter. The **Säkylä** campingarea /125/ is famous for its whitefish, and the Yläne sandbeach with its restaurants /126

125

127

128

Maakunnan kartanoista arvokkaimpia on **Askaisissa** sijaitseva vuosina 1867—1951 eläneen marsalkka Mannerheimin syntymäkoti **Louhisaari** /128/, jonka päärakennus on vuodelta 1655. Kymmenistä entisöidyistä huoneista mielenkiintoisimpia ovat marsalkan syntymähuone, kirkkosali ja pirunkamari kummituksineen. — Louhisaaren omistajien v. 1653 rakennuttaman Askaisten **kirkon** /127/ erikoisuuksia ovat aatelisvaakunat.

Till de värdefullaste herrgårdarna i landskapet hör den i **Askainen** belägna **Villnäs** /128/, marskalk Mannerheims (1867—1951) födelsehem med huvudbyggnaden från år 1655. Till de intressantaste bland tiotalet renoverade rum hör marskalkens födelserum, kyrkosalen och djävulskammaren med sina spöken. — Den av Villnäs ägare år 1653 uppresta **kyrkan** i Askainen /127/ rymmer intressanta adelssköldar.

Zu den wertvollsten Landgütern der Provinz gehört das in **Askainen** gelegene Elternhaus des Marschall Mannerheim **Louhisaari** /128/, dessen Hauptgebäude aus dem Jahre 1655 stammt. Von den restaurierten Räumen gehören das Zimmer, in dem Mannerheim geboren wurde, sowie der Kirchensaal und die Teufelskammer zu den interessantesten. — In der 1653 erbauten **Kirche** von Askainen /127/ befinden sich als besondere Sehenswürdigkeiten die Adelswappen.

The most impressive of the manor-houses of the province is the birthplace of Marshal Mannerheim (1867—1951), **Louhisaari** /128/ in **Askainen**, the main building of which was built in 1655. Among the many rooms the most interesting are the room in which the future Marshal was born, the church-room and the so-called "haunted room". The Askainen **church** /127/ built in 1653 by the owners of Louhisaari is interesting because of its heraldic arms.

o v. 1232 asiakirjoissa mainittu **Nousiainen** lienee Suomen mantereen vanhin seurakunta. Legendan mukaan seurakunnan ensimmäinen **kirkko** rakennettiin siihen paikkaan, mihin piispa Henrikin ruumista Köyliöstä vetäneet härät väsyneinä pysähtyivät; nykyinen v. 1286 valmistunut pyhättö /129/ on samalla paikalla. Kirkon arvokkain muinaisjäännös on vaskilevyillä päällystetty Henrikpiispan sarkofagi-arkku.

Den redan år 1232 i dokumenten omnämnda **Nousiainen** torde vara den äldsta församlingen på Finlands fastland. Enligt legenden byggdes församlingens första **kyrka** på den plats, där dragdjuren trötta stannade, då de släpade hem biskop Henriks lik från Kjulo. Den nuvarande år 1286 färdigbyggda helgedomen /129/ ligger på samma plats. Kyrkans dyrbaraste relik är den med kopparplåtar överdragna biskop Henriks sarkofag-kista.

Das schon 1232 urkundlich erwähnte **Nousiainen** dürfte die älteste Kirchengemeinde auf dem finnischen Festland sein. Der Legende nach wurde die erste **Kirche** der Gemeinde an der Stelle gebaut, wo die Ochsen, die den Leichnam des Bischofs Henrik von Köyliö wegschleppten, vor Erschöpfung stehengeblieben waren. Die heutige Kirche /129/ wurde 1286 fertiggestellt. Das wertvollste antike Kunstwerk in der Kirche ist der Sarkophag des Bischofs Henrik.

Nousiainen, mentioned in documents as early as 1232, may be the oldest parish on the Finnish mainland. According to the legend the first **church** was built on the place where the oxen drawing the body of Bishop Henrik from Köyliö stopped to rest and the present shrine, built in 1286, is on the same place /129/. The most valuable relic of the church is the sarcophagus of Bishop Henry, enclosed in bronze plates. The frescoes of the church are from the 14th century.

130

Harjavallassa sijaitseva **Emil Cedercreutzin museo**, joka käsittää taidemuseon, kesäkoti Harjulan sekä vanhan ja uuden Maahengen temppelin, tarjoaa vieraan ihmeteltäväksi todella monipuoliset kokoelmat: n. 2.000 talonpoikaiselämään liittyvää esinettä, lähes 700 veistosta, 400 maalausta ja piirrosta, yli 500 tekstiilityötä ja yli 2.000 siluettia. Museon loi vuosina 1879—1949 elänyt paroni Cedercreutz. — Rukinlapoja /132/.

Författaren, konstnären, baron **Emil Cedercreutz** (1879—1949) som bl.a. skurit ca 2.000 siluetter åstadkom det storslagna **muséet i Harjavalta, Harjula,** med 2.000 närmast till landsbygden i Satakunta anknutna bruksföremål och sammanlagt 2.300 smidesarbeten, målningar och ryor. Enbart skulpturer och reliefer finns där drygt 500. En enda mans arbete. — Spinnrockshuvudena /132/ representerar gammaldags hemslöjd.

Das umfangreiche Werk des Schriftstellers und Künstlers Baron **Emil Cedercreutz** (1879—1949), das **Museum** in **Harjavalta,** zeichnet sich durch erstaunliche Vielseitigkeit aus: dort befinden sich 2.000 vor allem mit dem Leben auf dem Lande verbundene Gebrauchsgegenstände; Schmiedearbeiten, Malereien und Ryijy-Teppiche gibt es 2.300 und die Zahl der Schnitzereien und Reliefarbeiten übersteigt 500. — Als Beispiel für die Heimkunst früherer Zeiten dienen die Spinnrocken /132/.

The **Emil Cedercreutz Museum** in **Harjavalta** which includes an art- museum, the Harjula summer-house, and the Temple of the Old and New Spirit of the Earth presents variegated collections for the admiration of the visitor: about 2,000 objects (for example, this spinning-wheel /132/), associated with peasant life, almost 700 sculptures, 400 paintings and drawings, over 500 ryijy-rugs and textiles and over 2,000 cut-out silhouettes.

131

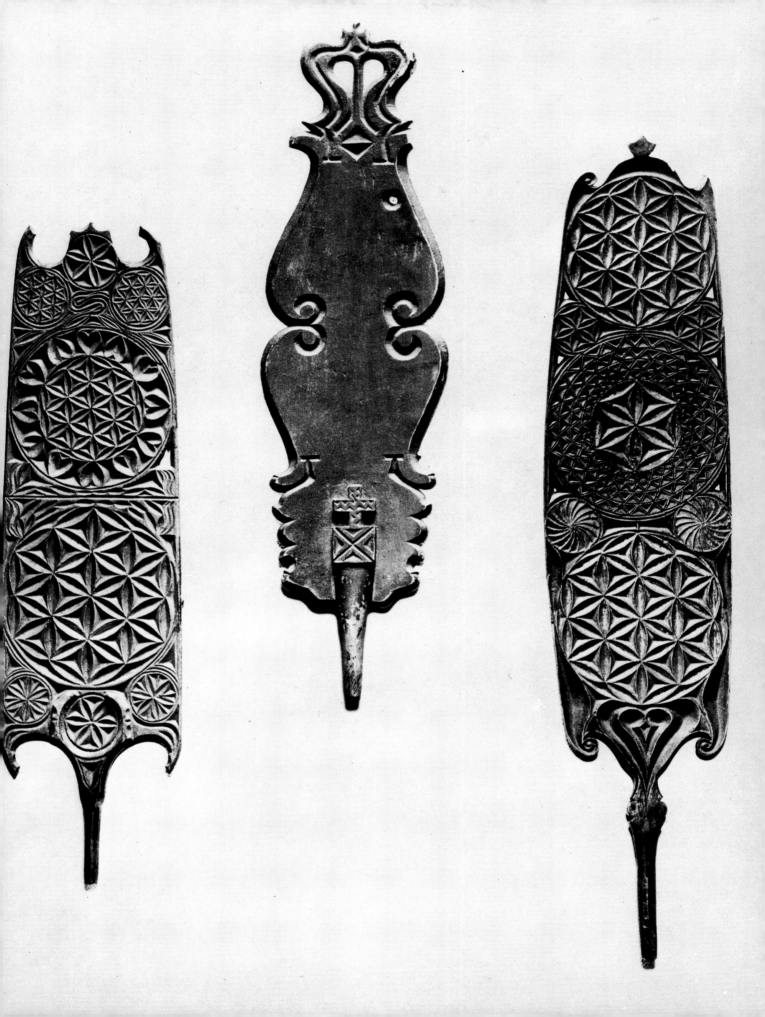

Kiukaisten Panelian kylässä aivan maantien varressa kohoava **Kuninkaanhauta** on Suomen suurin hiidenkiuas eli kiviröykkiöhauta. Pronssikaudella, 1400 — 300 vuotta eKr syntyneen haudan läpimitta on 35 metriä ja korkeus 4 metriä. Kuninkaanhaudan suuri koko johtuu siitä, että siihen poikkeuksellisesti haudattiin vainajia vuosituhannen ajan. Suomessa tunnetaan hiidenkiukaita kaikkiaan kolmisentuhatta; pelkästään Panelian kylässä niitä on lähes sata. Hautojen muoto on soikea tai pyöreä, ja monista on löydetty poltettuja ihmisenluita. — On huomattava, että sanasukulainen hiidenkirnu tarkoittaa aivan toista asiaa /389-390/. Kristinuskoa 1100-luvulla Suomeen tuonut piispa Henrik puhui legendan mukaan pakanakansalle **Kokemäellä** erään luhdin parvelta. Paikasta muodostui tietysti pyhä, sitä ryhdyttiin huolella vaalimaan ja niin luhti nykyisin on Suomen vanhin puurakennus. Tuhon uhatessa **Pyhän Henrikin saarnahuonetta** /134/ kristikansa rakensi sen ympärille v. 1857 tiilikappelin /135/.

Konungagraven alldeles invid landsvägen i Panelia by i **Kiukais** är Finlands största jättehög eller stenrösegrav. Den under bronsåldern, 1400 — 300 år f.Kr. resta gravens diameter är 35 meter och höjden 4 meter. Konungagravens stora format beror på att man i den, undantagsvis, begravde avlidna under ett helt årtusende. I Finland känner man till omkring tretusen jättehögar; enbart i Panelia by finns närmare etthundra. Gravarnas form är oval eller rund, och i många av dem har man funnit brända människoben. — Observeras bör, att ordet jättegryta (hiidenkirnu pro hiidenkiuas) betyder någonting helt annat fastän orden är nära släkt /389—390/. Biskop Henrik som på 1100-talet förde kristendomen till Finland talade enligt legenden till hednafolket från läktaren på ett loft i **Kokemäki** (Kumo). Platsen blev helig, man begynte att vårda den med omsorg och detta loft är i dag Finlands äldsta träbyggnad. När förstörelse hotade **Den Heliga Henriks predikorum** /134/ byggde det kristna folket år 1857 omkring det ett tegelkapell /135/.

Das im Dorf Panelia bei **Kiukainen** direkt neben der Landstrasse emporragende **Kuninkaanhauta** ist das grösste Hünengrab in Finnland, ein aus aufeinander geschichteten Felsblöcken errichtetes Grab. Der Durchmesser des in der Bronzezeit, 1400—300 v. Chr., entstandenen Grabes beträgt 35 m und die Höhe 4 m. Die gewaltigen Ausmasse des Kuninkaanhauta sind darauf zurückzuführen, dass dort — ausnahmsweise — ein Jahrtausend lang Leichname begraben wurden. In Finnland sind insgesamt ungefähr 3.000 Hünengräber bekannt, allein im Dorf Panelia befinden sich annähernd 100 davon. Die Form der Gräber ist länglich oder rund, und an vielen Stellen sind verbrannte Knochen von Menschen gefunden worden. Als der Bischof Henrik im 12. Jahrhundert das Christentum nach Finnland brachte, hielt er der Legende nach dem Heidenvolk in **Kokemäki** eine Predigt vom Vorbau eines Dachbodens herab. Diese Stelle wurde natürlich heilig, und man fing an, sie sorgfältig zu pflegen. Als die **Predigtstube des St. Henrik** /134/ vom Zerfall bedroht wurde, baute das zum Christenglauben bekehrte Volk 1857 eine Backsteinkapelle /135/ darum herum.

The King's Grave rising right alongside the highway in the village of Panelia in **Kiukainen** is the largest stone-pile grave in Finland. The length of this grave from the Bronze Age, 1400-300 B.C., is 35 meters and it is 4 meters high. The exceptionally great size of this 'King's Grave' is due to the fact that many bodies were buried in it over perhaps a thousand-year period. There are altogether some three thousand of these stone-graves in Finland; there are almost a hundred around the village of Panelia alone. The graves are circular or oval-shaped and in many of them burned human bones have been found. Bishop Henry who brought the Christian faith to Finland in the 12th century preached, according to legend, to the pagans at **Kokemäki** from the balcony of a certain loft. The place was turned into a shrine and the loft is at present the oldest wooden building in Finland. Upon destruction threatening this **Saint Henrik's Preaching-Room** /134/ a brick chapel was built around it in 1857 to protect it /135/.

134

135

Lounais-Suomen historiaa hallitseva piispa Henrik /129, 134/ surmattiin tammikuussa 1156 Köyliönjärven jäällä. Järven pohjoispäässä sijaitseva Kirkkokari /138/ on roomalaiskatolisten pyhiinvaelluspaikka, mihin kokoonnutaan vuosittain kesäkuun 18:tta päivää lähinnä olevana sunnuntaina. Juhlallisuuksiin kuuluu messu Pyhän Henrikin muistomerkin juurella /136/. Matka saareen sujuu perinteisesti veneillä /139/.

Biskop Henrik, en gestalt som behärskar sydvästra Finlands historia /129, 134/ dräptes i januari 1156 på Kjulo träsks is. Kirkkokari (Kyrkogrundet) /138/ som ligger i norra ändan av sjön är en vallfartsort för romerskkatoliker. Här samlas man årligen den söndag som ligger närmast den 18 juni, då en mässa hålls vid foten av biskop Henriks minnesmärke /136/. Färden till ön sker traditionellt med båtar /139/.

Bischof Henrik /129, 134/ wurde im Januar 1156 auf dem Eis des Köyliönjärvi ermordet. Das am Nordende dieses Sees gelegene Kirkkokari /138/ ist ein Wallfahrtsort für die römischkatholische Bevölkerung, die sich jedes Jahr am Sonntag, der in die Nähe des 18. Juni fällt, dort versammelt. Am Fusse des Denkmals für St. Henrik /136/ wird eine Messe gehalten. Die Fahrt zur Insel geschieht in grossen Kirchenbooten /139/.

Bishop Henrik / 129, 134/ was killed on the ice of Lake Köyliö in January 1156. Kirkkokari /138/, on the northern end of the lake, is a shrine of pilgrimage for Roman Catholic and every year on the Sunday closest to June 18th there is a gathering of the faithful there. A mass is performed at the base of the memorial monument to Bishop Henrik /136/. The tr to the shrine is made with muc ceremony in special large church-boats /139/.

137

138

139

140

141

142

143

Arkipäiväinen silakka on taloudellisesti Suomen tärkein kala; saaliit vaihtelevat vuosittain ja vuodenajoittain riippuen niin luonnonolosuhteista kuin menekistä. Isorysän /144/ käyttö oikullisella ulapalla on miesten kovaa työtä. **Merikarvian**, Pohjanlahden tunnetun silakkapitäjän, edustalla on omituisen tiheä, karikkoinen, itsenäinen, 350 erillisen saaren muodostama **Ouran saaristo** eli Karvian Ourat, /140/ silakkain maailmaa sekin.

Strömmingen är ur ekonomisk synvinkel Finlands viktigaste fisk; fångsterna varierar årligen och årstidsvis beroende på både naturförhållanden och efterfrågan. Att använda storryssja /144/ på den nyckfulla fjärden är ett hårt jobb för män. Utanför **Merikarvia**, den bäst kända strömmingskommunen vid Bottenviken, ligger en tät, av grynnor fylld, från den övriga skärgården avskiljd grupp av 350 öar, **Oura skärgård** eller Karvias Ourat /140/.

Der unscheinbare Strömling ist wirtschaftlich gesehen der wichtigste Fisch Finnlands; der Fang wechselt jedes Jahr und zu jeder Jahreszeit. Der Umgang mit der grossen Reuse /144/ auf dem launenhaften offenen Meer ist eine Sache für ganze Männer. Vor **Merikarvia** befindet sich die eigenartig dichte, mit Riffen übersäte, selbständige, aus 350 einzelnen Schären bestehende **Inselgruppe Oura,** oder auch Karvian Ourat /140/, ein Paradies der Strömlinge.

The herring is the most important fish for the economy of Finland; the catch varies each year in accordance with the supply by nature and the demand of the market. The use of the huge herring-nets /144/ on the open sea is no child's play. Off the coast of **Merikarvia**, the district on the Gulf of Bothnia, there is an extraordinarily dense archipelago, consisting of some 350 separate islands, the **Oura archipelago** /140/, a paradise for herring-fishermen.

Merikarvia on uittanut silakan myös matkailun palvelukseen. Pohjanlahteen työntyvässä pitkässä niemessä kirkonkylän kupeessa on veneilijöitäkin palveleva korkeatasoinen leirintäalue lomamajoineen /148/. Alueelta järjestetään kalaretkiä Ouran saaristoon /140/. Suomen alkukesän toistuviin suvijuhliin kuuluu kesäkuinen, vuosittainen **Kalarieha**, torvisoittoa, puheita ja kivenkolokalaa /145-147/.

Merikarvia har flottat ut strömmingen i turismens tjänst. På ett näs som skjuter ut i Bottenviken och ligger nära kyrkbyn finns ett lägerområde av hög standard som betjänar också dem som kommer med båt /148/. Från området arrangeras fisketurer ut till Oura skärgård /140/. Till försommarens årligen återkommande sommarfester i Finland hör **Kalarieha** (Fiskysterheten) i juni, med hornmusik, tal och på sten helgrillad fisk /145-147/.

Merikarvia hat den Strömling auch für den Fremdenverkehr nutzbar gemacht. Neben dem Kirchdorf befindet sich ein erstklassiges Campinggelände mit Restaurants und Ferienhäusern /148/. Von dem Gebiet aus werden Fischzüge zur Inselgruppe Oura /140/ durchgeführt. Zu den grössten Festen, die in Finnland zu Beginn des Sommers veranstaltet werden, gehört das alljährlich im Juni stattfindende **Kalarieha** mit viel Blasmusik, Festansprachen und am Ufer gebratenen Fischen.

Merikarvia has made a touristattraction out of the herring. Near the church-village on a long peninsula there is a highlevel camping-area with restaurants and guest-houses /148/. The area provides services for boaters and there are fishing-expeditions organized for sailing into the Oura archipelago /140/. Among the larger summerfestivals arranged for the early summer in Finland there belongs the annual **Kalarieha**, in June /145-147/.

Pohjanmaa

Österbotten

Pohjanlahden rannikon valtamaakunnan, Kristiinankaupungin eteläpuolelta Oulun pohjoispuolelle ulottuvan Pohjanmaan tunnuskuvana on tasaisuus, jonka kaltaista on muualla Suomessa hyvin vähän. Pohjanmaa nousee vähäsaarisesta, matalasta merestä loivasti kohti itää, Järvi-Suomen rajoilta alkavat vaatimattomat joet juoksuttavat vesiään loivissa laaksoissaan laiskasti halki maakunnan ja jokien välimailla levittäytyvät alavat, usein soiset ja asumattomat alueet. Poikkeuksena ovat muutamat järvitihentymät, erikoisesti Etelä-Pohjanmaalla, ja muistona menneisyydestä tasaisuuden vaikuttavasti rikkovat jäännösvuoret. Pohjanmaan lakeus on korkeuden vaihteluun tottuneesta vieraasta ensin ehkä yksitoikkoisen tuntuinen, mutta sillä on oma, erikoinen, hitaasti aukeneva antinsa; lakeuden tunnelma on jäljittelemätön.

Maa- ja metsätalous ovat olleet ja ovat yhä tärkeitä, merenkulku ja laivanrakennus ovat menettäneet merkitystään — tilalle on, varsinkin pohjoisessa, tullut puunjalostusteollisuus, ja muualla voimakas pienteollisuus. Entisajan rikkauksissa kylpenyt kaupunkilaisporvaristo kasvatti aikanaan useita Suomen merkkihenkilöitä, kun taas maaseudun köyhä väki muutti sankoin joukoin siirtolaisiksi Ruotsiin ja Amerikkaan.

Emämaakunnan ehkä vahvasykkeisin osa on Satakunnan rajoilta Pietarsaaren tienoille ulottuva **Etelä-Pohjanmaa**, missä lakeus parhaiten pääsee oikeuksiinsa. Metsien ja maankuulujen latomerien tasaisuudesta kohoaa näköalapaikoiksi useita vuoria: etelässä kasvillisuudeltaan erikoinen Lauhanvuori, 231 m, ja Lapväärtin Pyhävuori, 129 m, keskipaikkeilla Simpsiönvuori, 132 m ja Alajärven Pyhävuori, 148 m. Järviä maakunnassa on vain 2—3 %, ja niistäkin suurin osa välkehtii koilliskulmauksessa; merkittävin on harvinaisen selväpiirteinen ja vähäsaarinen Lappajärvi. Merenkurkussa on pieni saaristo, Suomen merien vaikeakulkuisin alue. Maakunnan keskuspaikkoina ovat Vaasa ja Seinäjoki; rannikolla on paikoin täysin ruotsinkielinen vyöhyke.

Keski-Pohjanmaa tuo mieleen, kuten jo Etelä-Pohjanmaakin, väkevähenkisen pohjalaisen kansanmusiikin; viulu ja Kaustinen ovat jo käsite Suomessa. Keskinen Pohjanmaa muistuttaa pinnanmuodoltaan eteläistä aluetta, mutta jokilaaksot alkavat saada paikoin jo vaihtelevan ilmeen, reunamat kohoavat jyrkempinä kuin Etelä-Pohjanmaalla. Soitten ja peltojen vastapainona on siellä täällä hietikoita, jotka rannikolla saavat suorastaan valtavat mitat. Vain maakunnan keskuksen, Kokkolan, edustalla on meressä mainittavaa saaristoa. Matkailijan ajatus pysähtyy Kalajokeen, monipuoliseen lomailukeskukseen.

Pohjois-Pohjanmaan voima on Oulussa, Pohjois-Suomen suurimmassa ja maan seitsemänneksi suurimmassa kaupungissa, missä muiden oppilaitosten lisäksi on myös yliopisto. Kaupungin halki virtaava Oulujoki juoksutti ennen porvareille rahaa tervaveneiden matkassa, mutta nyt kahdeksan voimalaitosta kahlitsee maakunnan valtavirran. Oulujoen eteläpuolella, esimerkiksi Limingassa, on ääretöntä, alavaa tasaisuutta, pohjoispuolella alkaa maasto kohota vaaroiksi kohti Koillismaata mentäessä. Matkailijan mielenkiinto kohdistuu Hailuotoon, alati kasvavaan erikoiseen saareen ja rannikon vanhoihin pikkukyliin. Oulussa ja Raahessa on runsaasti suurteollisuutta.

Som ett signum för huvudlandskapet vid kusten av Bottniska viken — det Österbotten som sträcker sig från söder om Kristinestad till norr om Uleåborg, har vi flackheten. Något liknande ser man mycket litet av i övriga Finland. Österbotten reser sig långsluttande mot öster ur det öfattiga och grunda havet, de anspråkslösa älvar som rinner upp vid gränsen till Sjöfinland låter sitt vatten rinna lättjefullt genom landskapet och i de långsluttande dalarna och mellan älvarna utbreder sig låglänta, ofta kärrdominerade och obebyggda områden. Som undantag står några sjöförtätningar, speciellt i Syd-Österbotten, och som minnen från fordom reser sig några återstående berg som effektfullt söndrar jämnheten. Det österbottniska slättlandet gör först på den vid höjdskillnader vana besökaren ett entonigt intryck, men det har något eget, speciellt, stämningen här på flacklandet är oefterhärmlig.

Lant- och skogsbruk har varit och är alltjämt viktiga. Sjöfarten och skeppsbyggandet har förlorat sin betydelse — i stället har man, speciellt i norr, fått träförädlingsindustrier och annorstädes en kraftfull småindustri. Förr i tiden fostrade de i sina rikedomar badande borgarna i städerna flera av Finlands bemärkta personer, medan landsbygdens fattigfolk i rikliga skaror flyttade som emigranter till Sverige och Amerika.

Det ursprungliga landskapets kraftigast pulserande del är **södra Österbotten,** från Satakuntas gräns till Jakobstad, det speciella slättlandet där religiösa, fosterländska och militära rörelser, som haft inverkan på hela landet, har satts igång. Ovan de jämna skogarna och ladornas riksbekanta mångfald reser sig några få berg, i söder det särpräglade Lauhanvuori, 231 m och Bötombergen i Lappfjärd, 129 m, i landskapets mitt Simpsiöberget i Lappo, 132 m och Pyhävuori i Alajärvi, 148 m. Sjöarna utgör endast 2—3 %, de ligger i öster och norr, störst är Lappajärvi. I Kvarken har vi en moräntäckt skärgård, den mest svårnavigerade i Finland. Landskapets centralorter är Vasa och Seinäjoki. Längs kusten ligger ett ställvis fullständigt svenskspråkigt område.

Mellersta Österbotten, liksom Syd-Österbotten, får oss att tänka på kraftfull österbottnisk folkmusik, fiolen och Kaustby har redan blivit begrepp i Finland. Mellersta Österbotten påminner till sin ytformation om det sydliga, men får ställvis en mera varierad uppsyn, åranden stiger här brantare än i Syd-Österbotten. Som motvikt till kärr och åkrar har man här och där sandstränder som vid kusten kan få rentav enorma proportioner. Endast utanför Gamlakarleby, som är landskapets centralort, finns skärgård. Turisten låter sin tanke stanna upp vid Kalajoki, ett mångsidigt semestercentrum.

Norra Österbottens kraft ligger i Uleåborg, i norra Finlands största och rikets sjunde stad, där man utom många läroinrättningar också har ett universitet. Den genom staden rinnande Ule älv flottade tidigare in pengar åt borgarna genom tjärbåtarnas färd, men numera binder åtta kraftverk denna landskapets huvudälv. Söder om Ule älv, t.ex. vid Limingo har vi en oändlig låglänt jämnhet i landskapet, norröver börjar det höja sig till fjäll, när man går mot Koillismaa. Turistens intresse riktar sig på Karlö (Hailuoto), en ständigt växande originell ö och på de gamla småbyarna längs kusten. I Uleåborg och Brahestad är storindustrin riklig.

Pohjanmaa

Die Küste des Bottnischen Meerbusens wird von der Provinz Pohjanmaa beherrscht, die sich von Kristiinankaupunki im Süden bis nach Oulu im Norden erstreckt. Diese Landschaft zeichnet sich durch eine Ebenheit aus, wie man sie anderswo in Finnland nur selten findet. Pohjanmaa steigt aus dem flachen Meer sanft nach Osten hin auf. Die bescheidenen Flüsse, die in den Grenzgebieten der Finnischen Seenplatte entspringen, strömen träge zum Meer, und zwischen ihnen breiten sich ebene, oft mit Sümpfen bedeckte und unbewohnte Landstriche aus. Einige wenige Seen und uralte Restberge sind Ausnahmeerscheinungen in dieser eintönigen Landschaft. Pohjanmaa hat seinen Reiz, aber dieser erschliesst sich dem an Abwechslung gewöhnten Besucher nur allmählich.

Land- und Forstwirtschaft waren früher wichtig und sind es auch weiterhin, Seefahrt und Schiffbau haben ihre Bedeutung verloren — an ihre Stelle sind, besonders im Norden, Holzveredelung und stark entwickelte Kleinindustrie getreten. Aus den Reihen der reichen Stadtbevölkerung sind früher viele bedeutende Persönlichkeiten hervorgegangen, die arme Landbevölkerung sah sich dagegen gezwungen, massenweise nach Schweden und Amerika auszuwandern.

Am stärksten spürt man den Pulsschlag dieser Provinz vielleicht im von Satakunta bis nach Pietarsaari reichenden **Süd-Pohjanmaa**, wo das Flachland am besten zur Geltung kommt. Aus den ebenen Wäldern und Scheunenmeeren ragen einige Berge empor, im Süden der eigenartige Lauhanvuori, 231 m, und der Pyhävuori in Lapväärtti, 129 m, im mittleren Teil der Provinz der Simpsiönvuori, 132 m, und der Pyhävuori in Alajärvi, 148 m. Die Seen, die nur 2—3 % von der Fläche einnehmen, liegen im Osten und im Norden, der grösste ist der Lappajärvi. In der Meerenge Merenkurkku befindet sich eine von Moränen überzogene Schärengruppe, die gefährlichste Stelle für die Schiffe vor der finnischen Küste. Vaasa und Seinäjoki sind die Zentren dieses Gebiets. An der Küste zieht sich ein stellenweise rein schwedischsprachiger Streifen entlang.

Mittel-Pohjanmaa ist ebenso wie der südliche Teil der Provinz bekannt für seine urwüchsige Volksmusik, für Violinenspiel und Gesang. Die Bodengestaltung ähnelt der im südlichen Gebiet, aber schon im Tal des Flusses Perhonjoki, wo die Ortschaft Kaustinen liegt, findet man eine abwechslungsreiche Landschaft, in der es anstelle der Sümpfe und Felder auch Sandflächen gibt. Nur vor Kokkola, dem Zentrum dieser Landschaft, befindet sich im Meer eine erwähnenswerte Schärengruppe. Wichtig für den Reisenden ist das vielseitige Urlauberzentrum Kalajoki.

Das Zentrum von **Nord-Pohjanmaa** ist Oulu, die grösste Stadt Nordfinnlands und die siebentgrösste Stadt des ganzen Landes. Neben vielen anderen Lehranstalten befindet sich hier auch eine Universität. Der durch die Stadt strömende Fluss Oulujoki führte den Bürgern der Stadt früher Reichtümer in Form von Teer zu; heute wird er von acht Kraftwerken gebändigt. Südlich vom Oulujoki, z.B. bei Liminka, dehnt sich eine unendliche Ebene aus, nördlich davon beginnt die Landschaft anzusteigen, und es entstehen Berge je weiter man nach Koillismaa kommt. Interessant für den Touristen sind Hailuoto, eine ständig anwachsende, eigenartige Insel, und die alten Küstendörfer. In Oulu und Raahe gibt es viel Grossindustrie.

Ostrobothnia

Ostrobothnia, the province which extends along the Gulf of Bothnia from south of Kristiinankaupunki to north of Oulu, is marked by a flatness the like of which is to be found in few other areas in Finland. Ostrobothnia rises gently from the sea, a part of the Gulf of Bothnia in which there are few islands, toward the east. Modest rivers, beginning at the borders of the Finnish lake-country, send their waters lazily through the sloping valleys of the province and between the rivers there are lowlands, frequently swampy and without inhabitants. There are some exceptions to this pattern, especially in South Ostrobothnia, where there are several areas with many lakes and even a few glacial-remnant hills, mementoes from the geological past, which interrupt the flatness of the plains. The flatland of Ostrobothnia is at first surprising in its very monotousness, but this flatness has a special effect of its own, a widening of the visual horizon which is inimitable.

Agriculture and forestry have been important in this region and still are — but maritime commerce and shipbuilding have lost their importance. In their place have come the wood-processing industry, particularly in the north, and flourishing light industry elsewhere.

Perhaps the most vital part of the original mother-province is **South Ostrobothnia**, which extends from the borders of Satakunta to Pietarsaari. It is in South Ostrobothnia that the flatlands really come into their own. A number of hills rise up to give vantage points for viewing the forests and the famous barn-dotted flatness. There are Lauhanvuori, 231 meters high, Pyhävuori of Lapväärtti, 129 meters high, Simpsiönvuori, 132 meters high and the Pyhävuori of Alajärvi, 148 meters high. Lakes make up only 2—3 % of the surface-area of the province and the greater part of these are in the northeast corner; the most notable of them is Lappajärvi, which is exceptionally clearly outlined and has few islands in it. There is a little archipelago in the throat-of-the-sea of the Gulf of Bothnia, the most difficult area of Finland's seas for navigation. The central points of the province are Vaasa and Seinäjoki.

In **Central Ostrobothnia**, as in southern Ostrobothnia, there is the vigorous northland folk-music: the country-music fiddle associated with the Kaustinen locality is a by-word in Finland. The shape of the surface of central Ostrobothnia is much like that of southern Ostrobothnia but for example in the Perhojoki river-valley there begins to be a change in the expression of the landscape, the banks of the river rise more steeply than those of the region to the south. Here and there, as a counterpoise to the swamps and fields there are sandy-areas which reach great dimensions along the shore. Only in the sea off Kokkola, the center of the province, is there an archipelago of any great size.

The vital centre of **Northern Ostrobothnia** is Oulu, the largest city of northern Ostrobothnia and the seventh largest city of Finland. There is a university at Oulu and other educational institutions. The Oulu River which cuts across the city was formerly important in the tar-trade but it is now harnessed by eight power-plants. To the south of the Oulu River, for example at Liminka, there is an extremely flat area, but on the northern side of the river there begins to be a rise of the land into hills in the direction of Koillismaa. The tourist will be interested by Hailuoto, an unusual island and in the little old villages along the coast.

149

150

151

Pohjanmaan nykyisin erittäin vireän kansanmusiikin ylväin tapahtuma on Kaustisen kansainväliset kansanmusiikkifestivaalit heinäkuussa /175-182/, mutta myös muualla laajassa Lakeuksien maakunnassa soi viulu taidokkaasti mittavissa kehyksissä ja heilahtaa kansallispuvun värikäs helma kansantansseissa. Ja yleensä kaikuu myös laulu; mistään muusta Suomen maakunnasta ei muistiin ole kirjattu niin paljon kansanlauluja kuin Etelä-Pohjanmaalta. Lakeuden laulut ovat yleensä juroja, itsetietoisia, väkeviä — vastapainona Karjalan laulujen hempeydelle ja iloisuudelle. Ruotsinkielisellä Pohjanmaalla on omat juhlansa Sulvassa, Stundarsin kalaasit, musiikkia ja runsaasti perinnettä. Suomenkielinen Etelä-Pohjanmaa kokoontuu alkukesän **Speleihin** /149-152/ vuorotellen eri pitäjissä.

Den ståtligaste händelsen i Österbotten är den internationella folkmusikfestivalen i Kaustby i juli /175-182/ men också annorstädes i de vidsträckta Slätternas landskap spelar fiolen konstfärdigt medan nationaldräktens färgrika fåll svänger om i folkdanserna. Man hör också sången skalla: i inget annat landskap i Finland har man noterat så många folksånger som här. Slätternas sånger är i allmänhet trumpna, självsäkra, kraftfulla — medan de karelska sångerna är veka och fröjdefulla. Det svenskspråkiga området i Österbotten firar sina egna fester i Solf, Kalas i Stundars, med musik och rikligt med traditioner. Det finskspråkiga Syd-Österbotten samlas i början av sommaren till **Spel** /149-152/ som hålls turvis i olika socknar.

Das prunkvollste Ereignis der in Pohjanmaa gegenwärtig besonders gepflegten Volksmusik sind die im Juli stattfindenden Internationalen Volksmusikfestspiele von Kaustinen. Aber auch anderswo in den weiten Niederungen dieser Provinz erklingt die Violine, und die farbenprächtigen Röcke der Volkstrachten beginnen bei den schwungvollen Volkstänzen hochzuwirbeln. Gesang erschallt hier ganz allgemein: in keiner anderen Provinz Finnlands sind so viele Volkslieder aufgezeichnet worden wie in Süd-Pohjanmaa. Die Lieder aus dem Flachland sind im allgemeinen abweisend, ganz das Gegenteil zur Zartheit und Fröhlichkeit der Lieder aus Karelien. Das schwedischsprachige Pohjanmaa hat seine eigenen Feste in Sulva. Die finnischsprachige Bevölkerung im südlichen Pohjanmaa versammelt sich zu den **Spelet** /149-152/ abwechselnd in verschiedenen Kirchspielen.

The most impressive event in the current tremendous revival of interest in folk-music in Ostrobothnia is the annual international folk-music festival held in Kaustinen in July /175-182/. But elsewhere also in this province of the flatlands there is the playing of the country-dance fiddle and dancing in the colorful traditional costumes. And the singing: from no other province of Finland do there come so many folk-songs as from the south of Ostrobothnia. The songs of the flatland country are vigorous, self-assertive, serious — a great contrast to the tender and joyful songs of Karelia. The Swedish-speaking people of Ostrobothnia have their own folk-music festival in Sulva. The Finnish-speaking people gather together in the early part of the summer in local folk-music get-togethers /149-152/ which are held in different parishes in turn.

153

Etelä-Pohjanmaalla raikahtaa laulu ja heilahtaa puukko; tällainen on maine vuosikymmenien takaa. Puukko oli, ja on yhä, sekä käyttöväline että koristeesine. Kauhavalla sanotaan puukon olevan puoli ruokaa; kunta on koristanut vaakunansakin helapääpuukolla. Vuosisatojen kuluessa on maakunnassa käytetty taidolla niin puukkoa kuin kirvestä ja sahaa. Pienessä **Kristiinankaupungissa**, joka vuosisata sitten, purjelaivojen aikaan, oli erittäin vilkas meren-

kulkukaupunki, henkii entinen taitavuus esimerkiksi **Ulrika Eleanoran kirkossa** /154/. Yksi parhaiten hoidetuista **pitäjänmuseoista** sijaitsee **Kuortaneella** /155/. **Närpiön** entiset rikkaat pystyttivät aikanaan kirkkonsa luokse peräti 150 ns. **kirkkotallia** /156/ pitääkseen hevosensa lämpiminä pitkien saarnojen aikana. Sivuteiden varsilla, vaikkapa **Lapväärtissä** /157/, on toinen toistaan kauniimpia taloja.

I Syd-Österbotten skallar sången och svänger puukkon; ett sådant rykte går sedan årtionden tillbaka. Puukkon var, och är alltjämt, både ett bruksföremål och en prydnadssak. I Kauhava säger man att puukkon är halva födan; socknen har prytt sitt vapen med en holkförsedd puukko. Under århundraden har man i landskapet varit skicklig i användningen av både puukko, yxa och såg. I det lilla **Kristinestad**, som under segelskeppens tid var en mycket livaktig sjöfartsstad

andas den forna hantverkarskic[k]ligheten mot oss till exempel i **Ulrika Eleonoras kyrka** /154/. Ett av de bäst skötta **sockenmuséerna** finns i **Kuortane** /155/. Forna rika män i **Närpes** reste på sin tid hela 150 såkallad[e] **kyrkstall** i kyrkans närhet /156/ för att deras hästar skulle hållas varma under de långa predikningarna. Längs sidovägarna, lå[t] oss säga i **Lappfjärd** /157/ ligge[r] det ena vackra, gamla huset invid det andra.

In Süd-Pohjanmaa erschallen die Lieder und der **puukko,** das Finnenmesser, wird geschwungen. Das Finnenmesser war und ist sowohl Gebrauchsgegenstand als auch Schmuckstück. In Kauhava sagt man, dass der **puukko** die Hälfte vom täglichen Brot sei. Im Laufe der Jahrhunderte ist dieses Messer in der Provinz ebenso wie Axt und Säge mit grossem Geschick gebraucht worden. In der kleinen Stadt **Kristiinankaupunki** verspürt man in der **Kirche der Ulrike Eleonora** /154/ einen Hauch von der handwerklichen Geschicklichkeit vergangener Zeiten. Eines der am besten betreuten **Kirchspielmuseen** befindet sich in Kuortane /155/. Die reichen Leute von **Närpiö** errichteten sogar 150 sog. **Kirchenställe** /156/, um ihre Pferde während der langen Predigten warmzuhalten. An den Seitenstrassen, z.B. in **Lapväärtti** /157/, befinden sich alte Häuser, von denen eines schöner als das andere ist.

South Ostrobothnia for resounding songs and flashing knives! That was the reputation of the province decades ago. The knives were worn in a scabbard dangling from the belt — the knife is the **puukko**. In the course of centuries skill with the **puukko** has come to rank in importance with skill with the axe and the saw. The old-time skill in wood-carving and wood-working is discernable in the **Ulrika Eleanora Church** /154/ in the little city of **Kristiinankaupunki** which a century ago, during the era of the sailingships, was a center of maritime commerce. One of the best kept-up **parish-museums** is in **Kuortane** /155/. The former rich folk of **Närpiö** built some 150 so-called **church-stables** /156/ in which to keep their horses warm in winter during the long sermons. Along the side-roads, in **Lapväärtti**, for example, there are beautiful old houses, one more beautiful than the next /157/.

Etelä-Pohjanmaan pääkaupunki, Merenkurkun matkailuvirtojen vastaanottaja, **Vaasa**, on kovia kokenut paikka sekin monien muiden suomalaisten kaupunkien tapaan. V. 1606 kaupunkioikeudet saanut, nykyisin 50.000 asukkaan keskuspaikka, rakennettiin aikanaan meren rantaan Korsholman linnoituksen seutuville. Maa kohosi, meri pakeni, tuli poltti kaupungin tyystin v. 1852. Uusi Vaasa rakennettiin 7 km päähän entisestä, jälleen rannikkokaupungiksi. Uusi Vaasa on moderni kaupunki, Wanha Waasa uinuu rauhassa sisämaassa kutsuen turisteja hiljentymään **vanhan kirkon raunioille** /159/. Vanhuuden vastapainoksi Pohjanmaa tarjoaa myös nykyaikaa. Ajan hengen turhantarkkaakin seuraamista vaatii muodin oikutteluihin liittyvä **minkinkasvatus** /158/. Uuden elinkeinon mittavuutta: Jepualla toimii yksi maailman suurimmista minkkitarhoista. Suomessa on kehitetty mm. harvinainen — ja kallis — safiiriminkin muunnos. Maantie tavoittaa Pohjanmaalla harvoin meren avaruuden. **Oravaisten** tunnettujen Suomen sodan aikaisten taistelukenttien lähellä voi viivähtää rantakahvilassa /160/.

Södra Österbottens huvudstad **Vasa**, som tar emot resandeströmmarna över Kvarken, är en stad som i likhet med många finländska städer har genomgått hårda öden. Staden, som år 1606 fick sina stadsrättigheter och som nu är en centralort med 50.000 invånare, byggdes på sin tid vid havets strand i trakten av Korsholms fästning. Jorden höjde sig, havet flydde, elden brände helt upp staden år 1852. Det nya Vasa byggdes 7 km från det forna, återigen som kuststad. Nya Vasa är en modern stad, Gamla Wasa slumrar i fred inne i landet, lockande turister att stanna i lugnet vid **den gamla kyrkans ruiner** /159/.
Som motvikt till det gamla bjuder Österbotten också på nutid. Det till modets nycker förbundna **uppfödandet av minkar** /158/ kräver ett minutiöst studium av tidens anda. I Jeppo är en av världens största minkfarmar verksam. I Finland har man utvecklat bl.a. en sällsynt och dyr variant på safirminken. I Österbotten når landsvägen sällan havets vidder. I närheten av de från Finska krigets tider välkända slagfälten vid **Oravais** kan man dröja en stund på strandkafeet /160/.

Die Hauptstadt von Süd-Pohjanmaa ist **Vaasa**, eine Stadt, die wie viele andere finnische Städte ebenfalls harte Zeiten durchgemacht hat. Dieses Zentrum, das 1606 die Stadtrechte erhielt und heute 50.000 Einwohner zählt, wurde seinerzeit am Ufer des Meeres bei der Festung Korsholm gebaut. Das Land stieg an, das Meer wich zurück und ein Feuer brannte die Stadt 1852 bis auf die Grundmauern nieder. Das neue Vaasa wurde wieder als Küstenstadt aufgebaut und ist eine moderne Stadt, während das alte Waasa ruhig im Landesinneren schlummert und die Touristen einlädt, bei den **Ruinen der alten Kirche** /159/ eine Pause einzulegen. Neben historischen Sehenswürdigkeiten bietet Pohjanmaa auch Neuzeit. Die mit den launischen Schwankungen der Mode verbundene **Nerzzucht** /158/ verlangt zeitweilig sogar pedantisch genaues Verfolgen der Strömungen des Zeitgeistes. Das neue Gewerbe hat beträchtliche Ausmasse: in Jepua arbeitet eine der grössten Nerzfarmen der Welt. In Finnland ist u.a. eine seltene — und teure — Abart des Saphirnerzes entwickelt worden. In der Nähe der vom Finnischen Krieg her bekannten Schlachtfelder bei **Oravainen** kann man in einem Strandcafé /160/ ein wenig verweilen.

The capital city of the province of South Ostrobothnia is **Vaasa**, located on the coast where the Gulf of Bothnia narrows and there is a stream of tourists coming from the West. The city of Vaasa, like other Finnish cities, has lived through its share of hard times. Having received its city-charter in 1606, Vaasa — which presently has 50,000 inhabitants — was built on the shore of the sea in the shelter of the Korsholm Castle. The land rose and the sea retired and in 1852 a fire burned the city down to the ground. The new Vaasa was built again as a seaside city, this time 7 kilometers from the old Vaasa. The new Vaasa is a modern city — Old Vaasa drowses in peace inland, inviting the tourists to view such sights as the **ruins of the old church** /159/.
Among the enterprises which are new in South Ostrobothnia is the systematic **raising of minks** for their fur /158/. One of the world's largest mink-farms at Jepua. A special variety of mink-fur, rare and costly, has been developed in Finland, — the sapphire mink.

158

159

Pohjanmaan kuulu Lakeus on moni-ilmeisempi kuin yleensä ajatellaan: sitä rikkovat pikkumäet, jokilaaksot, metsät. Vain harvoissa paikoissa voi tavoittaa Šen Oikean Lakeuden tunnelman, joka koostuu pöytämäisestä tasaisuudesta, silmänkantaman rajoille ulottuvista pelloista ja tuhansista ladoista. Kyrönjoki ja Lapuanjoki ovat keränneet alueilleen suurimmat niityt ja pellot. Seinäjoen seutu, osa Peräseinäjoesta, Kyröt, Laihia, Nurmo, Lapua ja Kauhava esitte-

levät vaikuttavimmin lakeuden. Kun katsoo **Kauhavan** Saarimaan kylässä kohoavasta **Latomeren näkötornista** maisemaa /161/ uskoo, että Etelä-Pohjanmaan talouselämä pohjautuu raivattuun maahan enemmän kuin minkään muun maakunnan. Lakeuden meressä on vanhan jaon mukaan vain latoja, asuintalot ovat yhdessä rykelmässä lakeuden reunassa tai nauhana jokivarressa.

Österbottens berömda Slättland har många fler uppsyner än man i allmänhet tänker sig: det söndras av småbackar, älvdalar och skogar. Endast på få orter träffar man på Den Verkliga Slättens stämningar, fält som sträcker sig så långt ögat når och tusentals lador. Kyrö älv och Lappo älv har på sina områden samlat de största ängarna och åkrarna. Trakten kring Seinäjoki, en del av Peräseinäjoki, Storkyrö och Lillkyrö, Laihia, Nurmo, Lappo och Kauhava har de mest ut-

trycksfulla slätterna. När man från **Latomeri utsiktstorn** i Saarimaa by i **Kauhava** ser ut över nejden /161/ kan man tro, att Syd-Österbottens ekonomi i högre grad än ekonomin i någo annat landskap bygger på rödja jord. I slätternas hav står enligt gamla skiftet enbart lador. Bostadsbyggnaderna står i en klunga vid randen av slätten eller ligger som ett band längs älvfårorna.

Das berühmte Flachland von Pohjanmaa ist ausdrucksvoller als im allgemeinen angenommen wird: es wird von kleinen Hügeln, Flusstälern und Wäldern durchzogen. Nur an wenigen Stellen kann man wirkliches Flachland antreffen, wo sich endlose Felder mit Tausenden von Scheunen erstrecken so weit das Auge reicht. Die Gegend um Seinäjoki, ein Teil von Peräseinäjoki, Kyröt, Laihia, Nurmo, Lapua und Kauhava nehmen den grössten Teil des Flachlandes ein. Wenn man die

Landschaft vom **Aussichtsturm Latomeri** im Dorf Saarimaa bei **Kauhava** /161/ betrachtet, bekommt man den Eindruck, dass sich das Wirtschaftsleben im südlichen Pohjanmaa mehr als in jeder anderen Provinz auf urbar gemachten Ländereien aufbaut. Im Flachland selbst gibt es einer alten Einteilung zufolge nur Scheunen, die Wohnhäuser befinden sich gruppenweise am Rand des Flachlandes, oder sie ziehen sich wie ein Band an den Flüssen entlang.

The famous 'flatland' of Ostrobothnia is more variegated than is generally thought: it is broken up by little hills, valley-streams and woods. Only in a few places is there the feeling of the Real Flatland — where there is a table-top flatness of fields stretching to the horizon and thousands of little sheds and barns dotted here and there. The greater part of the fields and meadows is along the Kyrö River and the Lapua River. The most impressive flatlands are in the area of Seinäjoki, a part of

Peräseinäjoki, Kyröt, Laihia, Nurmo, Lapua and Kauhava. Looking out from the **Latomeri tower** /161/ erected in the village of Saarimaa in **Kauhava**, one can readily believe that the economy of South Ostrobothnia depends upon cleared land more than that of any other province. In the sea of flatlands there are only barns indicating the old division of the land; the dwelling-houses are in a grouping along the edge of the flatland or in a strip alongside a river.

162

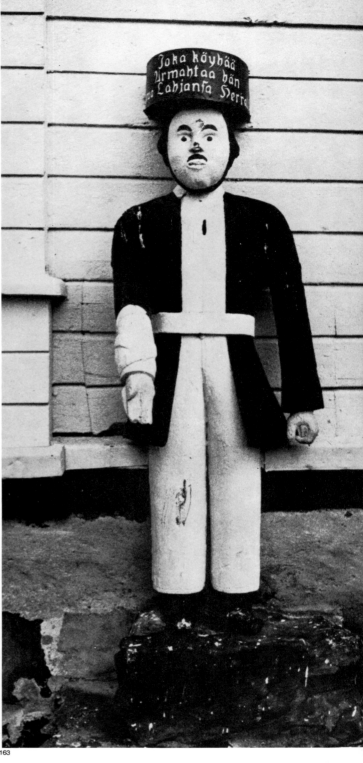

163

Paavin bulla vuodelta 1308 kehotti seurakuntia pystyttämään onttoja tukkeja rahan keräämiseksi uskovaisilta. Suomeen **vaivaisukot** ilmestyivät vasta 1700-luvulla, mutta halki maan kulkenut Suomen sota 1808–09 hävitti niistä suurimman osan. Useimmat nykyisistä vaivaisäijistä ovat peräisin 1850-luvulta, jolloin niitä kyhättiin kymmenittäin Pohjanmaallekin. Alkeellisen vetoava katse, ojentuva käsi saivat kirkkokansan pudottamaan roponsa vaivaisukon aukkoon ja näin auttamaan yhdellä kertaa seurakunnan köyhiä ja oman sielun taakkaa; taivas läheni. Tehon parantamiseksi puupyytäjän yhteydessä on — nyt yleensä vain matkailijaan vaikuttava — teksti raamatusta. Monet seurakunnat ovat päästäneet ukkonsa rappeutumaan; hoidettuja ovat mm. **Lappajärven** /162/, **Haukiputaan** /163/, **Sulvan** /164/ ja **Lohtajan** /165/ kirkkoäijät.

En påvlig bulla av år 1308 uppmanade församlingarna att resa ihåliga stockar för att samla in pengar av de troende. I Finland uppenbarade sig **fattiggubbarna** först på 1700-talet, men Finska kriget 1808—09, som gick över hela landet, förstörde den största delen av dem. De flesta av de fattiggubbar som nu finns härstammar från 1850-talet, då man hastigt slog ihop sådana i tiotal. En naivt vädjande blick, en framräckt hand fick kyrkofolket att fälla sina skärvor i fattiggubbens skåra och på detta sätt att samtidigt hjälpa de fattiga i församlingen och sin egen själ; himlen kom närmare. För att bättra på effekten finns det i samband med trätiggaren en text ur bibeln. I många församlingar har man låtit fattiggubbe förfalla, skötta är bl.a. gubbarn i **Lappajärvi** /162/ **Haukipudas** /163/, **Solf** /164/ och **Lochteå** /165/.

164

165

Die päpstliche Bulle von 1308 forderte die Gemeinden auf, hohle Behälter aufzustellen, um Geld von den Gläubigen einzusammeln. In Finnland tauchten diese Opferstöcke, aus Holz geschnitzte und bemalte Figuren, erst im 18. Jahrhundert auf, aber der grösste Teil davon wurde während des Finnischen Krieges 1808—09 zerstört. Die meisten der heutigen Opferstöcke stammen aus den 50er Jahren des 19. Jahrhunderts, als sie in Pohjanmaa haufenweise aufgestellt wurden. Der primitiv flehende Blick und die ausgestreckte Hand liessen die Kirchgänger ihr Scherflein in die Öffnung des Opferstocks fallen. Damit half man den Armen und erleichterte gleichzeitig seine Seele: der Himmel war wieder ein Stück näher gekommen. Viele Gemeinden haben ihren Opferstock verfallen lassen, gut erhalten sind u.a. die von **Lappajärvi** /162/, **Haukipudas** /163/, **Sulva** /164/ und **Lohtaja** /165/.

The Papal Bull of 1308 urged parishes throughout Christendom to set up hollowed-out logs as collection-boxes for alms. These appeared in Finland in the 1700's in the form of carved and painted wooden figures but the greater part of them were destroyed during the course of the Finnish War of 1808-09. Most of the wooden alms-collectors presently in existence are from the 1850's when dozens of them were put up in Ostrobothnia. The appealing look and the outstretched hand moved the churchgoers to drop their alms in the slot of the wooden alms-collector and thus to help the poor of the parish and to relieve the burden on their own souls. In order to make the appeal more effective a passage from the Bible was also presented to the possible alms-givers. Many of the parishes have let their wooden alms-collectors fall apart — well taken-care of specimens are to be found in **Lappajärvi** /162/, **Haukipudas** /163/, **Sulva** /164/, and **Lohtaja** /165/.

Evijärven Väinöntalossa eli Etelä-Pohjanmaan **Järviseudun museossa** tavoittaa elävän entisen pohjalaisuuden. Väinöntalo on yhden miehen, kotiseutuneuvos Väinö Tuomaalan luoma: v. 1955 tarmokas mies kuljetti polkupyörällä ensimmäiset esineet ostamaansa vaatimattomaan aittaan, nyt museon 24 rakennuksessa on esineitä 6.000. Peräti 14-huoneinen, 1700-luvulta peräisin oleva Alpertintupa /166/ on museon sydän.

I Väinöntalo i Evijärvi, museet i **södra Österbottens sjödistrikt,** träffar man på en levande österbottnisk anda från förr. Väinöntalo är skapad av en enda man, hembygdsrådet Väinö Tuomaala: år 1955 hämtade den energiska mannen med cykel de första föremålen till det anspråkslösa visthus han inköpt, nu finns det i museets 24 byggnader 6.000 föremål. Albertintupa (Albert-stugan) från 1700-talet med 14 rum utgör hjärtat i museet /166/.

Im **Väinöntalo** bei **Evijärvi** spürt man heute noch etwas vom Charakter des früheren Pohjanmaa. Väinö Tuomaala kaufte 1955 einen bescheidenen Speicher und brachte die ersten Gegenstände mit dem Fahrrad dorthin — heute befinden sich in den 24 Gebäuden des Museums ca. 6.000 Ausstellungsstücke. Die aus dem 18. Jahrhundert stammende Alpertintupa mit 14 Räumen /166/ bildet den Kern des Museums.

The **Lake-country Museum** of South Ostrobothnia, the so-called **Väinö's House of Evijärvi** is the creation of one man, Väinö Tuomaala, an energetic man who in 1955 began to travel by bicycle through the district buying his first articles for a modest loft-museum, which now consists of 24 buildings containing 6,000 items. The heart of the museum is the 14-room Alpertintupa /166/ from the 18th century.

Isojoen ja **Kauhajoen** rajalla kohoava **Lauhavuori**, 231 m, yllättää ylösyrittäjän: rinteissä on tavalliseen tapaan soita, kivikoita, kuusikkoja ja mäntykankaita, kunnes lähellä lakea muutaman metrin matkalla luonto heittäytyy hämmästyttävän vehmaaksi. Jääkauden jälkeinen meri huuhteli voima-aalloillaan elinvoimaisen maaperän pois, mutta lakimaahan se ei yltänyt — ainoa paikka Pohjanmaalla.

Lauhavuori, 231 m, som reser sig på gränsen mellan **Isojoki** och **Kauhajoki** överraskar klättraren: på sluttningarna finns som vanligt kärr, stenkummel, grandungar och tallmoar men nära toppen blommar naturen plötsligt upp till sällsam frodighet. Efter istiden spolade havet med sina kraftiga vågor bort den livgivande jordmånen men upp till toppregionen nådde det inte på detta enda ställe i Österbotten.

Der zwischen den Flüssen **Isojoki** und **Kauhajoki** emporsteigende Berg **Lauhavuori** ist 231 m hoch. An den Hängen befinden sich wie gewöhnlich Sumpfflächen, Geröllhalden, Fichten- und Kieferngehölz, aber in der Nähe des Gipfels wird die Natur plötzlich überraschend üppig. Das Meer spülte nach der Eiszeit den lebensfähigen Erdboden fort, aber es stieg nicht bis zum Gipfel hinauf — die einzige Stelle in ganz Pohjanmaa.

Mount Lauhavuori, between th Isojoki and **Kauhajoki** rivers, 231 meters high, has a surprise for those who climb it. On its flanks are the usual swamps, stones and fir and pine-growth but a few meters from the peak there is a surprisingly luxurious natural flourishing. After the ice-age the sea washe away the fertile ground-soil from almost everywhere in Ostrobothnia, except from this place, the top of the high ground.

170

171

172

Suomalaisesta sitkeästä, ulkomaita myöden himoitusta hongasta valmistetaan nykyisin vanhoin konstein mutta uusin konein tyylikkäitä **lomarakennuksia.** Laajaa tämä teollisuus on esimerkiksi Alvar Aallon kotipitäjässä **Alajärvellä.**

Av seg, också i utlandet åtrådd, finsk furu förfärdigas nu, med åldrig konstfärdighet men ofta maskinellt, stiliga **semesterbyggnader**. Denna industri är utbredd t.ex. i Alvar Aaltos hemsocken **Alajärvi**.

Aus der widerstandsfähigen Kiefer, die auch im Ausland ein begehrter Artikel ist, werden stilvolle **Ferienhäuser** hergestellt. Dieser Industriezweig ist z.B. in **Alajärvi**, dem Heimatort von Alvar Aalto, weit entwickelt.

The longing of the Finns to have places of their own to escape to in the summertime has brought about a transformation of the landscape of the lake-country which is becoming dotted with pre-fabricated machine- constructed log-cottages. The basic material, the Finnish logs, remains the same but the mode of construction is modernized. An example of this new development is in Alvar Aalto's home-parish of **Alajärvi**.

173

Yleensä vähäjärvistä Pohjanmaata halkovat, loivissa laaksoissaan verkkaisesti juoksevat joet ovat kuin elämänlanka: niihin ovat takertuneet pellot, niiden varsilla kohoavat kylät pitkinä ketjuina ja kahta puolta sameaa vettä mutkittelee tie yhtyen pariinsa siellä täällä sillan avulla. Maakuntaa hallitsee maatalous joskin paikoin nykyaika on tuonut mukanaan vireää pienteollisuutta. **Kauhajoen** maisemia.

Det i allmänhet sjöfattiga Österbotten klyvs av i långsluttande dalar sävligt rinnande älvar, som är som livstrådar. Åkrarna har hängt upp sig vid dem och längs dem reser sig byarna i långa kedjor. På var sida om det grumliga vattnet slingrar sig en väg som här och där genom broar förenas med sitt par. Jordbruket behärskar landskapet fastän nutiden ställvis har fört med sig en livfull småindustri. Vy från **Kauhajoki**.

Pohjanmaa ist im allgemeinen nicht sehr seenreich, aber die Flüsse, die in sanft abfallenden Tälern die Landschaft durchziehen, sind wie Lebensadern: an ihren Ufern klammern sich die Felder fest, und Dörfer ziehen sich in langen Reihen daran entlang. Auf beiden Seiten des trüben Wassers schlängelt sich ein Weg, der stellenweise durch eine Brücke mit dem anderen Ufer verbunden ist. Landschaft bei **Kauhajoki**.

Ostrobothnia has few lakes but a number of rivers run through the gently sloping valleys like a network of veins in which the fields are entangled, and chains of villages align themselves along the river-banks. The pattern is for two roads to run parallel on both sides of the rivers, connected here and there by bridges. The province is dominated by agriculture although here and there are recently developed enterprises in light industry. The **Kauhajoki River** countryside.

175

176

Väitetään, että **Kaustisella** /175/ on yksi talo, missä kansanmusiikki ei soi. V. 1968 kaustislaiset kokosivat ensimmäisen kerran yhteen pelimannijoukot ja siitä alkoi hämmästyttävä kesäinen kulttuuritapahtuma, **Kaustisen kansainväliset kansanmusiikkifestivaalit,** jotka laajimmillaan ovat heinäkuun kolmannella viikolla koonneet 3.600 asukkaan pitäjään 70.000 vierasta! Suomen kesän värikkäin juhla: nuoria ja vanhoja pelimanneja, soittimia viulusta sahaan, laulua ja tanssia, uskonnollisuutta ja protestia, pieniä

yösoittoja ja mahtava pääjuhla /177/. Kansanmusiikin vaikuttavan näytön jälkeen valtiovalta heräsi ja nyt seisoo kylän keskustassa pelimannien pyhättö, **Aapintalo** /180/, museo ja soiva keskus, tutkimuspaikkakin. Juhlaviikon lisäksi kaustislaiset järjestävät läpi kesän kansanmusiikin viikonloppuja, suosittuja juhlia nekin.

Det påstås att det i **Kaustby** /175/ finns ett hus, där folkmusiken inte ljuder. År 1968 samlade kaustbyborna för första gången spelmansskarorna och genom det startade ett överraskande sommarkulturellt evenemang: **Kaustbys internationella folkmusikfestival,** som i bästa fall samlat 70.000 gäster i en socken med 3.600 invånare, tredje veckan i juli! Det är den färggrannaste festen under Finlands sommar: unga och gamla spelmän, instrument från fiol till såg, sång och dans, religiositet och protest, små

nattmusikinslag och den mäktiga huvudfesten/177/. Efter denna verkningsfulla föreställning av folkmusik vaknade statsmakten och nu reser sig spelmännens tempel, **Aapintalo** /180/ i byns centrum, ett museum och ett klingande hus, också en forskningsplats. Utom festveckan arrangerar kaustbyborna hela sommaren folkmusikaliska week-ender, d är omtyckta fester.

177

178

179

180

Es wird behauptet, dass es in **Kaustinen** /175/ nur ein Haus gibt, in dem keine Volksmusik erklingt. 1968 traten die Dorfmusikanten von Kaustinen zum ersten Mal zusammen, und es entstanden die **Internationalen Volksmusikfestspiele** von **Kaustinen**, die zu ihrem Höhepunkt 70.000 Gäste in das Dorf mit 3.600 Einwohnern lockten. Dieses Fest ist das farbenfroheste Ereignis des finnischen Sommers: junge und alte Dorfmusikanten, Instrumente von der Violine bis zur Säge, Gesang und Tanz, Religiosität und Protest, kleine

Nachtmusiken und das gewaltige Hauptfest /177/. Nach dieser eindrucksvollen Volksmusikdarbietung erwachte auch der Staat, und heute steht im Zentrum des Dorfes die heilige Stätte der Dorfmusikanten, das **Aapintalo** /180/, ein Museum und klingendes Zentrum. Ausser den Festwochen führen die Einwohner von Kaustinen den ganzen Sommer über noch Wochenendveranstaltungen durch, die ebenfalls sehr beliebt sind.

They say that in **Kaustinen** /175/ there is one house where they do not play folk-music! There is an **international folk-music festival at Kaustinen** every summer and during the third week of July some 70,000 guests descend on the parish with its 3,600 inhabitants. There are old and young instrumentalists playing every possible instrument ranging from the violin to the saw, there is singing and dancing, religion and protest, Kleine Nachtmusik groups and a massive main ceremony /177/.

The State of Finland has supported the movement, once it started popularly and spontaneously. And now there is a center devoted to folk-music in the center of the village, the **Aapintalo** /180/, a museum and music-playing center, and a research-institute too. In addition to the festival-week the Kaustinen villagers organize a number of folk-music week-ends through the summer.

181

182

Kalajoen 200 hehtaarin laajuisilla **Hiekkasärkillä** on pituutta 3 km ja leveyttä parhaimmillaan lähes kilometri. Mutta Suomen suurimpiin kuuluva lentohiekkaalue laajenee jatkuvasti tuulen repiessä maanpintaa ja meren paetessa matalaa rantaa; myös lomaveneilijöitä palveleva laituri on pituudeltaan maan mahtavimpia. Pohjolan lyhyen kesän Riviera monipuolistaa matkailupalvelujaan vuosi vuodelta: nyt kilpailevat turisteista jo kaksi hotellia, motelli,

lomakylä, tanssihalli ja Suomen suosituimpiin kuuluva leirintäalue lomamajoineen. — Lähes aavalla merellä pysähtyy tarkkaavaisen tutkijan katse pieneen maahan: 17 km:n päässä kohoaa Kallan saariryhmä /185-190/, erikoinen Perämeren kalastuksen muinainen yhdyskunta, jonne kesäisin on päivittäin veneyhteys Hiekkasärkiltä.

De 200 hektar vida **Sandbankarna** i **Kalajoki** har en längd av 3 km och en bredd på i bästa fall en kilometer. Men detta, ett av Finlands största flygsandsområden, blir ständigt större då vinden river upp jord och havet drar sig tillbaka vid landhöjningen; bryggan som betjänar semesterfirarna är också en av de längsta i riket. Trots den korta sommaren i norr, görs turistservicen på denna Riviera år för år allt mångsidigare. Om turisterna tävlar nu redan två

hotell, ett motell, en semesterb en danshall samt en campin plats med semesterstugor, en a de populäraste i Finland. På det nästan flacka havet fäster en noggrann observatör sin blick vid en liten landremsa, 17 km ti havs reser sig ögruppen Kalla /185-190/ ett åldrigt särpräglat samhälle för bottenhavsfiskare Sommartid har man daglig båtförbindelse dit från Sandbankarna.

Die ein Gebiet von 200 ha umfassenden **Sanddünen** von **Kalajoki** sind 3 km lang und annähernd 1 km breit. Dieses Flugsandgebiet wächst jedoch ständig an, da der Wind Sand von der Erdoberfläche losreisst und das Meer vom flachen Strand zurückweicht. Der für Bootsurlauber bestimmte Bootssteg ist einer der grössten des Landes. Die skandinavische Riviera bietet dem Feriengast während des kurzen Sommers immer vielseitigere Urlaubs-

möglichkeiten: um die Gunst der Touristen bewerben sich heute schon 2 Hotels, ein Motel, ein Feriendorf, eine Dancing-hall und ein Campinggelände. — Auf dem offenen Meer kann man ein Stück Festland erspähen: 17 km entfernt steigt die Inselgruppe Kalla /185-190/ aus dem Meer empor, eine alte Fischergemeinschaft im Norden des Bottnischen Meerbusens, zu der man im Sommer mit dem Boot gelangen kann.

The 200-hectare **Sand Dunes area of Kalajoki** is 3 kilometers long and almost a kilometer wide. But the area is continuously increasing in size with the winds wearing away the surface of the earth and the sea retiring from the low shore. It is among the largest such areas in Finland. This Riviera of the north country is increasing the range of its services to tourists every year. There are already two hotels, a motel, a vacation-village, a dance-hall and one of the

most popular camping-areas in Finland with its summer-cottages. With a sharp eye one can see the Kalla island-group, 17 kilometers out to the sea /185-190/, a traditional fishing-community, to which boat-trips are organized daily during the summer from the Sand Dunes.

Kalajoen Hiekkasärkiltä /183/ lähtenyt tavoittaa katseellaan jo kaukaa **Maakallan** korkeimmalla kohdalla saarta vaatimattoman ylpeästi vartioivan v. 1780 rakennetun **kirkon** /185/, joka on ollut, ja on yhä, niin reneiden kuin sielujen majakka. Kallalla on aina ollut itsehallinto ja suuret karikokoukset on pidetty kirkossa. Aikanaan maksettiin saarella saarnanneen papin palkka silakoina...

Den som begett sig ut från Sandbankarna i Kalajoki /183/ observerar redan på långt avstånd **Maakalla kyrka** /185/ på öns högsta punkt, byggd 1780. Den vakar över nejden, den har varit och är alltjämt en fyrbåk för båtar och själar. Kalla har alltid haft självstyrelse — dock anspråkslösare än den på Åland — och i kyrkan /185/ har man hållit stora möten rörande havets många grund. På sin tid betalade man prästen, som predikade på ön, lönen i strömming.

Wenn man von den Sanddünen von Kalajoki /183/ aufbricht, kann man schon von weitem auf der Insel **Maakalla** die 1780 gebaute Kirche /185/ erkennen, die über die Insel wacht. Kalla hat immer eine Selbstverwaltung gehabt und die grossen Riffversammlungen sind in der Kirche abgehalten worden. Seinerzeit wurde dem Pfarrer, der auf der Insel gepredigt hatte, der Lohn in Strömlingen ausbezahlt...

On the boat-trip from the Sand Dunes of Kalajoki /183/ one can see from afar the **church of Maakalla**, built in 1780 on the highest point of the island /185/. In the tower of the church there is a beacon, a guiding-light both for souls and for boats. The Kalla island-group has always had a form of self-government and the so-called reef-meetings are held in the church. In the old days the priest who preached on the island got his pay in herring.

Kallan saarilla on ikää vain muutamia satoja vuosia eikä puu ole pystynyt juurettumaan kivikossa kuin vaivoin. Ulompana tyrskyjä uhmaavalla Ulkokallan saarella on majakka, **Maakallassa** hiljalleen rapistuva kalastajakylä /190/. Nyt vain muutamat ammattikalastajat saapuvat kyläänsä kesäisin siian- ja lohenpyyntiin, hyvinä entisinä aikoina kylä eli vilkkaasti: esimerkiksi v. 1852 lähinnä silakka oli houkuttanut yhdyskuntaan 111 venekuntaa, joissa oli kaikkiaan 302 kalastajaa ja lisäksi saarella oli 7 perkaajaa, 4 lasta ja 1 pappi. Silloisessa itsehallinnossa oli kolme porrasta: venekunnat, pitäjät ja varsinainen suuri karikokous.

Kalla-öarna har en ålder på bara några hundra år och träden har inte utan besvär lyckats rota sig i stenrösena. Längre ut, på ön Ulkokalla som utmanar bränningarna, står en fyr, på **Maakalla** ligger en långsamt förfallande fiskarby /190/. Nu kommer endast några yrkesfiskare sommartid till sin by för att fiska sik och lax. På den gamla goda tiden var det livat i byn: t.ex. år 1852 hade strömmingen lockat 111 båtlag till samhället, i dem sammanlagt 302 fiskare och dessutom befann sig 7 rensare, 4 barn och en präst på ön. Det dåtida självstyret var tredelat: båtalagen, socknarna och det egentliga, stora mötet gällande havets många grund.

Die Inseln von Kalla sind erst einige hundert Jahre alt, und Bäume konnten auf dem steinigen Boden kaum Wurzeln schlagen. Weiter draussen auf der Insel Ulkokalla steht ein Leuchtturm, auf **Maakalla** befindet sich ein langsam verfallendes Fischerdorf /190/. Heute kommen nur einige alte Fischer im Sommer hierher, um Felchen und Lachse zu fangen, früher herrschte im Dorf regeres Leben: 1852 hatte z.B. der Strömling 111 Bootsgemeinschaften hierher gelockt, zu denen insgesamt 302 Fischer, 7 Personen für das Ausnehmen der Fische, 4 Kinder und 1 Pfarrer gehörten. Die damalige Selbstverwaltung bestand aus drei Stufen: die Bootsgemeinschaften, die Kirchspiele und die grosse Riffversammlung.

The Kalla islands are only a few hundred years old and trees have hardly been able to take root in the rocks. There is a lighthouse on Ulkokalla island. On **Maakalla** there is a gradually deteriorating fishing-village / 190/. Now only a few professional fishermen come to the village in the summer for the salmon and whitefish catch. In the good old days there was a lot of activity: for example in 1852 the prospects of a good herring-catch attracted 111 boat crews with 302 fishermen altogether. In addition on the island there were 7 fishcleaners, 4 children and one priest. There were three levels in the self-government system at that time: the boatcrews, the parish and the great reef-meeting itself.

Perämeren suurimman saaren, lähes 200 km²:n laajuisen **Hailuodon** idyllisyys, jota kirjailija Matti Hälli on ansiokkaasti kuvannut, alkaa hävitä: uusi autolautta syytää 8 km:n merimatkan turisteja saarelle enemmän kuin herkkä luonto ja luonne kestää. Äärimmäisessä niemessä sijaitsee kiinteä **Marjaniemen** kalastajakylä /193/. Asukkaat hankkivat lisäansioita keräämällä jäkälää /191/ jopa ulkomaille vietäväksi.

Den största ön i Bottenviken, den nära 200 km² vidsträckta **Hailuoto**, har varit idyllisk, vilket författaren Matti Hälli förtjänstfullt beskrivit. Nu dör idyllen: en ny bilfärja kör turister 8 km havsvägen till ön i större mängder än öns känsliga natur och karaktär tål. På yttersta udden ligger den fasta fiskarbyn **Marjaniemi** /193/. Invånarna skaffar sig extra förtjänst genom att samla lav /191/ som exporteras till utlandet.

Die idyllische Stimmung auf **Hailuoto,** der mit fast 200 km² grössten Insel im Norden des Bottnischen Meerbusens beginnt zu verschwinden: die neue Autofähre bringt nach einer 8 km langen Fahrt übers Meer mehr Touristen auf die Insel als deren Natur verträgt. Ganz am Ende einer Landzunge liegt das Fischerdorf **Marjaniemi** /193/. Die Inselbewohner sammeln Flechten /191/, die sogar an ausländische Arzneimittelfabriken verkauft werden.

The idyllic quality of **Hailuoto**, the largest island in the northern part of the Gulf of Bothnia (almost 200 square kilometers), is beginning to disappear. The new auto-ferry is bringing more tourists over the 8-kilometer trip to the island than the nature and character of the place can bear. The fishing-village **Marjaniemi** is located at the far end of the island /193/. The inhabitants earn a supplementary income by gathering lichen which is sold abroad for medicinal purposes. /191/.

193

Pirkanmaa
Häme

Nykyiset Keski-Suomen, Kymenlaakson, Uudenmaan, Pirkanmaan ja Etelä-Hämeen maakunnat käsittäneellä Suur-Hämeellä oli yhteiskuntajärjestys jo 1000-luvulla. Sääksmäen Rapolan mäkilinnan rakentaminen on osoituksena laajan alueen yhteistyöstä, ja lisäksi monet muut linnoitukset todistavat yhteisestä varustus- ja sotimisjohdosta. Vihollisina hämäläisillä olivat lännessä ruotsalaiset, idässä novgorodilaiset ja karjalaiset. Lopulta 1200-luvulla kristisuomi valtasi Hämeen ja muodosti siitä läänin, jonka keskuspaikaksi muodostui Hämeenlinna. — Nykyisin Hämeellä tarkoitetaan Forssan, Hämeenlinnan, Lahden ja Heinolan ympäristön alueita, pohjoisessa on Pirkanmaa.

Pirkanmaa on perinyt nimensä entisiltä, aina pohjoisinta Suomea myöten kiertäneiltä verottajilta, pirkkalaisilta; toinen maakunnan nimi on Tammermaa keskuspaikan Tampereen mukaan. Pirkanmaa on Järvi-Suomen läntisimmässä osassa, vedet juoksevat Satakunnan halki mahtavana Kokemäenjokena Selkämereen. Ja juoksutettavaa on, sillä lähinnä koillis- ja lounaisosien vähäjärvisiä alueita lukuun ottamatta muualla on järviä 15 % pinta-alasta. Yleensä maisema on kumpuilevaa, korkeimmat vuoret nousevat yli 200 m merenpinnasta, ja vain lounaassa on laajempia viljelykseen raivattuja tasankoja. Eteläinen Pirkanmaa yltää viljellyssä maassa 30 %:iin, pohjoisessa levittäytyvät metsät jo laajoina erämaina vallaten jopa 90 % maa-alasta. Tampere on vahva teollisuuskaupunki, mutta myös sen vieressä sijaitseva Nokia ja eteläisempi Valkeakoski ovat teollisuuden varassa eläviä.

Pirkanmaa on kasvattanut itse kirjailijoita ja taiteilijoita ja . monet muualta kotoisin olevat ovat perustaneet sinne ateljeensa. Sääksmäen Visavuori ja Ruoveden Kalela ovat tunnetuimmat kohteet. Matkailija löytää kauneuden etelään suuntautuvan Hopealinjan tai pohjoiseen pakenevan Runoilijantien laivareittien varrelta. Kangasalan ja Tampereen välinen harjumuodostelma tarjoaa mahtavia näköaloja.

Pirkanmaan veroinen maisemiltaan on myös varsinainen **Häme**, jonka keskuspaikan, Hämeenlinnan, kupeessa kohoavan Aulangon laella Jean Sibelius intoutui luomaan tunnetuimman sävellyksensä, Finlandian.

Hämeen lounaisosa Forssan seutuvilla muodostuu laajoista viljelysaukeista, erikokoisista järvistä ja viehättävistä harjuista. Kanta-Häme, Hämeenlinnan ja Riihimäen alue, on järvisempää ja korkeavuorisempaa, mutta varsinkin eteläosissa on suuria viljelysmaita. Päijät-Häme Lahden ja Heinolan paikkeilla on metsäisintä Hämettä, viljeltyä maata vai 15 %, ja siellä kohoavat vuoret korkealle: Etelä-Suomen mahtavin kohouma Tiirismaa Lahden kupeessa yltää jo 223 m:iin. Mutta Hämekään ei ole pelkkää vaikuttavaa maisemaa: monipuolinen teollisuus on sijoittunut Lahteen, Heinolaan, Hämeenlinnaan, Riihimäelle ja Forssaan.

Pirkanmaa (Birkala-området)
Tavastland

Det Stor-Tavastland som i tiden omfattade nuvarande mellersta Finland, Kymmenedalen, Nyland, Pirkanmaa och södra Tavastland hade redan på 1000-talet en egen samhällsordning. Byggandet av Rapola-borgbacken i Sääksmäki är ett bevis på samarbetet inom ett vidsträckt område, dessutom visar många andra befästningar att man hade en gemensam förskansnings- och krigsledning. Som fiender hade tavasterna i väster svenskarna, i öster novgorodarna och karelarna. Till slut erövrade det kristna Finland på 1200-talet Tavastland och gjorde det till ett län, vars huvudort blev Tavastehus. Tavastland av i dag omfattar områdena kring Forssa, Tavastehus, Lahtis och Heinola, i norr har man Pirkanmaa.

Pirkanmaa har ärvt sitt namn av tidigare skattmasar som rörde sig ända upp till nordligaste Finland, birkarlarna. Ett annat namn på landskapet, Tammermaa, har bildats via huvudorten, Tammerfors. Pirkanmaa befinner sig i västligaste delen av Sjöfinland, vattnen rinner genom Satakunta, i mäktiga Kumo älv, till Bottenhavet. Och vattnet räcker till, med undantag för de sjöfattiga områdena i nordost och sydväst utgörs annorstädes 15 % av ytan av sjöar. Landskapet är i allmänhet kuperat, de högsta bergen når 200 m över havsytan, endast i sydväst finns vidsträcktare jämna marker som rödjats för odling. Södra Pirkanmaa når en uppodling av 30 %, i norr utbreder sig skogarna redan som vida ödemarker, de upptar ända till 90 % av ytan. Tammerfors är en kraftigt industrialiserad stad, också det närbelägna Nokia och Valkeakoski längre söderut lever främst på industrier.

Pirkanmaa har skolat upp författare och konstnärer och många som kommit till området har byggt sig ateljeer där. De bäst kända är Visavuori i Sääksmäki och Kalela i Ruovesi. Turisten finner skönheten under en båtfärd söderut med Silverlinjen eller norrut längs Diktarvägen. Åsen längs vägen mellan Kangasala och Tammerfors bjuder på mäktiga utsikter.

I klass med vyerna i Pirkanmaa är de i egentliga **Tavastland,** vars centralort, Tavastehus, vid sin sida har Aulanko, på vars höjd Jean Sibelius inspirerades till sin bäst kända komposition Finlandia.

I sydvästra Finland, kring Forssa har vi vidsträckta odlingsfält, sjöar av olika storlek och tjusiga åsar. Det egentliga Tavastland, området kring Tavastehus och Riihimäki, är rikare på sjöar och högre berg, men speciellt i de södra delarna har vi stora odlade områden. Päijänne-Tavastland kring Lahtis och Heinola är det mest skogrika området, endast 15 % är odlad jord, där reser sig bergen allt högre. Södra Finlands mäktigaste upphöjning, Tiirismaa invid Lahtis, når redan 223 m. Men Tavastland har inte bara vyer som gör intryck på oss, mångsidig industri finns i Lahtis, Heinola, Tavastehus, Riihimäki och Forssa.

Pirkanmaa
Häme

Gross-Häme, das früher Mittelfinnland, Kymenlaakso, Uusimaa, Pirkanmaa und Süd-Häme umfasste, hatte schon im 11. Jahrhundert eine eigene Gesellschaftsordnung. Die Burg von Rapola in Sääksmäki ist ein Beweis für die Zusammenarbeit in diesem weiten Gebiet, und viele andere Befestigungen legen ebenso Zeugnis von der gemeinsamen Rüstung und Kriegsführung ab. Feinde der Bewohner von Häme waren im Westen die Schweden und im Osten die Nowgoroder und die Karelier. Zuletzt eroberte das zum Christentum übergegangene Finnland im 13. Jahrhundert Häme und schuf einen Regierungsbezirk daraus, dessen Mittelpunkt Hämeenlinna wurde. — Heute versteht man unter Häme die Gebiete um Forssa, Hämeenlinna, Lahti und Heinola. Nördlich davon liegt Pirkanmaa.

Pirkanmaa hat seinen Namen von den früheren Steuereinnehmern aus Pirkkala erhalten, die bis ins nördlichste Finnland vordrangen. Die Provinz ist auch unter dem Namen Tammermaa bekannt, der von der Hauptstadt Tampere abzuleiten ist. Pirkanmaa liegt im westlichen Teil der Finnischen Seenplatte, die Gewässer fliessen über den Fluss Kokemäenjoki durch die Provinz Satakunta zum südlichen Teil des Bottnischen Meerbusens ab. In diesem Gebiet machen Seen 15 % der Fläche aus, abgesehen von den nordöstlichen und südwestlichen Teilen, wo es verhältnismässig wenig Seen gibt. Die Landschaft ist hügelig, die höchsten Berge ragen mehr als 200 m über dem Meeresspiegel empor, und nur im Südwesten findet man grössere, ebene Flächen, die für den Ackerbau gerodet sind. Im südlichen Pirkanmaa steigt die Anbaufläche auf 30 %, im Norden der Provinz breiten sich Wälder über weite Gebiete aus und erobern sogar 90 % der Fläche. Tampere ist eine Stadt mit entwickelter Industrie, aber auch das benachbarte Nokia und das weiter südlich gelegene Valkeakoski sind Industriezentren.

Pirkanmaa hat selbst Schriftsteller und andere Künstler hervorgebracht, und viele, die in dieses Gebiet kamen, haben ihr Atelier hier gebaut. Visavuori in Sääksmäki und Kalela in Ruovesi sind die bekanntesten davon. Der Reisende findet schöne Stellen in der nach Süden führenden Schiffsroute Silberlinie oder im Norden am Weg des Poeten. Der Landrücken zwischen Kangasala und Tampere bietet ebenfalls beeindruckende Aussichten.

Die Landschaft im eigentlichen **Häme** gleicht der in Pirkanmaa. Auf dem Gipfel des Aulanko bei Hämeenlinna schuf Jean Sibelius eine bekannteste Komposition Finlandia. Der südwestliche Teil von Häme, die Gegend um Forssa, besteht aus weiten Ackerflächen, verschiedenen grossen Seen und entzückenden Landrücken. Das Kerngebiet von Häme um Hämeenlinna und Riihimäki ist reicher an Seen und hat höhere Berge, aber besonders im Süden findet man grosse Anbauflächen. Der Teil Päijät-Häme um Lahti und Heinola stellt das waldreichste Gebiet von Häme dar, bebautes Land gibt es nur 15 %. Dort ragen die Berge hoch empor: die grösste Erhebung Südfinnlands, der Tiirismaa bei Lahti, ragt 223 m empor. Aber auch Häme besteht nicht nur aus eindrucksvoller Landschaft: vielseitige Industrie ist in Lahti, Heinola, Hämeenlinna, Riihimäki und Forssa entstanden.

Pirkanmaa
Häme

As early as the year 1000 there was a form of social organization "Great Häme" — which included the areas making up the present provinces of Keski-Suomi, Kymenlaakso, Uusimaa, Pirkanmaa and South-Häme. The building of the Rapola hill fortress at Sääksmäki is an indication of cooperative work over an extensive area. In addition many other fortifications are evidence of a common preparation for war and a common conduct of war. The inhabitants of Häme had enemies from the West in the Swedes and enemies from the East — from Karelia and from Novgorod. By the end of the 13th century Christianized Finland conquered Häme and the area was formed into a province with Hämeenlinna being its center. Nowadays "Häme" means the areas around Forssa, Hämeenlinna, Lahti and Heinola — and in the north of Häme there is Pirkanmaa.

The name of **Pirkanmaa** is derived from the tax-collectors who penetrated into the northernmost reaches of Finland and were referred to as coming from "Pirkkala". The province has also been referred to as Tammermaa, referring to its main city, Tampere. Pirkanmaa is in the westernmost part of the Finnish lake-country, its watercourse running through Satakunta as the Kokemäki River through to the southern end of the Gulf of Bothnia. And there is a great deal of water to run, since lakes make up 15 % of the surface-area of this region, not counting the northeast and southwest parts where there are comparatively few lakes. In general the landscape is hilly, the greatest heights rising to some 200 meters above sea-level and only in the southwest are there more extensive flat areas cleared for cultivation. In the south of Pirkanmaa the cultivated area amounts to 30 % of the total, in the north the forests spread over 90 % of the land-surface. Tampere is an important industrial center, but Nokia, located near it, and Valkeakoski, to the south, also live on the basis of industry.

Pirkanmaa has fostered a number of writers and artists, and many artists who come from elsewhere have set up their ateliers in Pirkanmaa. Visavuori in Sääksmäki and Kalela in Ruovesi are among the best-known of such artist-and-writer colonies. The natural beauty of the area can be enjoyed by the tourist on the Silver Line boat trip going to the south or on the so-called "Poets Way" boat trip leading northward. The ridge-formation between Kangasala and Tampere provides many vantage-points for viewing the scenery.

The scenery in **Häme** itself is comparable to that in the rest of Pirkanmaa. It was on the peak of Aulanko near Hämeenlinna that Jean Sibelius composed his best-known work, Finlandia.

The region around Forssa in the southwest of Häme is made up of extensive cultivated areas, lakes of different sizes and charming ridges. The central region of Häme around Hämeenlinna and Riihimäki is hillier and has more lakes in it but especially in the south there are extensive cultivated areas. The most forested region, Päijät-Häme, is around Lahti and Heinola where the cultivated area is only 15 % – and the highest peaks are there: the highest elevation in Southern Finland is Tiirismaa, near Lahti, which rises over 223 meters. But Häme is not simply landscape — there is variegated industry located in Lahti, Heinola, Hämeenlinna, Riihimäki and Forssa.

A special feature of the tourism in Häme is the boat excursions to the north starting out from Hämeenlinna and from Lahti.

Karkun Salonsaaressa **Rautaveden** /194/ ja Kuloveden välissä kohoaa jylhänkaru mutta lempeitä katseita Hämeen ja Satakunnan rajamaihin luova **Pirunvuori** 92 m ympäröiviä vesiä korkeammalle. Vuori kuuluu kansanpuistoon, missä risteilevät merkityt, hengästyttävät polut, turistin pikkutiet. Muotokuvamaalarina tunnettu v. 1882—1967 elänyt karuuden ystävä Emil Danielsson rakensi vuosisadan alussa itselleen kivestä asuinpaikan ja ateljeen Pirun-

vuoren rinteeseen. Lähellä lakimaata puolestaan on luonnon muovaama Pirunluola eli Pirunpesä. Tarinain mukaan vuorelta alkaa Rautaveden alittava luolakäytävä, joka päättyy Sastamalan 1300-luvulla rakennettuun harmaakivikirkkoon. — Pirunvuoren sisaren Ellivuoren juurella on ohjelmaa uima-altaasta yökerhoon tarjoava moderni matkailukeskus.

På Palosaari i **Karkku** mellan **Rautavesi** /194/ och Kulovesi reser sig det ödsligt karga men ömt mot Tavastland och Satakunta gränsområden blickande **Pirunvuori** (Djävulsberget) 92 m över omgivande vatten. Berget hörtill en folkpark, genomkorsad av utprickade stigar, som gör en andtruten. Den som porträttmålare kända vännen av det kärva, Emil Danielsson (1882—1967) lät i början av seklet bygga en bostad av sten och en atelje åt sig på Pirunvuoris slutt-

ning. Närmare toppen av berget ligger den av naturen utformade Djävulsgrottan eller Djävulshålan. Enligt sägnen löper en grottgång från berget, under Rautavesi till Sastamalas på 1300-talet uppförda gråstenskyrka. Vid foten av Ellivuori, Pirunvuoris syster, ligger ett modernt turistcentrum som bjuder program alltifrån simbassäng till nattklubb.

Der auf der Insel Salonsaari in **Karkku** zwischen den Seen **Rautavesi** /194/ und Kulovesi emporsteigende **Pirunvuori**, der Teufelsberg, schaut trotz seines düsteren Namens freundlich nach Häme und Satakunta hinüber. Der Berg gehört zu einem Volkspark, in dem sich mit Wegweisern versehene Pfade überschneiden, die den Wanderer leicht ausser Atem kommen lassen. Der als Porträtmaler und Freund der kargen Natur bekannte Emil Danielsson (1882 —

1967) baute sich zu Beginn dieses Jahrhunderts aus Stein einen Wohnsitz und ein Atelier am Hang des Pirunvuori. Von der Natur geformt dagegen ist die in der Nähe des Gipfels befindliche Pirunluola, die Teufelshöhle.

Die Schwester des Pirunvuori heisst Ellivuori, und am Fusse dieses Berges befindet sich ein modernes Fremdenverkehrszentrum.

On the island of Salonsaari in **Karkku**, between **Lake Rautavesi** /194/ and Kulovesi there rises the steep **Pirunvuori** (Devil's Mountain), to a height of 92 meters above the surrounding waters. The mountain is part of a national park where there are paths marked for visitors to follow. The famous portrait-painter Emil Danielsson (1882-1967) built an atelier and dwelling-place for himself on the side of Pirunvuori. And near the the peak of the mountain nature

has carved out for herself a cave which has been named the Devil's Cave or the Devil's Nest. According to old legends there is an underground corridor which begins at the mountain, goes under Lake Rautavesi and ends in the grey-stone church of Sastamala, built during the 14th century. — Pirunvuori has a sister-mountain, Ellivuori, at the base of which there has been built a modern tourist-center providing everything from a swimming-pool to a night-club.

Vuosina 1864—1942 eläneen kuvanveistäjä Emil Wikströmin **Sääksmäen** Viidennumeron lähellä Vanajaveden rannalla kohoava **ateljeekoti Visavuori** /195/ on omaperäinen sekoitus itäkarjalaista ja sveitsiläistä rakennustyyliä. Nyt museona toimivassa rakennusryhmässä on esillä 700 taiteilijan työtä ja luonnosta. Erikoisuuksia ovat tähtitorni, urkuparvi ja talvipuutarha. Hopealinjan alukset poikkeavat reitillään Visavuoressa.

Skulptören Emil Wikströms (1864—1942) **ateljehem Visavuori** /195/ som reser sig i **Sääksmäki** vid Vanajavesis strand, nära huvudväg fem, visar en originell blandning av östkarelsk och schweizisk byggnadsstil. I byggnadsgruppen, som nu fungerar som museum, exponeras 700 av konstnärens arbeten och skisser. Speciella inslag utgör observatoriet, orgelläktaren och vinterträdgården. Silverlinjens farkoster viker på sin färd in till Visavuori.

Das in der Nähe von **Sääksmäki** am Ufer des Vanajavesi aufragende **Atelier Visavuori** /195/ des Bildhauers Emil Wikström (1864—1942) stellt eine originelle Mischung von ostkarelischem und Schweizer Baustil dar. In dem heute als Museum dienenden Gebäudekomplex sind 700 Arbeiten und Entwürfe des Künstlers ausgestellt. Besonderheiten sind die Sternwarte, der Orgelchor und der Wintergarten. Die Schiffe der Silberlinie legen regelmässig bei Visavuori an.

The **atelier Visavuori** /195/ of the sculptor Emil Wikström (1864-1942) is on the shore of Vanajavesi near Sääksmäki. It is an original mixture of the architecture-styles of East Karelia and Switzerland. It is now serving as a museum and some 700 of the artist's works and sketches are on exhibition there. Among the special features of the museum are an astronomical observatory, organ-pipes and a winter-garden. The vessels of the Silver Line put in at Visavuori.

Tehtaiden, puistojen ja kirjailijoiden **Tampere**, Suomen toiseksi suurin kaupunki 165.000 asukkaineen, sijaitsee Näsijärven ja Pyhäjärven välisellä kannaksella. **Pispalanharju** /199/ synnytti kapeanjyrkille harteilleen aikanaan kaupunginosan, missä talot lepäävät melkein toistensa päällä ja mistä monet kuuluisat kirjoittajat, esimerkiksi Lauri Viita ja Hannu Salama, ovat ammentaneet voimansa ja aiheensa. Kesäinen taide-elämä huipentuu kansainvälisestikin tunnettuun **Pyynikin teatteriin** /197/, jonka pyörivä katsomo tekee näytelmistä entistä aidomman tuntuisia. **Pyynikinharju** /200/ esittelee kaupungin kokokuvan, jonka rikkoo nykyisin huimaaviin korkeuksiin pistävä Näsinneula. **Näsinneulan** juuressa /198/ on akvaario ja planetaario ja ylhäällä ulokkeessa, 124 m korkealla, pyörivä ravintola.

Fabrikernas, parkernas och författarnas **Tammerfors**, Finlands näststörsta stad med 165.000 invånare, är belägen på näset mellan Näsijärvi och Pyhäjärvi. **Pispala-åsen** /199/ lät på sin tid en stadsdel födas på sina smalbranta skuldror. Husen på åsen vilar nästan på varandra, härifrån har många kända författare såsom Lauri Viita och Hannu Salama öst upp krafter och motiv. Sommartid kulminerar konstlivet kring den också internationellt kända **frilufts-teatern vid Pyynikki** ås /197/, vars roterande åskådarläktare har skänkt en äkta miljö åt många berömda pjäser. **Pyynikkiåsen** /200/ låter oss se stadens hela bild, den spjälks numera av **Näsinneula** som sticker upp till hisnande höjd. Vid foten av Näsinneula /198/ ligger ett akvarium och ett planetarium och högst uppe i tornets burspråk, på 124 m höjd, en roterande restaurang.

197

198

Tampere, die Stadt der Fabriken, Parks und Schriftsteller, hat 165.000 Einwohner und liegt auf einer Landenge zwischen den Seen Näsijärvi und Pyhäjärvi. An den schmalen und abfallenden Hängen des **Pispalanharju** /199/ entstand seinerzeit ein Stadtteil, in dem die Häuser beinahe eines auf dem anderen ruhen. Dort haben viele berühmte Schriftsteller, z.B. Lauri Viita und Hannu Salama, die Motive für ihre Werke gefunden. Das künstlerische Leben findet seinen Höhepunkt jeden Sommer in dem international bekannten **Theater** von **Pyynikki** /197/, dessen rotierende Zuschauertribüne die Schauspiele echter wirken lässt. Vom **Pyynikinharju** /200/ herab bekommt man ein Gesamtbild von der Stadt, das heute von dem schwindelerregend hohen Aussichtsturm **Näsinneula** /198/ zerschnitten wird. Am Fusse dieses Turmes befinden sich ein Aquarium und ein Planetarium, oben ein rotierendes Restaurant.

Tampere, Finland's second largest city, with 165,000 inhabitants, is known for its factories, its parks and its writers. Tampere is situated on the isthmus between lakes Näsijärvi and Pyhäjärvi. **Pispalanharju** /199/ is a section of the city famed for its steep embankments with the houses almost lying on top of each other and for its many famous writers, like Lauri Viita and Hannu Salama, who drew their literary themes from their experiences there. The **Pyynikki** **outdoor-theater** is known throughout the world for its revolving auditorium /197/. The **Pyynikki Ridge** /200/ is a good vantage-point for viewing the total picture of the city now pierced by the tower of Näsinneula which rises to dizzy heights. At the base of **Näsinneula** /198/ there is an aquarium-planetarium and high above in an overhanging projection, 124 meters high, there is a revolving restaurant.

99

100

Tampereen kirkoista tunnetuin on Reima Pietilän suunnittelema Liisankalliolla seisova v. 1966 valmistunut **Kalevan kirkko** /202/, jonka 30 m korkeat seinät valmistuivat liukuvalumenetelmällä — melkein luomisaikataulun mukaan — kahdessa viikossa. Yli 1.100 hengen kirkossa korvaa alttaritaulun Reima Pietilän veistos Särkynyt ruoko /201/. Seurakunnan käyttötilat on sijoitettu kirkkosalin alle.

Den kändaste av kyrkona i **Tammerfors** är **Kaleva-kyrkan,** som planerats av Reima Pietilä och uppförts år 1966 på Liisankallio /202/. Dess 30 m höga väggar byggdes med glidgjutningsmetoden på två veckor, nästan i enlighet med skapelsetidtabellen. Mer än 1.100 personer ryms i kyrkan där Reima Pietiläs skulptur, Ett söndrat vasstrå /201/ ersätter altartavlan. Församlingens övriga utrymmen är placerade under kyrkosalen.

Die bekannteste Kirche von **Tampere** ist die von Reima Pietilä entworfene, auf dem Felsen Liisankallio stehende **Kaleva-Kirche** /202/, die 1966 fertiggestellt wurde und deren 30 m hohen Wände nach der Gleitbauweise in zwei Wochen hergestellt wurden. In der über 1.100 Personen fassenden Kirche ersetzt die Skulptur ,Zerbrochenes Schilfrohr' /201/ von Reima Pietilä das Altargemälde. Die Gemeinderäume befinden sich unter dem Kirchensaal.

The most famous of the churches of **Tampere** is the new **Kaleva Church** /202/ on the Liisankallio Rock, designed by Reima Pietilä and completed in 1966. Its 30-meter high walls were completed in two weeks, using a special slide-casting procedure. Instead of the usual altar-painting there is the sculpture by Reima Pietilä entitled 'The Broken Reed'. /201/. The premises for the use of the parish are under the churchhall which seats 1,100.

V. 1939 Nobelin palkinnon saanut hämäläisen elämän ja luonnon kuvaaja **Frans Emil Sillanpää** syntyi v. 1888 **Hämeenkyrössä Myllykoluksi** kutsutussa pienessä pirtissä /203/. Kymmenen ensimmäistä vuottaan tuleva kirjailijamestari vietti luonnonläheisyydessä, Myllyojan vehmaudessa /205/ ja lähiseutujen viljavassa avaruudessa /204/; molemmat miljööt esiintyvät monissa teoksissa. Nykyisin Myllykolu on museona.

Frans Emil Sillanpää, som 1939 fick Nobelpriset, har tecknat livet och naturen i Tavastland. Han föddes 1888 i **Hämeenkyrö** i ett litet pörte som kallades **Myllykolu** /203/. Sina tio första livsår tillbringade den blivande mästaren i naturens närhet, i det frodiga Myllyoja /205/ och på närområdets bördiga vidder /204/. Båda miljöerna återfinns i många av hans verk. Numera är Myllykolu ett museum.

Frans Emil Sillanpää, der das Leben und die Natur von Häme geschildert hat und 1939 den Nobelpreis für Literatur erhielt, wurde 1888 in **Hämeenkyrö** in einer kleinen, **Myllykolu** genannten Hütte /203/ geboren. Die ersten zehn Jahre seines Lebens verbrachte der Schriftsteller in der Nähe der Natur, in der üppigen Vegetation von Myllyoja /205/ und der fruchtbaren Weite der benachbarten Landstriche /204/. Heute ist Myllykolu ein Museum.

Frans Emil Sillanpää, who received the Nobel prize for literature in 1939, was born in 1888 in a little cottage called **Myllykolu**, in **Hämeenkyrö** /203/. The future master-writer spent the first ten years of his life in the natural surroundings of Myllyoja /205/ and in the surrounding agricultural district /204/. Both of these milieus appear in many of his works. At present Myllykolu is a museum.

Suomessa eräperinnettä pide-
tään kunniassa: kun susi kerran
kymmenessä vuodessa eksyy
asutulle seudulle, sitä jahdataan
kansanliikkeen tavoin, aseistu-
neena kuin rajakahakkaan.
Mutta suurpetojen suojelu on
valtaamassa alaa, karhua /208/
ja ilvestä /207/ aletaan kunnioit-
taa sitä enemmän mitä vähem-
män niitä on. Suomen erämaat,
petojen elinseudut, ovat pohjoi-
essa ja idässä, mutta Hämeen
aukaisilla rajoilla on vielä
parinkin peninkulman asumatto-
mia alueita. **Ähtäriin** v. 1972
perustettu Suomen ensimmäi-
nen **eläinpuisto** esittelee mm.
karhun, suden, ilveksen, maja-
van, hirven, poron, ketun, jänik-
sen ja kymmeniä pieneläimiä
aidossa ympäristössä. Viereisen
lomailukeskuksen asukkaan yö-
unta voi häiritä sudenulvonta
entisaikojen tapaan. — Virroilla
Ähtärin eteläpuolella on vuosina
1747—1833 eläneelle Martti
Kituselle omistettu kotiseutu-
museo. Hän kaatoi Hämeen ja
Keski-Suomen erämaista 193
täyskasvuista karhua. Entisiä
karhumaita kiertävät nyt viitta-
tolut, Kitusen Karhupolku on
0 km pitkä metsäinen reitti.

En tradition hålls i ära i Finland:
då en varg en gång vart tionde
år förirrar sig till bebodda trakter
jagar man den liksom i en folk-
rörelse, beväpnad som gällde
det en gränstvist. Men frid-
lysandet av de stora vilddjuren
håller på att breda ut sig, man
börjar högakta björnen /208/
och lodjuret /207/ desto mera
ju färre de blir. Finlands öde-
marker, vilddjurens boplatser,
ligger i norr och öster, men vid
Tavastlands fjärran gränser finns
ännu obebodda områden på ett
par mil. Finlands första **djurpark**
grundad i **Ähtäri** 1972 presente-
rar för oss bl.a. björnen, vargen,
lon, bävern, älgen, renen, räven,
haren och tiotalet smådjur i sin
äkta omgivning. I semestercent-
ret därinvid kan man få sin natt-
sömn störd av vargens tjut, precis
som i forna tider. I Virrat (Virdois)
söder om Ähtäri, är hembygds-
museet tillägnat Martti Kitunen
(1747 — 1833) som i ödemarker-
na i Tavastland och Mellersta
Finland fällde 193 fullvuxna
björnar. Kring de forna björn-
områdena löper nu utprickade
stigar, Kitunens björnstig är 50
km lång.

Wenn sich in Finnland einmal
in zehn Jahren ein Wolf in eine
bewohnte Gegend verirrt,
greift das Volk zu den Waffen
und macht sich auf zur Hetz-
jagd. Die grossen Raubtiere
werden aber immer mehr unter
Naturschutz gestellt. Der Re-
spekt gegenüber Bären /208/
und Luchsen /207/ wächst in
demselben Masse wie die Zahl
dieser Tiere abnimmt. Die
Einödgebiete, in denen die
Raubtiere zu Hause sind, liegen
im Norden und Osten Finnlands,
aber auch in Häme gibt es noch
meilenweit unbewohntes
Gelände. Das 1972 in **Ähtäri**
gegründete erste finnische
Tierschutzgebiet stellt u.a.
Bären, Wölfe, Luchse, Biber,
Elche, Rentiere, Füchse, Hasen
und Dutzende von kleinen
Tieren in ihrer natürlichen
Umgebung vor. Der Nachtschlaf
der Bewohner des benachbarten
Ferienzentrums kann wie in
grauer Vorzeit durch das Geheul
der Wölfe gestört werden. —
Das südlich von Ähtäri in Virrat
gelegene Heimatmuseum ist
Martti Kitunen (1747 — 1833)
gewidmet, der in den Einöd-
gebieten von Häme und Mittel-
finnland 193 ausgewachsene
Bären erlegte. Durch die ehema-
ligen Bärengebiete ziehen sich
jetzt Pfade mit Wegweisern, der
Bärenpfad des Martti Kitunen
führt 50 km durch den Wald.

The large predatory animals in
Finland are more and more
protected by law. As the bears
/208/ and lynxes /207/
dwindle in number more and
more concern is being felt for
them. The wilderness areas in
which the predatory animals
have their natural habitat are
in North and East Finland, but
there are also miles and miles of
unsettled areas in the province
of Häme. In 1972 a **nature-
preserve** was established in
Ähtäri and bears, wolves,
lynxes, beaver, elks, reindeer,
fox, hares and dozen of smaller
animal-varieties may be
found in their natural sur-
roundings. It is quite possible
for the sleepers in vacation-
centers on the outskirts of the
nature-preserve to be disturbed
by the howling of wolves at
night. — To the south of Ähtäri
in Virrat there is a museum of
the bear-country, dedicated to
Martti Kitunen (1747—1833),
who is famous for having killed
193 bears in Häme and Middle
Finland, many of them in hand-
to-hand combat. There are
paths for hikers through this
former bear-country — the bear-
path of Martti Kitunen leads for
50 kilometers through the forest.

Orivedeltä Ruoveden kautta Virroille johtava tie on yksi Suomen mielenkiintoisimmista matkailureiteistä kymmenien nähtävyyksiensä ansiosta. Luonnonkohteista parhaimpia ovat **Virtain** kirkonkylän lähellä kallioperän halkeamiin syntyneet **Torisevan järvet** /209/. Kolmen kapean, pitkän, parhaimmillaan 38 m syvän järven ketju on nostattanut läheisyyteen majapaikkoja ja kahviloita.

Vägen från Orivesi via Ruovesi till Virrat (Virdois) är genom tiotalet sevärdheter en av Finlands intressantaste turistrutter. Till de bästa naturmålen hör de i sprickor i berggrunden uppkomna **Toriseva sjöarna** /209/ nära kyrkbyn i **Virrat**. En kedja av tre smala, långa, maximalt 38 m djupa sjöar har fört med sig att härbärgen och kafeer byggts i trakten.

Die von Orivesi über Ruovesi nach Virrat führende Landstrasse ist wegen ihrer zahlreichen Sehenswürdigkeiten eine der interessantesten Fremdenverkehrsrouten Finnlands. Zu den schönsten Stellen gehören die **Seen** von **Toriseva** /209/, die in der Nähe des Kirchdorfs **Virrat** in Felsspalten entstanden sind. In der Umgebung dieser Seenkette, die aus drei schmalen, langen, bis zu 38 m tiefen Seen besteht, sind Unterkünfte und Cafés entstanden.

The road from Orivesi via Ruovesi to Virrat is one of the most interesting of the Finnish travel-routes. Among the most attractive of the natural points of interest are the Lakes of **Toriseva** /209/, near the church village of **Virrat.** The chain of three narrow, long lakes, with a depth in places of 38 meters, is of interest to tourists and there are over-night accommodations and cafes in the near vicinity.

209

Siirryttyään vesiteiltä maanteille, ensin hevosella ja sitten autolla hurjastelemaan suomalaiset unohtivat tuhannet järvensä kulkuteinä. Samalla kun laivamatkailua kehitetään /304, 307–311/ on myös vesiretkeilijöiden kiinnostus kasvanut; esimerkiksi Tampereelta Virroille kulkeva Runoilijan tie, pituudeltaan yli 100 km, on suosittu melontareitti. Rauhalliset luontotaipaleet vuorottelevat palvelukeskusten kanssa.

Då finländarna övergick från vattenrutter till landsvägar först med häst, sedan med bil och då farten blev vildare glömde man de tusende sjöarna som färdleder. Då båtturismen utvecklas /304, 307-311/ har också vattenturisternas intresse ökat; så är t.ex. den från Tammerfors till Virrat löpande Diktarens väg, 100 km lång, en populär rutt för kanotister. Fridfulla natursträckor omväxlar med servicecentraler.

Nachdem die Finnen von den Wasserwegen auf die Landstrassen übergewechselt waren, zuerst mit Pferden und dann mit Autos, vergassen sie, was für vortreffliche Verkehrswege ihre Seen sind. Mit der Entwicklung des Schiffstourismus /304, 307—311/ ist auch das Interesse der Wasserwanderer wieder erwacht. So ist der von Tampere nach Virrat führende, über 100 km lange Runoilijan tie, der Weg des Poeten, eine beliebte Strecke für Kanufahrer.

With the transition from water-routes to land-routes generally, the Finns had a tendency to forget the possibility of using their thousands of lakes as travelroutes. But then there was a development of traveling by boat /304, 307—311/ as a form of recreation and interest developed in specific travelroutes along the lakes. For example from Tampere to Virrat there is a route called the 'poet's way', which is over 100 kilometers long.

211

212 213

Suomen vanhimpaan sisämaa-kaupunkiin, v. 1639 perustettuun 40.000 asukkaan **Hämeen-linnaan** liittyy läheisesti **Aulan-ko,** yksi maan tunnetuimmista matkailukeskuksista. Laajassa kansanpuistossa on idyllisiä kävelyteitä, kivimuureja, raunio-linnoja, lintujen suosimia lampia /214/, paviljonkeja, graniittinen näkötorni kahviloi-neen, luola veistoksineen, muinaisten merien rantavalleja ja ihmeellisen vehmas kasvilli-suus. Modernisoituvan kaupungin tunnuskuvana on 1300-luvulla perustettu **Hämeenlinna** /211-213/, joka vastoin kuin muut Suomen vanhat linnat, on rakennettu tiilestä.

Till Finlands äldsta inne i landet belägna stad, **Tavastehus,** grundad 1639, nu med 40.000 invå-nare, sluter sig **Aulanko,** som hör till landets mest kända turistcentra. I den vidsträckta folkparken finns idylliska pro-menadvägar, stenmurar, en imiterad ruinborg, små insjöar som fåglarna uppskattar/214/, paviljonger, ett utsiktstorn av granit med kafé, en grotta med skulpturer, strandvallar från forntida hav och en besynner-ligt frodig växtlighet. Staden blir allt modernare, som symbol för den står det på 1300-talet grundlagda **Tavaste Hus** /211-213/ som är byggt av tegel, i motsats till Finlands andra gamla borgar.

Hämeenlinna mit seinen 40.000 Einwohnern wurde 1639 gegrün-det und ist die älteste finnische Stadt im Landesinneren. Ganz in der Nähe liegt **Aulanko,** eines der bekanntesten Fremdenver-kehrszentren des Landes. In einem ausgedehnten Volkspark befinden sich idyllische Spazier-wege, Steinmauern, eine Schloss-ruine, Teiche mit allen Arten von Vögeln /214/, Pavillons, ein Aussichtsturm aus Granit mit einem Café, eine Höhle mit Skulpturen, Strandwälle von alten Meeren und eine wunder-bar üppige Vegetation. Wahr-zeichen der immer moderner werdenden Stadt ist das im 14. Jahrhundert gegründete **Schloss** von **Häme** /211-213/, das aus Backstein erbaut ist.

Among the oldest of the cities in the interior of Finland is **Hämeenlinna** which was founded in 1639 and now has a population of 40,000. Nearby is **Aulanko,** one of the most famous tourist centers of Finland. There is a large national park with idyllic walking-paths, stone walls, the ruins of a castle, ponds with all sorts of birds /214/, pavilions, a granite viewing-tower with a cafe, a cave with sculptures, the remains of the banks of ancient seas and wonderfully luxuriant plant-growth. Hämeenlinna itself (the **Castle** of **Häme**) /211-213/ was founded in the 1300's and the city has taken its name from the castle. Unlike other old castles of Finland, this one was built of brick.

1300-luvun alkupuolella saman-
laisesta tiilestä kuin Hämeen
linna /211/ rakennettu **Hattulan
Pyhän Ristin Kirkko** /216/ oli
aikanaan paitsi Hämeen keskus-
kirkko myös koko Pohjois-
maissa tunnettu pyhiinvaellus-
kohde. Muiden keskiaikaisten
kirkkojen /127-129/ rakennus-
aineena oli yleensä kivi; tiilen
ansiosta Hattulan kirkossa on
poikkeavuuksia kuten nurkkien
tukipylväät, seinien vaakasuorat
koristeet ja tiiliset ihmisnaamiot.
Kirkkosalin jakaa kaksi pilari-

riviä kolmeen laivaan /215/.
Hattulan kirkossa on kalkki-
maalauksia enemmän kuin
missään muussa pyhätössämme.
N. 180 kuvasarjaa kertovat
pelastussanomasta ja pyhimys-
ten elämänkerroista. Sarjat on
sommiteltu niin, että keskiajan
lukutaidottomat kansalaiset
saivat niiden avulla selvyyden
raamatun sanomasta.

**Det Heliga Korsets Kyrka i
Hattula**/216/, som uppförde
i början av 1300-talet av lika-
dana tegel som Tavaste Hus
/211/, var på sin tid inte bara
centralkyrka i Tavastland utan
även ett i hela Norden bekant
mål för pilgrimsfärder. Stenen
utgjorde i allmänhet byggnads-
material för de övriga medeltida
kyrkorna/127-129/; tack vare
teglen finns i Hattula kyrka
avvikelser såsom stödpelarna
i hörnen, väggarnas vågräta
dekorationer och människomas-

kerna av tegelsten. Kyrkosalen
delas av två pelarrader i tre
skepp/215/. I Hattula kyrka
finns flera kalkmålningar än i
någon annan av våra helge-
domar. Ca 180 bildserier berät-
tar om frälsningsbudskap och
ger helgonens levnadsteckning-
ar. Serierna är komponerade
så, att medeltidens icke-läs-
kunniga medborgare genom
dem får klarhet om Bibelns
budskap.

216

Die **Kirche des Heiligen Kreuzes** in **Hattula** /216/ ist zu Beginn des 14. Jahrhunderts ebenso wie das Schloss von Häme /211/ aus Backstein erbaut worden und war seinerzeit ein in ganz Skandinavien bekannter Wallfahrtsort. Die anderen mittelalterlichen Kirchen /127, 129/ wurden im allgemeinen aus Stein erbaut. Aufgrund des besonderen Baumaterials findet man in der Kirche von Hattula gewisse Abweichungen wie die Stützpfeiler in den Ecken, die waagerechten Verzierungen an den Wänden und die Darstellungen menschlicher Gesichter aus Backstein. Der Kirchensaal wird durch zwei Pfeilerreihen in drei Schiffe /215/ unterteilt. Ungefähr 180 Bilderserien erzählen von der Erlösungsbotschaft und den Lebensgeschichten der Heiligen. Die Reihen sind so angeordnet, dass sich die des Lesens unkundigen Bürger im Mittelalter mit ihrer Hilfe Klarheit über die Botschaft der Bibel verschaffen konnten.

The **Hattula Church of the Holy Cross** /216/, built in the beginning of the 14th century of the same brick as the Castle of Häme /211/, was in its time the most famous point of pilgrimage in all of the Northern Countries, except for the central church of Häme. The construction-material of other churches in the middle ages /127, 129/ was generally stone; as a result of the use of brick there are a number of special features of the Hattula church, such as the supportpillars of the corners, the horizontal decorations along the walls and the brick human masks. The church-hall is divided by two rows of pillars into three naves /215/. There are more frescoes in the Hattula church than in any other of the holy shrines of Finland. 180 pictorial representations tell the story of the message of salvation and the life-stories of the saints. The series was composed to help bring the word of the Bible to people who could not read.

Matkailun kasvaessa on Suomen taide pyyhkäissyt pinnaltaan sisätilojen pölyä ja astunut ulos kesän raikkauteen. Rohkean askeleen avulla taide on tavoittanut paremmin ihmiset, jotka muuten jopa karttavat näyttelyjä. **Orivedellä** sijaitseva **Purnu** /218/ ja **Sysmässä** Päijänteen rannalla kutsuva **Suvi-Pinx** /217/ ovat tunnetuimmat kesänäyttelyistä, joita kaikkiaan on eri puolilla maata kymmenittäin.

Då turismen har ökat har Finlands bildkonst torkat av sig innesalarnas damm och stigit ut i sommarens friskhet. Med detta modiga steg har bildkonsten kommit närmare de människor som annars undviker utställningar. **Purnu** /218/ i **Orivesi** och **Suvi-Pinx** /217/ som lockar oss till **Sysmä** vid Päijännes strand är våra bäst kända sommarutställningar. Allt som allt finns det tiotals av dem runtom i landet.

Mit dem Anwachsen des Fremdenverkehrs hat auch die finnische Kunst den Staub der Galerieräume abgeschüttelt und ist in die Frische des Sommers hinausgezogen. Infolge dieses Schrittes sind auch solche Menschen mit der Kunst in Berührung gekommen, die normalerweise kaum eine Ausstellung besuchen würden. **Purnu** /218/ bei **Orivesi** und **Suvi-Pinx** /217/ in **Sysmä** sind die bekanntesten Sommerausstellungen.

There has been a great increase of open-air art shows in Finland in connection with the growth of tourism. In this way it has been possible for art and artists to make contact with people who would ordinarily avoid art-exhibitions. Among the most famous summer art-exhibitions are the **Purnu** /218/ open-air exhibit at **Orivesi** and **Suvi-Pinx** /217/ in **Sysmä** on the shore of Lake Päijänne.

Vietettyään keväisen vapun /16-20/ asutuskeskuksissa vakaa suomalainen riehaantuu seuraavan kerran vuoden valoisimpaan aikaan juhannuksena — tällä kerralla sankoin joukoin luonnonhelmassa kokkoja poltellen /220/. — Loppukesän rituaaleja on herkuttelu ravuilla /222/ eli jokiäyriäisillä, joiden pyynti tapahtuu öisin /221/.

Efter det den i allmänhet allvarliga finnen firat en våryr första-maj /16-20/ i bostadscentra släpper han sig lös nästa gång på årets ljusaste tid, vid midsommar. Denna gång sker det i stora skaror ute i naturen, där man bränner kokko-brasor /220/. Till ritualerna under sensommaren hör det att gotta sig med kräftor /222/, dessa älvarnas skaldjur som man fångar in nattetid /221/.

Wenn der im allgemeinen ruhige Finne sein Vappufest am 1. Mai in der Stadt verbracht hat, wird er erst wieder beim Mitsommerfest, am längsten Tag des Jahres, richtig ausgelassen — dann zieht er in hellen Scharen hinaus ins Grüne und verbrennt Strohfeuer /220/. — Zu den Ritualen des Spätsommers gehört das Verschmausen von Flusskrebsen /222/, die in der Nacht gefangen werden /221/.

After having celebrated Vappu /16-20/ the May Day of Finland, the next occasion for the Finn to engage in festivities in the open air with lots of other Finns is Juhannus, on June 21st, which is midsummer, the longest day of the year or the shortest night /220/. The ritualistic celebrations of the late summer include enjoying crayfish /222 the catching of which is traditionally at night /221/.

Kuin emämaakunnastaan irtaantuneena kohoaa **Hartolassa,** pitkän Päijänteen takana, savolaisen lupsakkuuden puristuksessa sijaitseva **Itä-Hämeen museo.** Mahtavimmat rakennukset ovat Koskipään kartanon päärakennus 1800-luvulta /227/ ja väentupa savupirtteineen; lisäksi museoon kuuluu mm. tuulimylly ja komea aittarivi. Erikoisuutena ovat kirjailija Maila Talvion työhuone ja aatelissuvuille omistetut huoneet. Museon 6.500 esineen joukossa huomio kiintyy ryijyihin. Itä-Hämeen museossa on myös maailman parhaaksi lukoksi sanotun abloy-lukon perusmalli /225/.

I **Hartola** finner vi **östra Tavastlands museum.** Det reser sig frigjort från sitt ursprungliga landskap, bakom den långsträckta Päijänne i det savolaxiska gemytets grepp. De mäktigaste byggnaderna är Koskipää gårds huvudbyggnad från 1800-talet /227/ och allmogestugan med sina rökpörten. Till museet hör också en väderkvarn och en ståtlig rad visthus. Sevärda är adelssläkternas rum och författarinnan Maila Talvios arbetsrum. Bland museets 6500 föremål observerar man speciellt ryevävnaderna. I museet finns också urmodellen till ett abloy-lås som man sagt vara världens bästa lås /225/.

In **Hartola** befindet sich hinter dem langen Päijänne-See das **Museum** von **Ost-Häme.** Die grössten Bauten sind das Hauptgebäude des Landgutes Koskipää /227/ und das Gesindehaus mit der Rauchstube. Ausserdem gehören zum Museum eine Windmühle und eine Reihe von Speichern. Als Besonderheit sind das Arbeitszimmer der Schriftstellerin Maila Talvio und die für die Adelsgeschlechter bestimmte Räume zu erwähnen. Unter den 6.500 im Museum ausgestellten Gegenständen fallen die Ryijy-Teppiche besonders auf. Hier befindet sich auch das erste Modell des als bestes Sicherheitsschloss der Welt bezeichneten Abloy-Schlosses /225/.

As if drifted away from its home-province behind long Lake Päijänne the **East Häme Museum** is in **Hartola.** The most impressive buildings are the main building of the Koskipää manor /227/ from the 1800's and the servants' cottage with its so-called 'smoke room'. The museum also includes a windmill and a handsome row of sheds. Special interest is due to the work-room of Maila Talvio, the writer, and rooms devoted to various noble families. Among the 6,500 objects exhibited in the museum are a number of ryijy-rugs. The original model of the Abloy-lock, which is supposed to be the best security-lock in the world, is also in the East Häme Museum /225/.

Keski-Suomi

Vielä 1400-luvulla idästä saapuvat savolaiset ja lännestä lähteneet hämäläiset kiistelivät Päijänteen pohjoispään erämaissa riista-oikeuksistaan, kunnes 1500-luvulla alkoi syntyä vakinaista asutusta. Sittemmin Savon, Hämeen ja Pohjanmaan puristuksessa kehittyvä Keski-Suomi alkoi itsenäistyä, mutta vasta ensimmäisen kaupungin, Jyväskylän, perustaminen v. 1837 määrätietoisti maakunnalliset pyrkimykset.

Keski-Suomi on ulkonaiselta ilmeeltään vaihteleva. Korkeimmat vuoret kohoilevat Jyväskylän länsi ja luoteispuolella 150—250 m merenpinnasta; Pirttimäki yltää 249 m:iin ja Lahomäki 248 m:iin. Maakunnan pääkaupungin ympärillä on huomattavasti jylhempää kuin yleensä Järvi-Suomessa: korkeuserot ovat monissa paikoissa 100—150 m tuoden mieleen jopa Kuusamon näkymät.

Keski-Suomi on metsien maakunta, laajempia viljelysalueita on vain Jämsänjokilaaksossa, Keuruulla, Laukaassa ja pohjoisosissa Karstulassa ja Saarijärvellä; yleensä tilat ovat keskivertoa pienempiä. Maakunnan rikkauksia, metsiä, jotka peittävät maa-alasta 80 % , keskisuomalaiset käyttävät itsekin hyväkseen tehokkaasti, vaikka puu ui Päijännettä ja Kymijokea pitkin myös Kymenlaakson teollisuudelle. Maakunta tuottaa omasta puustaan tulitikkuja, puuhioketta, paperia, selluloosaa, sahatavaraa, vaneria, kuitu- ja lastulevyjä, kalusteita ja puutaloja. Tärkeimmät teollisuuspaikat ovat Jyväskylä, Jämsänkoski, Kaipola, Säynätsalo, Suolahti, Vaajakoski ja Äänekoski.

Järvet luovat vuorten ohella Keski-Suomen perusilmeen, vesiä on maakunnasta viidennes. Päijänne hallitsee etelää, Kivijärvi, Keitele ja monet muut keskisuuret järvet pohjoista. Etelä- ja Keski-Suomen jylhimmät tienäkymät avautuvat Päijänteen poikittavalta Korpilahden ja Joutsan väliseltä tieltä; kauneimpia näkymiä puolestaan esittelee Sysmästä Luhankaan Judinsalon kautta kiertävä uusi tie. Päijänteeseen voi tutustua hitaalla höyrylaivalla, aaltojen yllä kiitävällä kantosiipialus Tehillä tai erilaisilla vesibussiristeilyillä. Historiallisia muistomerkkejä Keski-Suomessa on vähän, matkailijan on perustettava lomansa luontoon. Rohkein suomalainen matkailuyritys, kautta maan levinnyt keskisuomalainen Rantaloma Oy on pystyttänyt korkeantason lomapaikkansa luontoon mm. Jyväskylässä, Saarijärvellä, Viitasaarella ja Joutsassa. Lentäen pääsee Jyväskylän liepeille; saavuttaessa junalla miltä ilmansuunnalta tahansa on läpäistävä maakunnan vuoria tunneleitse.

Jyväskylä on aina ollut vilkas kulttuurikaupunki, aikanaan suomen kielen tukikohta. Kaupungissa on yliopisto, maan vanhimmat suomenkieliset oppikoulut ja seminaari. Nopeasti kehittynyt, nykyisin jo 60.000 asukkaan keskus, on tunnettu kansainvälisesti merkittävästä kesätapahtumastaan Jyväskylän Kesästä, pohtivista kulttuuripäivistään.

Mellersta Finland

Ännu på 1400-talet tvistade savolaxarna, som kom österifrån och tavastlänningarna som kom västerifrån om jakträttigheterna i ödemarkerna i norra ändan av Päijänne, tills människorna här på 1500-talet började bli bofasta. Senare blev mellersta Finland som utvecklade sig i kläm mellan Savolax, Tavastland och Österbotten, småningom självständigt. Men först efter det den första staden, Jyväskylä, grundats år 1837 blev landskapets strävanden målmedvetna.

Till sin uppsyn visar mellersta Finland riklig variation. De högsta bergen reser sig väster och nordväst om Jyväskylä till 150—200 m över havet; Pirttimäki når 249 m och Lahomäki 248 m. Kring landskapets huvudstad är terrängen överhuvud betydligt mera storvulen än i det övriga Sjöfinland, höjdskillnaderna är mångenstädes 100—150 m vilket påminner om det man ser i Kuusamotrakten.

Mellersta Finland är skogarnas landskap, större odlingsområden finns endast i Jämsänjokidalen, i Keuruu, Laukka och i de norra delarna i Karstula och Saarijärvi. I allmänhet är lägenheterna mindre än medelstora. Befolkningen här tillvaratar effektivt landskapets rikedomar, det är skogen som täcker 80 % av jordområdet. — Men trä flottas också längs Päijänne och Kymmene älv till industrierna i Kymmenedalen. Landskapet producerar själv av sitt trä tändstickor, trämassa, papper, cellulosa, sågvirke, faner, fiber- och spånskivor, möbler och trähus. De viktigaste industrierna ligger i Jyväskylä, Jämsänkoski, Kaipola, Säynätsalo, Vaajakoski och Äänekoski.

Sjöarna formar, vid sidan av bergen, landskapets huvuddrag. En femtedel av ytan är vatten. I söder dominerar Päijänne, i norr Kivijärvi, Keitele och många andra medelstora sjöar. Från vägen mellan Korpilahti och Joutsa, tvärs över Päijänne öppnar sig landskapets mest storvulna utsikter, de vackraste möter man på den nya vägen som slingrar sig från Sysmä till Luhanka över Judinsalo. Päijänne lär man känna under en tur med en långsam ångbåt, en tur med den ovan vågorna glidande bärplansbåten Tehi eller turer med olika vattenbussar. Det finns endast få historiska minnesmärken i mellersta Finland, turisten skall bygga sin semester på naturen. Modigast bland finska turistföretag är det från mellersta Finland runt riket nu spridda Rantaloma Oy (Strandsemester Ab) som har högklassiga semesterställen ute i naturen, i Jyväskylä, Saarijärvi, Viitasaari och Joutsa. Med flyg når man Jyväskylä-trakten, med tåg kommer man åkande från alla väderstreck genom landskapets många tunnlar.

Jyväskylä har alltid varit en livfull kulturstad, på sin tid en stödjepunkt för finska språket. Staden har ett universitet, landets äldsta finskspråkiga lärdomsskolor och seminarium. Den snabbt utvecklade staden, ett centrum med 60.000 invånare, är känd för det internationellt betydelsefulla sommarskeendet, Jyväskylä-Sommaren, kulturdagar där livfulla resonnemang förs.

Mittelfinnland

Noch im 15. Jahrhundert stritten sich die Bewohner von Savo und Häme um die Jagdrechte in den Einödgebieten nördlich des Päijänne, und erst im 16. Jahrhundert begann sich eine eigentliche Besiedlung herauszubilden. Später wurde das von Savo, Häme und Pohjanmaa umgebene Mittelfinnland allmählich selbständig, aber erst die Gründung der Stadt Jyväskylä im Jahre 1837 brachte Zielstrebigkeit in die Bemühungen der Provinz.

Die Landschaft ist in Mittelfinnland abwechslungsreich. Die höchsten Berge ragen im Westen und Nordwesten von Jyväskylä 150—200 m über dem Meeresspiegel empor. Der Pirttimäki steigt 249 m und der Lahomäki 248 m in die Höhe. Die Landschaft in der Nähe der Provinzhauptstadt ist düsterer als die in der Finnischen Seenplatte: die Höhenunterschiede betragen an vielen Stellen 100—150 m und erinnern sogar an die Gegend um Kuusamo.

Mittelfinnland ist eine Provinz der Wälder, grössere Ackerflächen findet man nur im Tal des Flusses Jämsänjoki, bei Keuruu, Laukaa, in den Gebieten nördlich von Karstula und bei Saarijärvi. Die Grösse der Höfe liegt im allgemeinen unter dem Durchschnitt. Der Reichtum dieser Provinz sind die Wälder, die 80 % der Fläche bedecken. Die Bewohner von Mittelfinnland verwenden diese Schätze effektiv für eigene Zwecke, aber ein Teil des Holzes wird über den Päijänne und den Kymijoki der Industrie von Kymenlaakso zugeführt. Aus dem Holz werden Streichhölzer, Holzstoff, Papier, Zellulose, Sägewaren, Sperrholz, Faser- oder Spanplatten, Möbel und Holzhäuser hergestellt. Die wichtigsten Industrieorte sind Jyväskylä, Jämsänkoski, Kaipola, Säynätsalo, Suolahti, Vaajakoski und Äänekoski.

Die Seen bilden neben den Bergen einen Grundbestandteil der mittelfinnischen Landschaft, ein Fünftel der Provinz besteht aus Gewässern. Der Päijänne beherrscht den Süden, der Kivijärvi, der Keitele und viele kleinere Seen den Norden. Die düstersten Aussichten in Süd- und Mittelfinnland trifft man an der Strasse zwischen Korpilahti und Joutsa, schöner ist die Landschaft dagegen bei der neuen Strasse, die von Sysmä über Judinsalo nach Luhanka führt. Den Päijänne kann man auf einem langsamen Dampfer oder bei verschiedenen Wasserbuskreuzfahrten kennenlernen. In Mittelfinnland gibt es wenig historische Denkmäler, der Tourist muss sich während seines Urlaubs ganz der Natur widmen. Ein unternehmungslustiges Reisebüro hat in der Natur bei Jyväskylä, Saarijärvi, Viitasaari und Joutsa erstklassige Ferienorte gegründet. Mit dem Flugzeug gelangt man leicht nach Jyväskylä, wenn man mit der Eisenbahn fährt, muss man — gleichgültig, aus welcher Himmelsrichtung man kommt — die Berge dieser Provinz in Tunneln durchqueren.

Das kulturelle Leben ist in Jyväskylä von jeher rege gewesen. In der Stadt ist die finnische Sprache besonders gepflegt worden. Ausserdem gibt es hier eine Universität, die ältesten finnischsprachigen Oberschulen und ein Seminar. Diese schnell aufgeblühte, heute schon 60.000 Einwohner zählende Stadt ist international bekannt wegen der jeden Sommer durchgeführten Jyväskylä-Kulturtage.

Central Finland

In the 15th century there were still disputes regarding hunting-rights in the wilderness to the north of Lake Päijänne between hunters coming from Savo in the east and from Häme in the west. Permanent settlement began to appear in the 16th century. Thereafter Central Finland, which had been developing as a hinterland of Savo, Häme and Ostrobothnia, began to become independent but it was only with the establishment of its first city, Jyväskylä, in 1837, that it achieved the status of being recognized as a province.

The landscape of Central Finland is variegated. The highest mountains rise up in the west and northwest of Jyväskylä to some 150—200 meters above sea-level; Pirttimäki is 249 meters high and Lahomäki 248 meters high. In general the landscape around the capital city of the province is notably steeper than in the Finnish lake-country generally: the differences in height range in many places from 100 to 150 meters, reminding one of the scenery of Kuusamo.

Central Finland is a province of forests: there are extensive cultivated areas only in the Jämsän River valley, in Keuruu, and in Laukaa and in the north in Karstula and in Saarijärvi. The size of the farms is generally less than average. The forests which constitute the wealth of the province cover some 80 % of its area and the wood is used in Central Finland itself to a great extent but it is also floated along the Päijänne Lake and the Kymijoki river to the industrial plants of Kymenlaakso. The province of Central Finland produces matches, ground wood-pulp, paper, cellulose, sawn lumber, plywood, wall-board, furniture and prefabricated wooden houses. The most important industrial centres are Jyväskylä, Jämsänkoski, Kaipola, Säynätsalo, Šuolahti, Vaajakoski and Äänekoski.

In addition to the mountains it is the lakes which give Central Finland its basic look; one-fifth of the province is water. Lake Päijänne dominates the south, Kivijärvi, Keitele and many other middle-sized lakes the north. The ruggedest outlooks to be seen from the roads of South and Central Finland open up from the road crossing Lake Päijänne between Korpilahti and Joutsa; some of the most beautiful scenes are visible from the new road which goes from Sysmä to Luhanka via Judinsalo. The acquaintance of Lake Päijänne can be made by means of a slow steamship, the swift hydrofoil skimming over the waves, or on different water-bus excursions. There are not very many historical monuments in Central Finland, the tourists content themselves with the attractions of nature. The Rantaloma Company, based in Central Finland, has erected high-level vacation facilities amidst the natural surroundings of Jyväskylä, Saarijärvi, Viitasaari and Joutsa. One can arrive in Jyväskylä by plane: arriving by train from any direction of the compass involves going through tunnels in the mountains of the province.

Jyväskylä has always been a vital cultural center and there was a time when the city was important in the cultivation of the Finnish language. There is a university in the city, the oldest Finnish-language educational institutions in the country, and a teacher-training institute. The city now has some 60,000 inhabitants and has become internationally known as a center in the summer-time for cultural and scientific meetings.

Puoli vuosisataa sitten Suomen maaseutu eli väkevästi; kaksi kolmannesta kansasta sai toimeentulonsa maanviljelystä ja vain seitsemännes asui kaupungeissa. Mutta yleismaailmalliseen tapaan maa alkoi kaupungistua. Sodat veivät maaltakin miehet, suuren osan lopullisesti, mutta autioituva maaseutu sai pirteän pistoksen Neuvostoliittolle luovutetun alueen — kooltaan kymmenes koko maasta — 425.000 karjalaisen muuttaessa uuden rajan länsipuolelle.

Mutta sotien jälkeen maaseutu autioitui jatkuvasti ja tällä hetkellä väestöstä kaksi kolmannesta asuu kaupungeissa tai kaupunkimaisissa taajamissa. Lisäksi muuttoliike ulkomaille, lähinnä Ruotsiin, on tyhjentänyt taloja. Nyt hevoset juoksevat rahaa raviradoilla, rakennukset rapistuvat ja hangen yllä lepää petollinen idyllisyys.

För ett halvt århundrade sedan levde landsbygden i Finland kraftfullt; två tredjedelar av folket fick sin utkomst av jordbruket och endast var sjunde var stadsbo. Men som överallt började landet urbaniseras. Krigen tog männen också från landsbygden, många av dem blev borta. Men den avfolkade landsbygden fick en uppiggande injektion då 425.000 karelare från det till Sovjet avträdda området — till arealen en tiondedel av riket — flyttade därifrån.

Efter krigen fortsatte landsbygden att avfolkas och i detta nu bor två av tre invånare i städerna eller på tätorterna. Dessutom har emigrationen, närmast till Sverige, tömt huser Nu springer hästarna in pengar på travbanorna, byggnaderna förfaller och över skaren vilar e bedräglig idyll.

229

230

Vor einem halben Jahrhundert konzentrierte sich das Leben in Finnland auf die ländlichen Gebiete; zwei Drittel der Bevölkerung lebten vom Ackerbau und ein Siebentel wohnte in Städten. Aber wie überall entstanden auch in Finnland immer mehr Städte. Während der Kriege zogen die Männer von den ländlichen Gebieten weg, ein grosser Teil davon für immer, aber die ausgestorbenen Gegenden erwachten zu neuem Leben, nachdem ein Gebiet, das seiner Grösse nach ein Zehntel des ganzen Landes ausmachte, an die Sowjetunion abgetreten worden war und 425.000 Karelier nach Westen gezogen waren. Aber auch nach den Kriegen dauerte die Landflucht weiter an, gegenwärtig wohnen zwei Drittel der Bevölkerung in Städten oder Siedlungszentren. Ausserdem stehen infolge der Auswanderung ins Ausland, in erster Linie nach Schweden, viele Häuser leer.

A half-century ago there was a firm population-base for the Finnish countryside: two-thirds of the people earned their living from the land and only one Finn out of seven lived in cities. But in accordance with development throughout the world the country began to urbanize. The wars took men from the land, a great part of them finally, but the emptying countryside received an injection of population from the area surrendered to the Soviet Union — one-tenth of the country in extent — with 425,000 Karelians moving to the west of the new boundary. But again after the wars the countryside continuously emptied and at this moment two-thirds of the population live in cities or in urban-type settlements. In addition the movement of emigration abroad, primarily to Sweden, has left empty houses behind.

231

232

233

234

235

236

237

Suomen vaurauden perustasta, metsistä, omistavat yksityiset n. 60 % , valtio 30 % , yhtiöt 7 % lopun jakautuessa mm. kunnille ja seurakunnille. Puuntuotossa yksityisten osuus on huomattavasti suurempi, sillä valtion metsät ovat pääasiassa kitukasvuisessa Pohjois-Suomessa. Koska puunjalostusteollisuus on kehittynyt arvaamattomasti, kiinnitetään nykyisin suurta huomiota puun kasvattamiseen, esimerkiksi taimistoihin /234-235/.

Av grunden till Finlands välmående, skogarna, äger privatpersoner ca 60%, staten 30%, bolagen 7% medan resten hör till kommunerna och församlingarna. Visavi avkastningen av trä är den privata andelen betydligt större, statens skogar ligger i huvudsak i det nödvuxna norra Finland. Då träförädlingsindustrin har utvecklats mer än beräknat, fäster man numera stor uppmärksamhet vid t.ex. plantbeståndet /234-235/.

Die Grundlage des finnischen Wohlstands bilden die Wälder. Davon besitzen ca. 60 % Privatpersonen, 30 % der Staat und 7 % Gesellschaften. Bei der Holzproduktion ist der Anteil der Privatpersonen erheblich grösser, denn die Wälder des Staates befinden sich zur Hauptsache im spärlich bewachsenen Norden Finnlands. Da sich die Holzveredelungsindustrie in unvorhergesehener Weise entwickelt hat, wird dem Jungwuchs /234-235/ grosse Aufmerksamkeit geschenkt.

The forests of Finland, the basis of its prosperity, are owned about 60% by private individuals, 30% by the State of Finland, 7% by companies and the rest by local communities and parishes. Since the length of time necessary for a pine to grow from a seedling to tree ready to be cut for timber is from 80 to 100 years and the wood-processing industry has developed immeasurably, great attention is being paid nowadays to sapling-stands /234-235/.

V. 1778 kestikievarin oikeudet saaneen **Juupajoen Kallenaution** muinaisesta monipuolisuudesta kertoo vuoden 1814 katselmuskirja: 22 huonetta tai rakennusta, joukossa pirtti, tupa, vierastupa, sauna, hollihevosten talli, viisi puotia. Nyt vanhat rakennukset /242-243/ kutsuvat matkailijaa kahville ja hengähtämään kamarissa, missä ovat aikanaan hengähtäneet monet Suomen kuuluisuudet. Kesällä toimii pärehöyläkin /241/.

Kallenautio i **Juupajoki** fick år 1778 gästgiveri-rättighet och om dess forntida mångsidighet berättar ett syneinstrument från 1814: 22 rum eller byggnader, bland dem storstugan, stugan, gäststugan, bastun, hållhästarnas stall, fem bodar. Nu kallar de gamla byggnaderna /242-243/ resenären på kaffe, och att andas ut i kammaren, där på sin tid många berömda finnar övernattat. Sommartid är en pärthyvel i funktion /241/.

Von der Poststation **Kallenautio** in **Juupajoki** erzählt die Besichtigungsurkunde von 1814: 22 Räume oder Gebäude, darunter ein Blockhaus, eine Wohnhütte, ein Gästeraum, eine Sauna, ein Stall für die Postpferde und 5 Speicher. Heute laden die alten Gebäude /242-243/ den Reisenden ein, in der Kammer auszuruhen, wo viele berühmte Persönlichkeiten Finnlands übernachtet haben. Im Sommer ist auch der Spanhobel /241/ in Betrieb.

The survey-record for 1814 o **Kallenautio** in **Juupajoki** indicates the uses of the various buildings in this hostel, which received its license to do business in 177 It had 22 rooms or buildings. Now the old buildings /242-243/ invite the traveler to hav coffee and to rest for a moment in rooms where ma of the celebrities of Finland have been. In summer the shingling-machine is still functioning /241/.

Monimuotoisten maisemien **Saarijärvi:** alkuperäistä luontoa mm. Pyhän-Häkin kansallispuistossa, järven rantarauhaa Ahvenlammen lomailukeskuksessa, kalaisia vuolaita koskia eri puolilla. **Pyhäkankaan karsikon** kelot /244-245/ puolestaan kertovat vuosiluvuin, puumerkein ja ristein paikasta, missä vainajain saattojoukot lepäsivät raskailla taipaleillaan syrjäkylistä hautausmaalle; lukuja vuosilta 1833—1897 on lähes 30 puussa.

Det mångsidiga landskapet i **Saarijärvi:** ursprunglig natur bl.a. i Pyhä-Häkki nationalpark, lugna sjöstränder vid Ahvenlampi semestercentrum, strida fiskrika forsar på många håll. Torrakorna i **Pyhäkangas heliga lund** /244-245/ pekar genom årtal, bomärken och kors ut den plats där begravningsföljena vilade ut på sina tunga färder från avlägsna byar till begravningsplatsen, i närmare 30 träd ses årtal från 1833—1897.

Abwechslungsreiche Landschaften in **Saarijärvi:** ursprüngliche Natur u.a. im Nationalpark von Pyhä-Häkki, friedliche Seeufer im Urlauberzentrum Ahvenlampi, fischreiche Stromschnellen an verschiedenen Stellen. Die **abgeästeten Kiefern** von **Pyhäkangas** /244-245/ erzählen von der Stelle, wo die Begleitzüge der Verstorbenen auf ihrem Weg zum Friedhof ausruhten; an beinahe 30 Bäumen findet man Jahreszahlen von 1833 — 1897.

This is **Saarijärvi,** with its variegated forms of landscape, original nature protected notably in the Pyhä-Häkki national park, the peaceful lake shores in the Ahvenlampi vacation-resort area, rushing rapids in fish-filled streams. The 'memorial trees' of **Pyhäkangas** /244-245/ indicate the places where the burial processions from distant villages stopped to rest on their journey to the graveyard; years from 1833 — 1897 are marked on 30

244

245

246

247

Hankasalmen Niemisjärvellä sijaitsevan **Pienmäen talomuseon** 20 rakennusta ovat rakentamisestaan asti seisoneet omalla paikallaan. Päärakennus on rakennettu v. 1849 ja vanhin aitta peräti 1600-luvulla. Lisäksi tähän, itäsuomalaisen elämisen vaikuttavaan ja kesällä toimivaan muistomerkkiin kuuluu suljetun pihan ympärillä mm. talli, kärryliiteri, halkoliiteri, riihi, paja, sauna ja kota.

Det vid Niemisjärvi i **Hankasalmi** belägna **Pienmäki husmuseets** 20 byggnader har stått på sin plats sedan de blev färdigbyggda. Huvudbyggnaden är uppförd 1849 och den äldsta boden är från 1600-talet. Dessutom hör till detta minnesmärke, som påverkar det östfinska levernet och fungerar sommartid, bl.a. ett stall, en kärrbod, en vedbod, en ria, en smedja, en bastu och en kåta på den kringbyggda gården.

Die 20 Gebäude des **Hausmuseums Pienmäki**, das am See Niemisjärvi in **Hankasalmi** liegt, haben seit ihrer Entstehung an derselben Stelle gestanden. Das Hauptgebäude wurde 1849 gebaut und der älteste Speicher stammt sogar aus dem 17. Jahrhundert. Weiterhin gehören zu diesem eindruckvollen Denkmal ostfinnischer Lebensweise ein Pferdestall, Schuppen für Wagen und Brennholz, eine Getreidedarre, eine Schmiede, eine Sauna und eine Viehküche.

The 20 structures which ma[ke] up the **Pienmäki farmhouse museum** in **Hankasalmi** still stand in the original places where they were first built. The main building was buil[t] in 1849 and the oldest shed in the 17th century. This memorial of the life-style o[f] east Finland includes a num[ber] of buildings in the enclosed yard — a stable, a wagonshed, a woodshed, a threshi[ng] shed, a shop, sauna and a cattle-fodder hut.

uomen kaunein puupyhättö, **etäjäveden vanha puukirkko,** otiikan ja renessanssin yhdis- elmä, on yksi koko maan talon- oikaisen rakennustaiteen ar- okkaimmista luomuksista. L. Leppäsen suunnittelema ja akentama kirkko kohosi v. 1763 ieman yli kuukaudessa. Jo lkopuoli kertoo mestaruudesta, nutta vasta sisällä yksityis- ohtainen kauneus todella ääsee oikeuksiinsa.

Finlands vackraste av trä upp- förda helgedom, **Petäjävesi kyrka,** en blandning av gotik och renässans, är något av det värde- fullaste ifråga om allmoge-bygg- nadskonst i hela riket. Kyrkan, planerad och byggd av J.L. Leppänen restes år 1763 på nå- got mer än en månad. Redan det yttre berättar om mästerskap, men först invändigt kommer den detaljpräglade skönheten till sin fulla rätt.

Finnlands schönste Holzkirche, die alte **Kirche** von **Petäjävesi,** stellt eine Mischung von Gotik und Renaissance dar und ist eine der wertvollsten Schöpfun- gen der bäuerlichen Baukunst im ganzen Land. Die von J.L. Leppänen entworfene Kirche wurde 1763 in etwas über einem Monat erbaut. Schon das Äus- sere legt Zeugnis vom meister- lichen Können des Erbauers ab, aber erst im Inneren kommt die Schönheit der Details wirklich voll zu ihrem Recht.

Finland's most beautiful wooden church, the **Old Wood Church** of **Petäjävesi,** is one of the most impressive products of the rural building-skills. The church, designed and erected by J. L. Leppänen, was built in 1763 in a little over a month. The masterful quality of the architecture of the church is noticeable even from the outside but the detailed beauty of the inside, with its slight irregularities, confirms it.

Savo

Savolax

Vanhimmat löydöt kertovat jo kivikautisesta asutuksesta, ihmiset lienevät tulleet Laatokan Karjalasta. Vasta Pähkinäsaaren rauha 1323 liitti Savon lopullisesti muuhun Suomeen, irtautunut karjalaisasutus alkoi muovautua yksinäisyydessään savolaisheimoksi: karjalaisen hempeyden, heleyden, oikullisuuden tilalle kehkeytyi vitkastelu, viisastelu, iloinen vakavuus — puolileikillisesti sanoen. Keskiajalla Savo oli asuttu Pieksämäen — Varkauden paikkeille, siitä alkoi lapinkorveksi kutsuttu erämaa. Asutusta levitettiin järjestelmällisesti ja 1500-luvulla Savo muodosti jo asutun hallinnollisen kokonaisuuden, jonka asioita määrättiin Olavinlinnasta käsin.

Etelä-Savon pinnanmuodostus on, kuten yleensä Järvi-Suomessa, vaihtelevaa, harjuja esiintyy poikkeuksellisen runsaasti. Maakunta on Suomen järvisintä aluetta, pääasiassa sinistä Saimaata ja Puulavettä on yli viidennes pinta-alasta. Rannat ovat tavallisimmin pikkukorkeita, kallioisia. Soita on vain kymmenes osa maasta, samoin kuin viljeltyä maatakin. Yli 80 % maa-alasta peittävät metsät tekevät Etelä-Savosta tärkeän metsäteollisuusalueen. Maakunnan kasvillisuus on köyhempää kuin saman leveysasteen naapurimaakunnissa. Tieverkko on lähes yhtä harvaa kuin Kainuussa tai eteläisessä Lapissa — sokkeloinen vesistö on rakentamisen esteenä. Maakunnan länsiosa, Suur-Savo Mikkelin ympärillä, on matkailullisesti kiinnostavaa seutua. Itäosa, Itä-Savo Savonlinnan ympäristössä, on Ahvenanmaan ohella Suomen tunnetuin matkailualue.

Keski-Savon rajoiltaan epämääräinen maakunta on syntynyt Pieksämäen ja Varkauden vaikutuksesta; se muistuttaa luonnoltaan Etelä-Savoa. Erikoisuutena, kauneuden huipentumana ovat Suomen suurimman saaren, Soisalon, kiertävät kapeat vedet, laivareittien parhaimmistoa.

Pohjois-Savokin muistuttaa äkkiä silmäten Etelä-Savoa, mutta selviäkin poikkeuksia on: järvien rannat ovat matalampia; etelässä on soita vähän, mutta pohjoisessa niitä on jo puolet maa-alasta; paikoin on reheviä lehtoalueita, esimerkiksi Kuopion seudulla kolmannes maasta on lehtoa tai lehtomaista metsää, ja yleensäkin maakunta on monikasvisempaa kuin naapurimaakunnat; savikot levittäytyvät Kuopion ja Iisalmen välillä laajoiksi viljelysaukeiksi vallaten jopa kolmanneksen pinta-alasta, yleensäkin Pohjois-Savo on eteläistä veljeä peltoisempi. Itäosissa vuoret muistuttavat Karjalan vaaroja, Pisa kohottaa lakensa 270 m:iin ja Kinahmi peräti 314 m:iin. Maakunnan keskuksena on savolaisen huumorin päätukikohta Kuopio, pohjoisinta osaa hallitsee Iisalmi.

Savo on matkailualuetta. Kaikissa pääkohteissa, Mikkelissä, Savonlinnassa, Varkaudessa ja Kuopiossa on lentokenttä; kaupungit yhdistää toisiinsa myös laivareittiverkko.

De äldsta fynden berättar om bosättning redan under stenåldern, troligen kom människorna från Ladoga-Karelen. Först vid freden i Nöteborg år 1323 anslöts Savolax slutgiltigt till Finland. En från sina rötter fjärmad karelarbosättning började här i ensamheten utformas till en savolaxisk stam. I stället för karelsk vekhet, klarhet och nyckfullhet utvecklades sölet, spetsfundigheten och det glada allvaret. Detta sagt halvt på lek. Under medeltiden var Savolax bebott upp till Pieksämäki-Varkaus-trakten, där vidtog en ödemark som kallades lappmarken. Bosättningen spreds systematiskt och på 1500-talet utgjorde Savolax redan en bebyggd förvaltningshelhet, det var i Olofsborg bestämmelserna utformades.

Södra Savolax har, som Sjöfinland överhuvud, en växlande ytformation, åsar uppträder exceptionellt rikligt. Landskapet är Finlands på sjöar rikaste, mer än femtedelen av ytan upptas i huvudsak av Saimen och Puulavesi. Stränderna är för det mesta bergiga men inte speciellt höga. Endast en tiondedel av ytan består av kärr och lika mycket är odlad mark. Mer än 80% av jordytan här täcks av skog. Syd-Savolax blir därmed ett viktigt skogsindustriområde. Landskapets växtlighet är fattigare än i grannlandskapet på samma breddgrad. Vägnätet är nästan lika glest som i Kainuu eller i södra Lappland — de labyrintiska vattendragen står som hinder för utbyggandet. Landskapets västra del, Stor-Savolax kring St. Michel, är turistmässigt en intressant trakt. Östra delen kring Nyslott, hör till Finlands bäst kända turistområden.

Det till sina gränser obestämda **mellersta Savolax** har fötts under inverkan av Pieksämäki och Varkaus, till naturen påminner det om södra Savolax. Som specialitet, som skönhetskulmen står här de trånga vatten som omgärdar Finlands största ö, Soisalo.

Också **norra Savolax** påminner i all hast om södra Savolax, men det finns också tydliga skillnader. Sjöstränderna är mera låglänta, i söder finns inte många kärr, i norr upptar de redan hälften av jordarealen. Ställvis förekommer områden med frodiga lundar. I Kuopiotrakten är tredjedelen av arealen lund eller lundbetonad skog och också allmänt taget är landskapet botaniskt rikare än grannlandskapen. Lerjordarna breder ut sig mellan Kuopio och Idensalmi till vidsträckta odlingsmarker som erövrar hela tredjedelen av arean. Norra Savolax är överhuvud mera åkerbetonad än det södra grannområdet. I östra delarna påminner bergen om Karelens höjder, Pisa reser sin topp till 260 m och Kinahmi rentav till 314 m. Centralort är Kuopio, den savolaxiska humorns högsäte. Den nordligaste delen behärskas av Idensalmi.

Savolax är ett turistområde. Invid alla huvudorter, S:t Michel, Nyslott och Kuopio har man flygfält. Städerna förbinds också med ett nät av båtrutter.

Die ältesten Funde deuten auf eine Besiedlung seit der Steinzeit hin, die Bewohner sind wahrscheinlich aus Ladoga-Karelien gekommen. Erst beim Frieden von Pähkinäsaari 1323 wurde Savo endgültig an das übrige Finnland angeschlossen. Die von ihrem Heimatgebiet losgetrennten Karelier begannen, sich zu neuen Stamm umzuformen: karelische Weichheit, Heiterkeit und Launenhaftigkeit wurden — halb im Scherz gesagt — durch Saumseligkeit, Besserwisserei und Ernsthaftigkeit verdrängt. Im Mittelalter war Savo bis zur Gegend Pieksämäki — Varkaus besiedelt, und dahinter begann die als lappische Wildnis bezeichnete Einöde. Die Besiedlung breitete sich systematisch aus, und im 16. Jahrhundert bildete Savo schon eine administrative Einheit, die von Olavinlinna aus regiert wurde.

Süd-Savo hat, wie es in der Finnischen Seenplatte allgemein der Fall ist, eine abwechslungsreiche Bodengestaltung, es gibt hier mehr Landrücken als gewöhnlich. Die Provinz gehört zu den seenreichsten Gebieten in Finnland, die Seen Saimaa und Puulavesi nehmen ein Fünftel der Fläche ein. Die Ufer sind meistens nicht sehr hoch und felsig. Sümpfe bedecken nur 10 % des Landes, der Anteil der bebauten Fläche ist ebenso gross. Süd-Savo besteht zu 80 % aus Wäldern und ist daher ein wichtiges Gebiet für die Forstindustrie. Die Pflanzenwelt ist nicht so reich wie in den benachbarten Provinzen auf demselben Breitengrad. Das Strassennetz ist nicht sehr dicht — die labyrinthartigen Gewässer sind ein Hindernis für den planmässigen Ausbau. Der Westteil der Provinz, die Gegend um Mikkeli, ist interessant für Touristen und der Ostteil um Savonlinna gehört zu den bekanntesten Fremdenverkehrsgebieten in Finnland.

Mittel-Savo ist als solches schwer zu charakterisieren. Die Landschaft hat sich unter dem Einfluss der Städte Pieksämäki und Varkaus entwickelt und erinnert ihrer Natur nach an Süd-Savo. Eine Besonderheit, ein an Schönheit kaum zu übertreffender Anblick, sind die schmalen Gewässer, die Finnlands grösste Insel Soisalo umgeben.

Nord-Savo ähnelt bei flüchtigem Hinsehen Süd-Savo, aber man stellt doch deutliche Unterschiede fest: die Ufer der Seen sind flacher, im Süden gibt es nur wenig Sümpfe, im Norden bedecken diese dagegen schon die Hälfte des Landes. Stellenweise findet man dichtbelaubte Haine, in der Umgebung von Kuopio besteht ein Drittel der Landschaft aus Hainen oder hainartigen Wäldern. Diese Provinz ist ganz allgemein durch eine vielseitige Vegetation gekennzeichnet. Die Lehmböden zwischen Kuopio und Iisalmi breiten sich zu weiten Ackerflächen aus, die sogar ein Drittel des Landes bedecken. Die Berge in den östlichen Gebieten erinnern an die in Karelien, der Pisa ragt 270 m und der Kinahmi sogar 314 m empor. Mittelpunkt der Provinz ist Kuopio, eine Hochburg des besonderen Humors der in dieser Gegend lebenden Bevölkerung. Ganz im Norden nimmt Iisalmi eine Vorrangstellung ein.

Savo ist ein Fremdenverkehrsgebiet. Alle Touristenziele — Mikkeli, Savonlinna und Kuopio — haben einen eigenen Flugplatz. Die Städte sind auch durch ein Wasserstrassensystem miteinander verbunden.

The oldest excavations indicate that there was settlement in Savo in the Stone Age, with the first inhabitants probably having come from the Ladoga area in Karelia. It was only after the Peace of Pähkinäsaari 1323 that Savo was finally joined to the rest of Finland and the Karelians in Savo, separated from their home-area, began to adapt themselves and to develop the special character associated with Savo. If one may make a joke about it one could say that the graciousness, brightness and crotcheteness associated with Karelia turned into the peculiar kind of dawdling, quipping and good-tempered seriousness associated with the Savo character. In the Middle Ages Savo was settled as far as the Pieksämäki-Varkaus area, north of which began what was called the Lapp wilderness. Settlement was systematically extended and by the 16th century Savo constituted an administrative unit which was ruled from Olavinlinna.

The surface-formation of **South Savo** is variegated, as is general in the lake-country of Finland, with ridges appearing with exceptional frequency. The district is the area of Finland with the most lakes, with mainly the blue Saimaa and Puulavesi between them covering over one fifth of the surface-area. The shores are more rocky and sharply rising than is usual elsewhere. Swamps take up only one-tenth of the land and cultivated areas also only one-tenth. The forests which cover over 80 % of the land-area make South Savo an important wood-processing area. The plant-growth of the district is poorer than that of the neighboring districts at the same latitude. The road-network is almost as sparse as in Kainuu or in South Lapland — the labyrinthine waterways constitute a hindrance to the building of roads. The western part of the district, around Mikkeli, is of special interest to tourists and the eastern part, around Savonlinna, is among the best-known tourist-areas in Finland.

The landscape of **Central Savo** has been affected by the precence of the cities, Pieksämäki and Varkaus, and it is similar to that of South Savo. A special tourist attraction is the beautiful narrow waters around Soisalo, Finland's largest island.

At first sight **North Savo** seems very much like South Savo but there are some differences: the shores of the lakes are lower; in the south there are few swamps, but in the north they make up one half of the land-area; in places there are luxuriant woodgroves — for example in the surrounding-area of Kuopio as much as one-third of the land consists of wood-groves or forests of a wood-grove character and in general the district has much more variegated plant-life than the neighboring districts; the clayeys soil areas spread out between Kuopio and Iisalmi into extensive open-cultivation areas occupying as much as one-third of the surface. In general North Savo has more fields than South Savo. In the eastern part of the district there are mountains like the great hills of Karelia — Pisa raises its head to a height of 270 meters and Kinahmi to 314 meters. The largest city of the district is Kuopio which has the reputation of being a pillar of Savo humor. Iisalmi is the biggest city of the northernmost part of North Savo.

Savo is a tourist-area. All of the main tourist-centers of Savo — Mikkeli, Savonlinna and Kuopio — can be reached by air, having their own air-fields. The cities are also linked together by a water-route network.

Järvi-Suomen eteläreunalla Pohjois-Kymenlaaksossa leviää Päijänteen vedet Suomenlahteen juoksuttava teollisuusvirta Kymijoki monin paikoin suuriksi seliksi. **Iitin Hiidenvuorelta** /258/ avautuu näkymä **Kymijoen Pyhäjärvelle** /256/. — Pohjois-Valkealan kuuluisat vedet /259-261/ kohisevat Pyhäjärveen **Verlankoskina** /255/, joiden rannalla on tunnelmallinen vanha tehdas ja ruukkikylä, muistoja paperiteollisuuden alkuajoilta.

Vid södra randen av sjö-Finland, i norra Kymmene älvdal utbreder sig den industriström som leder vattnet från Päijänne till Finska Viken, Kymmene älv, flerstädes till stora fjärdar. Från **Hiidenvuori** i **Itis** /258/ öppnar sig en utblick mot **Pyhäjärvi** /256/ Vattnen i norra Valkeala /259-261/ brusar till Pyhäjärvi genom **Verla-forsarna** /255/ vid vars stränder en åldrig fabrik och en bruksby ligger, minnen från pappersindustrins tidiga år.

Am Südrand der Finnischen Seenplatte verbreitert sich der Fluss Kymijoki, der das Wasser des Päijänne-Sees zum Finnischen Meerbusen treibt, an vielen Stellen zu offenen Seeflächen. Vom **Hiidenvuori** in **Iitti** /258/ herab hat man eine gute Aussicht auf den **Pyhäjärvi** des **Kymijoki** /256/. — Die Gewässer von Nord-Valkeala /259-261/ stürzen bei dem Wasserfall **Verlankosket** /255/ in den Pyhäjärvi hinunter.

From the southern edge of the Finnish lake-country in North Kymenlaakso the waters of Lake Päijänne are conducted by the Kymi River to the Gulf of Finland. In **Iitti** mount **Hiidenvuori** /258/ gives a good view of the **Lake Pyhäjärvi** end of the **Kymi River** /256/. The famed waters of North Valkeala /259-261/ come boiling into Lake Pyhäjärvi as the **Verla rapids** /255/. On the shore there is a poignant old factory and factory-village.

259

260 261

Kymen ja Mikkelin läänin raja-mailla oikaisee Savon rata halki vähäasutuksisen alueen: Pohja-na on pirstoutunut vesistö, jon-ka saarista, niemistä, lahden pohjukoista kohoaa karunkau-niita jyrkkiä vuoria kymmenit-täin. Radan länsipuolella on laa-ja Vuohijärvi, käyntikohteena mm. Mäntysaari 700-vuotisine hautausmaineen. Itäpuolen vedet ovat sokkeloisia, niiden verkon näkee esimerkiksi **Mustanlammenvuorelta** /259/. Orilammen matkailukeskukses-ta alkava Suomen Kultareitti esittelee vesibussimatkalla mm. **Löppösenluolaksi** kutsutun kalliosyvennyksen /260-261/, missä aterioidaan ja katsel-laan 3000 v. vanhoja kallio-piirroksia.

På gränsen mellan Kymmene och St.Michels län genar Savo-lax-banan förbi ett glesbebyggt område, fullt av sönderdelade vatten och karga branta berg i tiotal. Väster om banan ligger Vuohijärvi, där man kan besöka ön Mäntysaari med 700-årig be-gravningsplats. Från **Mustalam-menvuori** /259/ ser man det labyrintaktiga sjönätet i öster. Finlands Guldrutt börjar vid Ori-lampi turistcentrum och för oss under vattenbussfärden till en bergsgrotta kallad **Löppösen-luola** /260-261/ där vi spisar en utfärdsmåltid och betraktar 3000-åriga hällristningar.

An der Grenze zwischen den Regierungsbezirken Kymi und Mikkeli durchquert die Eisen-bahn ein Gebiet, das nur spär-lich besiedelt ist. Dort erstreckt sich eine weitverzweigte Seen-platte, auf deren Inseln und Landzungen Dutzende von schroffen Felsen emporragen. Auf der linken Seite der Bahn-strecke liegt der weite See Vuohijärvi, wo die Insel Mänty-saari mit ihrem 700 Jahre alten Friedhof einen Besuch wert ist. Auf der Ostseite bilden die Seen ein Labyrinth, das man vom Berg **Mustanlammenvuori** /259/ herab gut überschauen kann. Eine Wasserbusreise auf der Goldenen Route Finnlands führt zu einer **Löppösenluola** genannten Höhle /260-261/, in der man 3000 Jahre alte Fels-zeichnungen besichtigen kann.

The border-area of the administrative districts of Kymi and Mikkeli is a sparsely settled region traversed by the railway from Savo. It is covered by a network of lakes. To the west of the railway there is the large Lake Vuohi-järvi. On the Mäntysaari island there is a graveyard which is some 700 years old. The waters on the east side of the railway are labyrinthine; they can be viewed from the top of mount **Mustanlammen-vuori,** for example /259/. The water-bus route, the Golden Route of Finland, begins from the tourist-center Orilampi. One of the places to visit is the rock-crevice called the **Löppönen Cave** /260-261/ in which cave-drawings can be seen.

Mikkelin ja Imatran yhdistävä tie on loma-autoilijan kulkuväylä: vaihtelevia näkymiä, monia mielenkiintoisia nähtävyyksiä ja kaksi pitkää lossiväliä. Vaikuttavimmillaan maantien ja luonnon yhteisleikki on **Puumalan** ja **Anttolan** välillä, missä tie ylittää **Lietveden** /262-264/ etsiytyen pitkinä penkereinä saaresta toiseen. Kallio hallitsee näillä main Saimaan maisemaa, muutamat hietikot palvelevat matkailua /273/.

Vägen som förbinder St.Michel och Imatra är en rutt för semesterbilisten: växlande vyer, många intressanta sevärdheter och två långa färjturer. Mest verkningsfullt är samspelet mellan landsväg och natur vid **Puumala** och **Anttola**, där vägen löper över **Lietvesi** /262-264/ sökande sig längs långa vallar från en ö till en annan. Det är berget som här behärskar Saimen-landskapet. Några sandstränder står till turisternas förfogan /273/.

Die Strasse zwischen Mikkeli und Imatra ist eine Strecke für motorisierte Urlauber: abwechslungsreiche Aussichten, viele interessante Sehenswürdigkeiten. Am eindrucksvollsten wirkt das Zusammenspiel von Landstrasse und Natur zwischen **Puumala** und **Anttola**, wo die Strasse den See **Lietvesi** /262-264/ überquert und sich dabei auf langen Dämmen von einer Insel zur anderen vortastet. Einige Sandflächen sind für den Fremdenverkehr geeignet.

The road between Mikkeli a[nd] Imatra is a good one for vacation-motoring with variegated scenery, many interesting things to see and two long auto-ferry stretches. There is an impressive interpl[ay] between the highway and nature between **Puumala** and **Anttola** where the road crosse[s] Lake **Lietvesi** /262-264/. Rock[s] dominates the Saimaa landscape but there are also sandy beaches /273/.

262

263

264

Kapean ja mutkaisen Saimaan saaristotien varressa **Ristiinassa** kutsuu **Pien-Toijolan talomuseo** seikkailunhaluisia vieraita tutustumaan taloryhmään, joka on seisonut paikallaan saman Toijosen suvun hallussa aina vuodesta 1672. Kymmenkunta rakennusta ja tuhat esinettä luovat yksityiskohtaisen — ja siis todella aidon — kuvan savolaisesta elämästä yli 300 vuoden ajalta.

Vid den smala och krokiga skärgårdsvägen invid Saimen lockar i **Kristina Lill-Toijola husmuseum** äventyrslystna turister att bekanta sig med en husgrupp, som stått på platsen ända sedan 1672 i samma släkts, Toijonens, ägo. Ett tiotal byggnader och tusentalet föremål skapar en detaljerad — och därför verkligt äkta — bild av savolaxiskt liv under mer än 300 år.

Neben der schmalen und gewundenen Saimaa-Inselstrasse lädt das **Hausmuseum Pien-Toijola** in **Ristiina** unternehmungslustige Gäste ein, nähere Bekanntschaft zu machen. Das Museum hat seit 1672 an dieser Stelle gestanden und die ganze Zeit derselben Familie Toijonen gehört. Etwa zehn Gebäude und tausend Gegenstände vermitteln ein detailliertes — und wirklich echtes — Bild vom Leben in Savo während über 300 Jahren.

In **Ristiina** beside the narrow, curved Saimaa-archipelago road there is the **Pien-Toijola Farm Museum** — consisting of a number of buildings which had been in the ownership of the Toijonen family since 1672. The dozen or so buildings and the thousands of objects give a detailed and quite authentic picture of the life of a Savo farm-family over a 300-year period.

Varsinkin Etelä-Savo on Järvi-Suomelle ominaiseen tapaan mäkien ja harjujen kauttaaltaan epätasaiseksi muovaamaa maata, jonka pääasiassa rämeitä ja korpia käsittävät metsät hallitsevat 80 % :ia maa-alasta. Viljeltyä maata on vain 10 % , ja pellot ovat pieniä, tunnetusti kivisiä — usein komean, mutta tuskastuttavaa työtä vaatineen kiviaidan reunustamia. Maataloudessa on karjanhoito viljelyä tärkeämpää.

I synnerhet södra Savolax är på det för Sjöfinland typiska sättet ett av backar och åsar alltigenom ojämnt utformat landskap, där de av myrar och sumpskogar bildade skogsmarkerna upptar 80% av ytan. Den odlade jorden utgör endast 10% och åkrarna är små, som känt steniga — ofta omgärdade av en präktig men med mödosamt arbete uppförd, låg stenmur. Inom lantbruket är boskapsskötseln viktigare än jordbruket.

Besonders Süd-Savo ist ein von Hügeln und Landrücken durchzogenes, unebenes Gebiet, in dem die aus Sümpfen und Moorgebieten bestehenden Wälder 80 % von der Fläche des Landes einnehmen. Der Anteil der bebauten Ackerfläche beträgt nur 10 % . Die Felder sind klein und steinig, oft umgeben von einer prächtigen Steinmauer, die das Ergebnis mühseliger Arbeit ist. In der Landwirtschaft nimmt die Viehzucht eine wichtigere Stellung ein als der Ackerbau.

In a way which is typical of the lake-country of Finland, South Savo is an uneven area broken up by hills and ridges. Forests take up some 80% of the land surface, mainly swampy heaths and scrub-growth woods. Only ten percent of the land-area is cultivated and the fields are surrounded by handsome stone fences, the product of back-breaking labor in clearing the ground. The pasturing of cattle is more important than the cultivating of the ground.

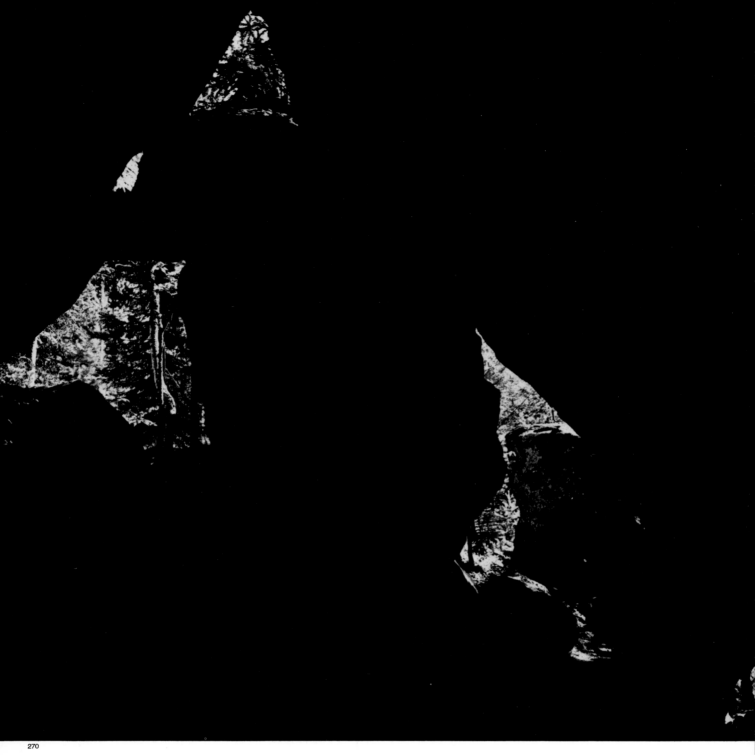

Luonnon leppoisan kokonaiskuvan rikkovat usein sävähdyttävän pelottavat siirtolohkareet, muinaisen mannerjäätikön siirtämät kivenjärkäleet. Ne eivät ole peräisin alustansa kalliosta, vaan usein hyvinkin kaukaa paikalleen kulkeutuneita vieraan kallioperän lähettiläitä. Siirtolohkareet kertovat asiantuntijoille jäätikön liikkumissuunnista, vanhoista merivirroista, vieläpä tuulienkin suunnista; myös malmiesiintymiä on löydetty siirtolohkareiden avulla.

— Suomen suurimmat siirtolohkareet, **Puumalan Rakokivet** /270/ sijaitsevat kauniin Lietvedentien /262-264/ varrella, pienen sivutien päässä. Hiekkaharjulla kohoaa omituinen rykelmä, sillä alkuperäinen järkäle on lohjennut kolmeksi. Yhteinen ympärysmitta on satakunta metriä, korkeutta kivillä on parikymmentä metriä. Luolia, joista pisin on kahdeksanmetrinen onkalo, on muinoin käytetty piilopaikkana.

Naturens gemytliga helhetsbild spräcks ofta av plötsligt skrämmande flyttblock, stenbumlingar som flyttats hit av den forna inlandsisen. De härstammar inte från berget inunder dem, ofta är de sändebud som vandrat till platsen fjärranväga från en främmande berggrund. Flyttblocken berättar för specialisterna om isfältets rörelseriktningar, om forna havsströmmar och om vindriktningarna: man har också gjort malmfynd med tillhjälp av sådana flyttblock.

Finlands största flyttblock, **Rakokivet** i **Puumala** /270/ är belägna nära den vackra Lietvesi-vägen /262-264/ i ändan av en sidoväg. På sandåsen reser sig en underlig gyttring, ty det ursprungliga stenblocket har spjälkts i tre. Deras gemensamma omfångsmått är ett hundratal meter, deras höjd är ett par tiotal meter. Grottorna, av vilka den djupaste är en åtta meters fördjupning, har förr använts som gömställen.

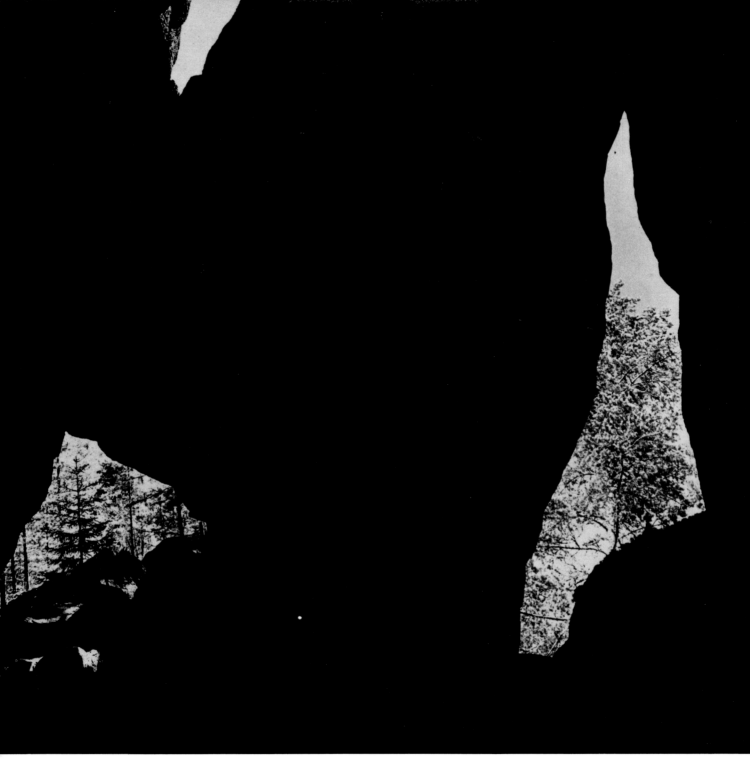

Das friedliche Gesamtbild der Natur wird oft durch die plötzlich auftauchenden Findlinge gestört. Diese gewaltigen Felsblöcke sind vom alten Inlandeis herbeigeschoben worden und stammen nicht von dem Felsengrund, auf dem sie sich befinden. Die Findlinge liefern den Experten Angaben über die Bewegungsrichtung eines Eisfeldes, über alte Meeresströmungen und sogar über Windrichtungen. Die grössten Findlinge in Finnland, die

Rakokivet von **Puumala** /270/ befinden sich neben der schönen Landstrasse am Lietvesi /262-264/, am Ende eines kleinen Seitenweges. Auf einer Sandanhöhe erhebt sich ein bizarres Gebilde, denn der ursprüngliche Felsbrocken ist in drei Teile aufgespalten. Der Gesamtumfang beträgt ca. 100 m, und die Steine sind ungefähr 20 m hoch. Die Höhlen, von denen die grösste eine 8 m lange Vertiefung darstellt, wurden vor langer Zeit als Schlupfwinkel verwendet.

The restful over-all picture of nature is frequently broken by blocks of stone shifted by the ancient glacier. These boulders are not of the same stuff as the rock-base under them but have frequently been brought from far off as delegates from a different rock-base. The boulders are evidence to the geologists of the direction of movement of the glacier, of the ancient currents of the sea, even of the direction of the winds — discoveries of deposits of

metal have been made possible by the inspection of boulders. Finland's largest rock-boulders, the **Crannied Rocks** (Rakokivet) of **Puumala** /270/, are located not far from the Lietvesi road /262-264/, at the end of a little side-road. The original boulder has split into three. The combined circumference is a hundred meters. The height of the rocks is some twenty meters. The cave-like crevices within the rocks were used in ancient times as hiding-places.

Lietveden tien /262-264/ varrella sijaitseva **Puumalan Pistohiekan** lomakylä-leirintäalue on parhaimpia Saimaan kymmenistä pienoismatkailukeskuksista. Suomalaiseen tapaan se on avoinna vain kesäkuukausina, jolloin se tarjoaa puolisataa leirintä- ja lomamajaa, useita saunoja /272/, hyvinvarustetun leirintäalueen ja Saimaan alueella harvinaisen pitkät hietikot /273/ puhtaan Lietveden rannalla.

Det vid Lietvesi-vägen /262-264/ belägna **Pistohiekka** i **Puumala** är ett semesterby-campingområde, bland de bästa av tiotalet små turistcentra vid Saimen. På finskt vis hålls det öppet endast under sommarmånaderna, då det bjuder på ett halvt hundratal läger- och semesterhyddor, många bastur /272/, en välutrustad campingplats och för Saimens del sällsynt långsträckta sandstränder /273/ vid den rena Lietvesisjön.

Das neben der Landstrasse am Lietvesi /262-264/ gelegene Feriendorf und Campinggelände **Pistohiekka** bei **Puumala** gehört zu den besten der zahlreichen kleinen Fremdenverkehrszentren im Saimaa-Gebiet. Während der Sommermonate bietet es den Touristen 50 Ferienhäuser, mehrere Saunas /272/, ein gut ausgerüstetes Campinggelände und die in dieser Gegend seltenen langen Sandflächen am Ufer des sauberen Lietvesi.

The **Pistohiekka** vacation-village and camping-area of **Puumala** located alongside the Lietvesi road /262-264/ make up one of the best of the dozens of small tourist-centers in the Saimaa region. Pistohiekka provides some fifty camps and vacation-cottages, a number of saunas /272/, a well-equipped camping-area and unusually long sand-beaches /273/ on the edge of the clean water of Lietvesi.

272

273

Entisaikaan vesistöjen varsien kirkkokansa airoili kilpaa suvisunnuntaisin jumalanpalveluksesta kotiin — nyt kilpasoudanta on liitetty monien kesäjuhlien ohjelmaan kiinteästi kuin torvisoitto. Jokakesäisillä **Punkaharjun Käkipäivillä** kesäkuussa savolaismalliset, sirot järviveneet viilettävät Saimaan aalloilla urheiluntuoksuista hikeä soutajista esiin pusertaen /274-276/. — Kilpasoudannan merkkitapaukseksi on noussut Sulkavan soutukisa heinäkuussa: satapäinen soutajien joukko ahertaa pitkän päivän kiertäessään kilpaa Suomen toiseksi suurimman saaren, Partalansaaren ympäri 65 km:n reitin.

Kyrkfolket som förr i tiden bodde vid vattendragen rodde alla sommarsöndagar i kapp hem från gudstjänsterna — nu är kapprodden infogad i programmet vid många sommarfester lika säkert som hornmusiken. Vid **Gökdagarna** i **Punkaharju** varje sommar i juni skjuter de savolaxiska, smäckra sjöbåtarna fart på Saimens vågor, pressande fram sportdoftande svett ur roddarna/ 274-276/. Ett evenemang i kapprodd är den tävling som i juli hålls i Sulkava. En hundratalig roddarskara stretar en hel lång dag då de i kapp ror runt Finlands näststörsta ö, Partalansaari, en sträcka på 65 km.

Früher ruderten die im Seengebiet lebenden Menschen an den Sommersonntagen nach dem Gottesdienst um die Wette nach Hause — heute gehört das Wettrudern ebenso wie die Blasmusik zum Standardprogramm vieler Sommerfeste. Während der jeden Sommer im Juni stattfindenden **Kuckuckstage** von **Punkaharju** erfrischt der Wind auf den Wellen des Saimaa die in ihren Booten vor Anstrengung ins Schwitzen geratenen Ruderer /274-276/. — Zu einem Hauptereignis der Wettruderer ist die Regatta von Sulkava im Juli geworden: eine hundertköpfige Teilnehmerschar rudert den ganzen Tag lang um die Wette um Finnlands zweitgrösste Insel Partalansaari herum.

In the old days the churchgoers who lived along the waterways would compete with each other on the summer Sundays rowing home from the divine service — nowadays rowing-competitions are as inseparable a part of many summer-festivals as the band-concert. In the **Punkaharju Cuckoo-bird Festival** held every summer in June there are rowing-races with special Savo-style lake-boats on the Saimaa chain of lakes /274-276/. There is a rowing-competition in July at Sulkava: a crowd of some hundred rowers race around Finland's second largest island, Partalansaari. The distance is some 65 kilometers.

Kymmenen tuhatta vuotta sitten sulanut mannerjäätikkö muovaili Suomesta pienpiirteisen vaihtelevan. Omituisimpia aikaansaannoksia ovat hiidenkirnut/389-390/ ja siirtolohkareet /270/, kauneimpia luomuksia sen sijaan sadat harjut, usein vesien kehyksissä kohoavat pienet näköalapaikat. Harjut ovat muodostuneet moreenista, jonka jäämassat jauhoivat irtonaisista maalajeista sekä kivistä ja kalliosta irtaantuneista aineksista. Perääntyessään jäätikkö lajitteli ja kasasi jäänalaisiin tunneleihin ja railoihin sulamisveden avulla moreenia harjuiksi, jotka nyt muodostavat paikoin kymmenkilometrisiä jään perääntymissuunnan ja sulamisvesien virtaamissuunnan mukaisia kohoumia. Harjuja on Suomessa kaikkialla muualla paitsi rannikolla, missä muinaiset meret tasoittivat ne. — Monilla Suomen paikkakunnilla on oma Punkaharjunsa /316-318/ mainostettavaksi matkailuvalttina. **Sulkavan Vilkaharju** /277-279/ Imatralle johtavan maantien varrella tarjoaa maisemien lisäksi leirintäalueen, lomakylän ja ravintolan palveluja.

Inlandsisen som för tiotusen år sedan smalt bort formade Finland till ett i de små dragen växlande land med bl.a. jättegrytor /389-390/ och flyttblock, även kallade jättekast /270/. Vackra skapelser är hundratalet åsar med små utsiktspunkter som ofta inramas av vattnen. Åsarna har bildats av moräner, som ismassorna malade av lösformade jordarter och av ämnen, som stenarna och bergen avsöndrade. Då isfältet drog sig tillbaka sorterade det och samlade upp morän till åsarna i tunnlar och sprickor under isen med smältvattnets hjälp. Ställvis bildar de nu tiotalskilometerlånga upphöjningar som följer isens retireringsriktning och smältvattnets flödriktning. Det finns åsar i Finland överallt utom längs kusterna, där forntida hav jämnade bort dem. På många orter i Finland har man sin egen Punkaharju /316-318/ som i turistreklamen används som en trumf. **Vilkaharju** i **Sulkava** /277-279/ vid landsvägen mot Imatra bjuder på vackra vyer och ett campingområde, en semesterby samt restaurangbetjäning.

Das vor 10.000 Jahren geschmolzene Inlandeis gab der finnischen Landschaft ihr abwechslungsreiches Gepräge. Zu den eigenartigsten Schöpfungen gehören die Gletschertöpfe /389-390/ und die Findlinge /270/, zu den schönsten dagegen die Hunderte von Landrücken, die wie kleine, oft von Seen eingerahmte Aussichtsplätze in der Landschaft emporsteigen. Die Landrücken sind aus Moränen entstanden, die von den Eismassen aus losem Sand, Steinen und Felsen aufgehäuft worden waren. Beim Zurückweichen der Gletscher entstanden in Tunneln unter dem Eis und in Eisspalten hügelartige Erhebungen, die heute stellenweise viele Kilometer weit in Richtung des zurückgewichenen Eises und der Schmelzwasserströme verlaufen. Derartige Landrücken gibt es in Finnland überall ausser an der Küste, wo die alten Meere sie eingeebnet haben. — Viele finnische Ortschaften haben ihren eigenen Landrücken /316—318/, mit dem sie Touristen herbeizulocken versuchen. Der **Vilkaharju** bei **Sulkava** /277-279/ liegt an der nach Imatra führenden Strasse und bietet ausser der schönen Landschaft noch ein Campinggelände, ein Feriendorf und ein Restaurant.

Ten thousand years ago the glacier in melting shaped a number of elements in the Finnish landscape. Among the strangest are the devil's churns /389-390/ and the boulders /270/. There are also hundreds of ridges, which rise up into vantage-points, frequently framed by water. The ridges have been composed of moraines, the ice-masses having ground up all kinds of soil as well as stones and materials separated from the rock. In retreating the glacier left behind it materials in underground tunnels and crevices and with the help of the melting waters piled up sandridges which now constitute rises in the ground running for tens of kilometers indicating the direction of retreat of the ice and the currents of the melting-waters. There are such ridges everywhere in Finland except on the sea-coast where the waves of the sea leveled them. In many of the localities of Finland a ridge such as Punkaharju /316-318/ can be advertised as a tourist attraction. The **Vilkaharju ridge** of **Sulkava** /277-279/ alongside the highway leading to Imatra offers not only the attraction of the landscape but the services of a camping-area, a vacation-village and a restaurant.

278

279

Entisinä aikoina olivat sodatkin ihmisläheisempiä, vihollisen näki ja koki, ja sen saattoi välttää kipuamalla korkeammalle. Kymmeniltä jyrkkärinteisiltä vuorilta on löydetty merkkejä muinaisista varustuksista: vallituksia, tulisijoja, rakennelmien jäännöksiä. Kateeksi käy entisiä karjalaisia, jotka puolustussodissaan saivat ihailla **Sulkavan Linnavuorelta** avautuvia, nykyisin Saimaan laivareitin varrella sijaitsevia näkymiä /282-283/. Linnavuori kohottaa kallioisen päänsä 57 m Enoveden pintaa korkeammalle, eikä viholliselta ollut järven puolelta tulemista /284/. Toiselle puolelle sen sijaan piti rakentaa esteitä; vuoren matalampaa ja loivempaa syrjää kiertää 120 m pitkä, 3—4 m leveä ja paikoin 2 m korkea kivivalli /281/, jolta vihollisen päälle heiteltiin kiviä ja kiehuvaa vettä. Valli lienee peräisin 1100-luvulta. Ylhäällä on hehtaarin laajuinen, puolustajien asuinpaikkana toiminut tasanne, jonne nyt pääsee helposti matkailutikkaita pitkin /280/.

Under gågna tider kom kriget ganska inpå människan, man såg och upplevde fienden, men man kunde undvika honom genom att klättra uppåt. På tio brantsluttande berg har man funnit tecken på forntida skanser, vallar, eldstäder, rester av konstruktioner. Man avundas forna karelare som under sina försvarskrig fick beundra utblicken från **Linnavuori** (Borgbacken) i **Sulkava,** nu ser man den, då man på Saimen åker förbi med båt /282-283/. Linnavuori höjer sitt bergiga huvud 57 m över Enovesis yta, för fienden fanns det ingen möjlighet att komma hit från sjösidan /284/. På andra sluttningen måste man bygga hinder; runt bergets lägre och långsluttande sida har vi en 120 m lång, 3—4 m bred och ställvis 2 m hög stenvall /281/. Från den slängde man stenar och kokande vatten på fienden. Vallen torde härstamma från 1100-talet. Ovanom ligger en platå på en hektar som fungerat som försvararnas boplats, dit når man nu lätt tack vare en stege för turister /280/.

Früher waren die Menschen einander sogar im Krieg näher, man sah und spürte den Feind und, um ihm aus dem Wege zu gehen, konnte man in höhere Regionen hinaufklettern. Auf Dutzenden von Bergen mit steilen Abhängen sind Spuren von alten Befestigungen gefunden worden: Verschanzungen, Feuerstellen und Überreste von Bauwerken. Man beneidet geradezu die alten Karelier, die bei ihren Verteidigungskriegen die schönen Aussichten vom **Linnavuori** bei **Sulkava** /282-283/ bewundern konnten, die sich heute dem Touristen auf der Route der Saimaa-Schiffe bieten. Der Linnavuori erhebt sein felsiges Haupt 57 m über der Oberfläche des Enovesi, und von der Seite dieses Sees aus konnten die Feinde nicht angreifen /284/. Auf der anderen Seite mussten dagegen Hindernisse errichtet werden. Die flachere und weniger abschüssige Seite des Berges umzieht ein 120 m langer, 3—4 m breiter und stellenweise 2 m hoher Steinwall /281/, von dem man Steine auf den Feind warf oder ihn mit kochendem Wasser überschüttete. Der Wall dürfte aus dem 12. Jahrhundert stammen. Oben befindet sich eine grosse, ebene Fläche, auf der die Verteidiger wohnten. Heute kommt man leicht über eine Touristenleiter /280/ hinauf.

In the old days wars were fought in such a way that m could see and feel the enem and in order to get out of h way they could climb up int high areas. Traces of old fortifications have been foun on dozens of mountain-heights with steep side-approaches: parapets, firing-emplacements, embankment The ancient Karelians who made use of the **Linnavuori** mountain in this way had th possibility of looking down on the same beautiful land-scape near **Sulkava** /282-283 which attracts the tourists today on the route of the Saimaa boats. Linnavuori rai its rocky peak 57 meters ab the surface of Enovesi, and enemy had no chance of attacking from the side of the lake /284/. It was on th other side that barriers had be erected. The flatter and l steep side of the mountain is rimmed by a 120-meter long, 3—4 meter wide and i places 2-meter high stone wal /281/, from which stones or boiling water could be throv on the enemy. The wall mus have been built in the 12th century. Above there was a large, flat area on which the defenders lived. Today this area is easily reached by a ladder installed for the use tourists /280/.

Pohjois-Savon keskuspaikka, Saimaan laivaliikenteen pohjoinen tukikohta, 70.000 asukkaan **Kuopio** on sijoittunut Kallaveden ympäröimään niemeen, johon nykyisin ajetaan modernia tietä Kallan kuulujen siltojen kautta /285/ majakkana **Puijo** ja sen laelta kohoava 75 m korkea torni /286/ pyörivine ravintoloineen. Peräti 224 m Kallaveden pintaa korkeammalta katse voi kartoittaa Savonmaata 45.000 km² /287-289/.

Kuopio, med 70.000 invånare är centralort i norra Savolax och nordlig bas för båttrafiken på Saimen. Den har placerat sig på en udde i Kallavesi. Numera kör man in i staden längs en modern väg över Kallas berömda broar /285/ med **Puijo** som fyrbåk, där ett torn /286/ på ytterligare 75 m med roterande restaurang reser sig. Från 224 m ovanom Kallavesis yta kan blicken kartlägga 45.000 km² av Savolax /287-289/.

Das Zentrum des nördlichen Savo und Hauptstützpunkt für den Schiffsverkehr im Norden des Saimaa-Gebiets ist **Kuopio** mit seinen 70.000 Einwohnern. Die Stadt liegt auf einer vom Kallavesi umgebenen Landzunge, zu der man heute über die Brücken von Kalla /285/ kommt. Als Wegweiser dienen der Berg **Puijo** und der 75 m hohe Turm /286/ mit seinem rotierenden Restaurant. Aus einer Höhe von 224 m über dem Kallavesi kann man die Provinz Savo /287-289/ überblicken.

The main city of North Savo and the northern base of the Saimaa boat-traffic is **Kuopio** with its 70,000 inhabitants. The city lies on a tongue of land. One can drive into Kuopio across the famous bridges of Kalla /285/ guided by the landmark of mount **Puijo** on the peak of which is a 75-meter high tower /286/. Looking out from over 224 meters above the surface of Kallavesi one can map the 45,000 square meters of Savo /287-289/.

285

286

287

Heinäkuussa Suomen heleän valoisa kesä kääntyy lämpimilleen; Savossa kuukauden keskilämpötila on 16°C kun se kesäkuussa on 14°C ja elokuussa 15°C. Kesäkuu on kuivin, sadetta 50 mm — heinä- ja elokuussa sataa 70 mm. Mutta kesä kesältä riittää jännitystä sään suuren vaihtelun takia. Kun heinäkuussa sattuu aurinkoinen aika, käydään kilpasille sään kanssa: kiireiset, tuoksuvat heinänkorjuutalkoot ovat yleinen näky.

I juli når värmen i Finlands klara, ljusa sommar sitt maximum. I Savolax är månadens medeltemperatur 16°C, i juni 14°C och i augusti 15°C. Juni är torrast, regnmängden är då 50 mm — i juli och augusti regnar det 70 mm. Varje sommar växlar vädret storligen, det gör tillvaron spännande. När man i juli får en solig period, begynner en tävling med vädret: överallt ser man brådskande, väldoftande höbärgningstalkon pågå.

Im Juli wird der helle finnische Sommer am wärmsten. In Savo beträgt die Durchschnittstemperatur dann 16°C, während sie im Juni bei 14°C und im August bei 15°C liegt. Der Juni ist der trockenste Monat. Trotzdem ist man wegen der Unbeständigkeit des Wetters jedes Jahr aufs neue gespannt. Wenn im Juli die Sonne scheint, treten die Menschen zum Wettkampf mit dem Wetter an: das frisch gemähte Heu muss so schnell wie möglich in die Schober gebracht werden.

It is in July that the Finnish summer is at its warmest; in Savo the average temperature in July is 16 degrees centigrade whereas in June it is 14 degrees and in August 15 degrees. June is the driest month with a precipitation of 50 millimeters. But there is variation from summer to summer. When there is a sunny time in July the question is whether the weather will hold: it is a common sight to see busy haying-bees under way to get the hay in on time.

Lohensukuinen **muikku** on Suomen järvien arvokala; tunnetuimmat saalisvedet ovat Saimaa, Päijänne, Puruvesi, Keitele, Oulunjärvi ja Kitkajärvi. Muikku nousee suurissa parvissa kesällä pintavesiin pieneliöitä syömään. Silloin havahtuu kalastaja ja lähtee hakemaan rantakalan ainesta. Melkein rituaaliksi muodostunut **kesänuottaus** /293-295/ suoritetaan iltayöstä, varhain aamulla tai jopa keskiyöllä: 80—400 m pitkä ja 4—20 m korkea nuotta, jossa on 100—200 m pitkät vetoköydet, lasketaan veteen kahdesta veneestä, jotka kiinnitetään köysin rantaan. Varovaisen kelauksen jälkeen, nuotan alkaessa sulkeutua...

Mujkan, som är släkt med laxen, är framförallt de finska insjöarnas värdefisk. Mujkan stiger i stora stim sommartid upp till ytvattnen för att äta mikroorganismer. Då vaknar fiskaren och beger sig ut på strandfiske. **Sommarnotvarpen** /293-295/ är nästan rituella, de försiggår på kvällskvisten, tidigt på morgonen eller rentav vid midnattstid. Den 80—400 m långa och 4—20 m höga noten som är försedd med 100—200 m långa draglinor läggs ut från två båtar, fästa med trossar vid land. Efter ett varsamt varpande, när noten håller på att sluta sig...

Die zur Familie der Lachse gehörige kleine Maräne ist vor allem in den Binnengewässern Finnlands zu Hause. Die bekanntesten Fanggebiete sind die Seen Saimaa, Päijänne, Puruvesi, Keitele, Oulujärvi und Kitkajärvi. Die kleine Maräne tritt in grossen Schwärmen auf und steigt im Sommer auf der Suche nach Kleinlebewesen an die Oberfläche empor. Dann brechen die Fischer auf, um die Zutaten für das Fischgericht Rantakala zu besorgen. Das **sommerliche Schleppnetzfischen** /293-295/ findet am späten Abend, am frühen Morgen oder sogar um Mitternacht statt: ein 80—400 m langes und 4—20 m hohes Schleppnetz, das 100—200 m lange Zugtrossen hat, wird von zwei Booten ins Wasser gelassen...

The **muikku,** a tiny whitefish related to the salmon, is an important fish in the Finnish lakes: the greatest catches are from Saimaa, Päijänne, Puruvesi, Keitele, Oulujärvi and Kitkajärvi. The **summer netting** of the **muikku** has become a ritual /293-295/ which is performed in the evening, or early in the morning or even in the middle of the night: a net from 80 to 400 meters long and 4 to 20 meters high, to which drawropes of 100 to 200 meters in length are attached, is lowered into the water from two boats which are tied with ropes to the beach. After careful reeling in, the net begins to close and a beater frightens the fish into...

...apumies pelottelee tarpomalla
alat nuotan perään /295/.
aaliit vaihtelevat muutamasta
ilosta tarulta tuntuviin mutta
otuudessa pysyviin tuhannen
ilon kertasaaliisiin. Hyvistä
nuikkuvesistä saadaan tätä
erkkukalaa vuosittain jopa 20
g hehtaarilta. Ammattinsa
aitava perkaa muikkua kymme-
en kiloa tunnissa /298/. Mui-
usta keitetään voivedessä yksi
uvi-Suomen herkuista, ranta-
ala.

...skrämmer hjälpkarlen fisken
bakåt i noten genom att pulsa
/295/. Fångsterna varierar
från några kilo till ettusen kilo
per gång vilket låter som en
saga men är sanning. I goda
mujkvatten kan man årligen
fånga in 20 kg per hektar av
denna goda fisk. En yrkes-
kunnig rensar tio kilo mujkor
per timme /298/. Efter rens-
ningen kokar man denna
sommarfinlands läckerhet i
smörvatten.

...Nach vorsichtigem Aufwinden
beginnt sich das Schleppnetz
zu schliessen und ein Gehilfe
scheucht die Fische mit einer
Stange ins Netz hinein /295/.
Die Beute schwankt von einigen
Kilos bis zu fantastisch an-
mutenden, aber wahren 1000 kg
pro Fischzug. In guten
Maränengewässern bekommt
man jährlich sogar 20 kg pro
Hektar von diesem Lecker-
bissen. Ein Fachmann nimmt
zehn Kilo Maränen in einer
Stunde aus /298/.

...the net by beating on the
surface of the water /295/.
The catches vary from a few
kilos to as much as 1,000 kilos
at a time, which seems
fantastic but may be quite
true. Lakes which are especially
good for muikku may yield
as much as 20 kilograms per
hectare. A professionally-
skilled cleaner can clean ten
kilos of muikku per hour
/298/. Muikku prepared with
butter is one of the delicacies
of the summer menu of Finland.

Järvi-Suomi

Suomalainen satu: olipa kerran järvi, jossa oli saari, jossa oli järvi, jossa oli saari, jossa oli järvi. Tämä satu on Saimaalla täyttä totta — tuskin samanlaista veden ja maan leikkiä on missään muualla maailmassa.

Suomen eteläosaa kiertää merenrannikolla kapeahko vähäjärvinen maakaistale, jokien elävöittämä alue; käytännöllisesti katsoen muu osa on Järvi-Suomea. Virallisesti siihen kuuluvat kokonaisuudessaan Keski-Suomi ja Savo, suurin osa Hämettä ja Karjalan läntiset alueet. Veden hallitsema Suomi on kuitenkin paljon laajempi, mutta pinnanmuotojen poikkeavuus erottaa esimerkiksi Karjalan vaaramaan omaksi alueekseen. Järvi-Suomi jakautuu kolmeen suurvesistöön, jotka kukin juoksuttavat vetensä omia uomiaan mereen: Hämeen vedet Kokemäenjokena, Keski-Suomen Kymijokena ja Saimaan Vuoksena. Koko alueelle yhteistä on myös korkeus merenpinnasta: Kallavesi 82 m, Saimaa 76 m, Päijänne 78 m ja Näsijärvi 95 m. Kaikkialla on tarkasti tutkien havaittavissa sekä suurten selkävesien että lahtien ja niemien suuntautuminen luoteesta kaakkoon; muinainen kallioperän halkeilu näkyy näin tänäkin päivänä maaston muotoina.

Päijänne tuntuu selväpiirteiseltä järveltä, ainakin Saimaaseen verrattuna, mutta myös sen rantaviiva on mutkainen: kun järven suora pituus päästä päähän on 120 km, kertyy rantaa lähes 2.500 km. Saimaan rantojen pituus on 14.000 km! On arvioitu, että Suomessa on asukasta kohti sata metriä rantaviivaa, kun yhteen lasketaan meri, järvet ja joet saarineen.

Jos samalla korkeudella sijaitsevat, toisiinsa kapeiden salmien välityksellä liittyvät vedet lasketaan yhdeksi järveksi, on Iso Saimaa Euroopan viidenneksi suurin järvi.

Suomessa on ainutlaatuisen paljon vedenpintaa, mutta yllättävän vähän vettä! Suurjärvien syvimmät kohdat uppoavat kyllä sataankin metriin, mutta missään ei ole keskisyvyydeltään yli 20 m järviä. Päijänteen ja Saimaan keskisyvyys on vain 17 m; muut järvet ovat vieläkin matalampia. Yhden vuoden keskimääräiset sateet pystyisivät täyttämään kaikki Suomen järvet. Mataluudesta johtuen vedet ovat äärimmäisen arkoja pilaantumaan, vahinkoja on jo päässyt syntymään, mutta uusien määräysten ja suurten rahallisten sijoitusten ansiosta vedet pysynevät puhtaina tulevaisuudessa.

Järvillä on paitsi maisemallista ja virkistyksellistä arvoa, merkitystä myös teollisuudelle. Järvet kuljettavat — tulevaisuudessa hyvin puhdistetut — jätevedet, ja niitä pitkin kulkee raaka-aine metsistä puunjalostusteollisuudelle; yksi hinaaja pystyy vetämään tukkilauttaa, jonka kuljettamiseen rautateitse tarvittaisiin toistakymmentä pitkää junaa.

Valtiovalta on elvyttämässä järvien lamaantunutta laivaliikennettä, ja jo lähivuosina vanhojen, idyllisten höyryalusten tilalle saadaan moderneja huvialuksia. Ulkoilijoille järvet ovat todellinen aarreaitta; esimerkiksi Saimaalla ja Pielisellä on vuokrattavana kanootteja, moottoriveneitä, purjeveneitä, jopa suuria huviristeilijöitä ja paikoin on luotu satojen kilometrien melontareittiverkko yöpymis- ja lepopaikkoineen. Suomen lomakohteista on suurin osa Järvi-Suomen alueella.

Sjö-Finland

Sagan om Saimen: det var en gång en sjö, i den en ö, på ön en sjö i den en ö, på den en sjö. Men den sagan är faktiskt sann, månntro det i världen finns något liknande?

Längs havskusten i söder ringlar sig en smal sjöfattig strimla, ett land som älvarna ger liv åt. Resten är praktiskt taget Sjöfinland

Officiellt hör hit mellersta Finland och Savolax i sin helhet, största delen av Tavastland samt de västra delarna av Karelen. Men det Finland som behärskas av sjöar är ändå mycket vidsträcktare än så. Det är differenser i ytbildningen som skiljer ut t.ex. det karelska fjälldistriktet till ett särskilt område.

Sjöfinland delar sig på tre sjöområden, Tavastland avtappar sitt vatten längs Kumo älv, mellersta Finland via Kymmene älv och Saimen via Vuoksen. Gemensamt har de också sin höjd över havet: Kallavesi 82 m, Saimen 76 m, Päijänne 78 m och Näsijärvi 95 m. Beroende på sprickor i berggrunden finns det en bestämd vattenriktning, från nordväst till sydost. En sjö kan löpa i annan riktning, men dess långa vikar och näs förtäljer om forntida naturomvälvningar.

Päijänne kan tyckas vara en klarlinjig sjö jämförd med Saimen, men medan sjöns största längd är 120 km är strandlinjen tjugo gånger så lång. I Finland går hundra meter strandlinje på varje invånare, då har man nog räknat med också älvarna. Om man räknar de sjöar som ligger på ungefär samma höjd och förenas genom smala näs till en sjö, är Stor-Saimen Europas femte största sjö.

I Finland har man en exceptionellt stor vattenyta, men förvånansvärt litet vatten! De djupaste ställena i de stora sjöarna når nog 100 meter, men några sjöar med större medeldjup än 20 m har man inte. Medeldjupet i Saimen och Päijänne är endast 17 m, övriga sjöar är ännu grundare än så. Medelnederbörden under ett år kunde fylla upp alla Finlands sjöar. På grund av det ringa djupet är vattnen oerhört känsliga för nedsmutsning, skador har redan inträffat, men tack vare nya bestämmelser och stora ekonomiska insatser hålls väl vattnen rena i framtiden.

Sjöarna har förutom sitt värde för landskapsbilden och för rekreation också betydelse för industrin. Sjöarna transporterar avfallsvatten, i framtiden välrenade, och längs dem förs råvaror na från skogarna till träförädlingsindustrierna. En enda bogserbåt förmår på en gång dra en stockflotte som till lands skulle kräva mer än tiotalet långa tågsätt.

Statsmakten håller på att återuppliva den lamslagna båttrafiken på sjöarna och redan under de närmaste åren får vi moderna lustjakter i stället för de gamla, idylliska ångsluparna. Hälften av insjöturisterna är utländska. För frisksportarna är sjöarna en verklig guldgruva, t.ex. på Saimen eller i Pielisjärvi får man hyra kanoter, motorbåtar, segelbåtar, rentav stora lustjakter och ställvis har man skapat ett nät av hundratals kilometers omfång med kanotrutter, vid vilka man har övernattnings- och rekreationsplatser. Av semesterpunkterna i Finland ligger största delen i Sjöfinland.

Die Finnische Seenplatte

Finland, land of lakes

Ein finnisches Märchen: es war einmal ein See, in dem war eine Insel, auf der war ein See, in dem war eine Insel, auf der war ein See. Dieses Märchen ist beim Saimaa wirklich wahr — ein gleichartiges Zusammenspiel zwischen Wasser und Land gibt es kaum anderswo auf der Welt.

In Südfinnland zieht sich an der Küste ein schmaler Landstreifen mit wenig Seen entlang; der Rest des Landes gehört praktisch gesehen zur Finnischen Seenplatte. Offiziell gehören ganz Mittelfinnland und Savo, der grösste Teil von Häme und die westlichen Gebiete von Karelien dazu. Das vom Wasser beherrschte Finnland ist in Wirklichkeit viel grösser, aber die verschiedenen Bodenformen trennen zum Beispiel das karelische Bergland als ein eigenes Gebiet ab. Die Finnische Seenplatte zerfällt in drei grosse Wassersysteme, die jeweils einen eigenen Abfluss zum Meer haben: die Seen von Häme über den Kokemäenjoki, die von Mittelfinnland über den Kymijoki und die des Saimaa über den Vuoksi. Die Höhe über dem Meeresspiegel ist im ganzen Gebiet ungefähr gleich: Kallavesi 82 m, Saimaa 76 m, Päijänne 78 m und Näsijärvi 95 m. Bei genauer Untersuchung kann man überall feststellen, dass sowohl die grossen Seeflächen als auch die Buchten und Landzungen von Nordwesten nach Südosten verlaufen; die Spalten im uralten Felsengrund sind so noch heute in der Form der Landschaft zu sehen.

Der Päijänne wirkt geradlinig, wenigstens im Vergleich zum Saimaa, aber auch seine Uferlinie ist voller Buchten: die gerade Länge des Sees von einem Ende bis zum anderen beträgt 120 km, aber die Uferlinie annähernd 2.500 km. Die Uferlinie des Saimaa ist ungefähr 14.000 km lang! In Finnland sollen 100 m Uferlinie auf einen Bewohner entfallen, wenn man das Meer, die Flüsse und die Seen mit ihren Inseln zusammenrechnet. Wenn man die ungefähr auf gleicher Höhe liegenden, durch schmale Landengen miteinander verbundenen Gewässer als einen See ansieht, ist der so Saimaa der fünftgrösste See in Europa.

In Finnland gibt es viel Wasserfläche, aber erstaunlich wenig Wasser! Die tiefsten Stellen der grossen Seen reichen bis zu hundert Meter, aber die Durchschnittstiefe der Seen liegt selten über 20 m. Der Päijänne und der Saimaa haben im Durchschnitt eine Tiefe von 17 m; die anderen Seen sind noch flacher. Wegen der Flachheit verschmutzen die Seen leicht, aber aufgrund neuer Verordnungen und grosser finanzieller Aufwendungen dürften sie in Zukunft sauber bleiben.

Die Seen haben auch für die Industrie erhebliche Bedeutung. Sie transportieren die — in Zukunft gut gereinigten — Abwässer fort, und auf ihnen wird das Rohmaterial aus den Wäldern zur Holzverarbeitungsindustrie befördert; ein Schlepper zieht auf einmal ein Baumfloss, für dessen Transport auf dem Lande über zehn lange Züge nötig wären.

Der Schiffsverkehr im Seengebiet wird von staatlicher Seite gefördert. Die Hälfte der hier reisenden Touristen sind Ausländer. Auf dem Saimaa und dem Pielinen kann man Kanus, Motorboote, Segelboote und sogar grosse Jachten mieten. Der grösste Teil der finnischen Urlaubsziele liegt im Gebiet der Finnischen Seenplatte.

There was once a lake in which there was an island in which there was a lake in which there was an island in which there was a lake. This was part of an old fairy-tale — but it is almost true of the lake-country of Finland.

In the south of Finland there is a rather narrow strip of land running along the coast which has very few lakes in it, a part of the country which is vivified by rivers. Finland as the Land of Lakes begins farther to the north and includes the greater part of Häme province, Middle-Finland, Savo and a part of Karelia. The lake-country of Finland splits into three great water-networks, each one of which runs its own waters through its own river-beds to the sea: the waters of Häme run through the Kokemäki River, the waters of Middle-Finland through the Kymi River and the waters of the Saimaa waterways by way of Vuoksi. The height of the lake-surfaces above sea-level is rather uniform: Kallavesi 82 meters, Saimaa 76 meters, Lake Päijänne 78 meters and Näsijärvi 95 meters. The direction of the flow of the water is the same, proceeding through splits in the bed-rock from northwest to southeast. There are some lakes in which the flow is in a different direction but this is a result of geological upheavals limited to the area.

Lake Päijänne appears to have a definite shape, at least when compared with Saimaa, but although the length of the lake from one end to the other is 120 kilometers its shore line, with all its twists and turns, is twenty times that length. It has been estimated that there are hundred meters of shore-line in Finland per each inhabitant; but the rivers are taken into account in this calculation. In the Saimaa area if all of the waters at the same height, flowing in the same direction, and separated from each other only by narrow isthmuses but otherwise joined together are counted as constituting one lake, then the Great Lake of Saimaa would be the fifth largest lake in Europe.

Finns are proud of their lakes but they tend to forget that there is not very much water in them! The lakes of Finland are shallow, frighteningly shallow. At their deepest points they go down to a hundred meters, to be sure, but the average depth of Lake Päijänne and Saimaa for example is 17 meters, and in other lakes it is only from five to ten meters! The average precipitation of one year in Finland would serve to fill all the lakes of Finland! It is because of this shallowness that the waters of the lakes are so badly polluted in certain places. New, strict regulations will perhaps restore the waters to a clear condition. The lakes are important for industry — and not simply as a mode of disposing of wastewaters — one tug is capable of drawing a log-raft the transportation of which by land-routes would require from ten to twenty long trains.

The State of Finland has been fostering traveling on the lakes, and the results are beginning to be evident. The Finns have been building so many summer-cottages on the shores of their lakes that it has become necessary to protect the natural landscapes by special legislation. A water-route has been designed on the Saimaa chain of lakes for paddling, or sculling.

The greater part of the vacation-spots in Finland are in the lake-country.

Satojen järvialtaiden muodostama **Iso Saimaa** on Suomen suurin järvi, sillä Varkauden, Joensuun, Imatran, Lappeenrannan ja Mikkelin rajaamalle alueelle mahtuu vettä 4.400 km². Järven pinta on 76 m merenpintaa korkeammalla ja syvin kohta putoaa 82 m:iin. Kun saaretkin lasketaan mukaan, kertyy rantaviivaa kaikkiaan 13.700 km — yli kolmannes maapallon ympäryksestä! Saimaan vesimassojen vyöryntä kohti Laatokkaa mahtavana Vuoksena alkaa Imatralta

Suomen kuuluisimpana koskena Imatrankoskena, mutta viereinen Suomen suurin vesivoimalaitos juo veden niin tarkkaan, että vain harvoin vesi ryöppyää luonnollisessa uomassaan. Laivojen kulkutienä on Lappeenrannasta Suomenlahteen johtava uudistettu Neuvostoliiton puolella sijaitseva Saimaan kanava, jonka ansiosta Saimaan selkiä halkovat matkustajalaivojen /304/ lisäksi suuretkin rahtialukset.

Stor-Saimen, som består av hundratals sjöbäcken är Finlands största sjö, ty inom det område som omgärdas av Varkaus, Joensuu, Imatra, Villmanstrand och St. Michel ryms 4.400 km² vatten. Sjöns yta ligger 76 m ovanom havsytan och djupaste stället går ned på 82 m. Då man också räknar med öarna, blir strandlinjen i allt 13.700 km lång — mer än tredjedelen av ekvatorlinjen! Saimens vattenmassor börjar tumla ned mot Ladoga

i den mäktiga Vuoksen vid Imatra, där Finlands mest berömda fors Imatrankoski ligge Men landets största vattenkraftverk därinvid dricker upp vattnet så noggrannt, att det endast sällan får skumma fram i sin naturliga fåra. Båtarna går från Villmanstrand till Finska Viken längs den renove rade Saima kanal på sovjetiskt område. Tack vare den krossar inte bara passagerarfartyg /30 Saimens fjärdar, utan också nog så stora fraktfartyg.

303

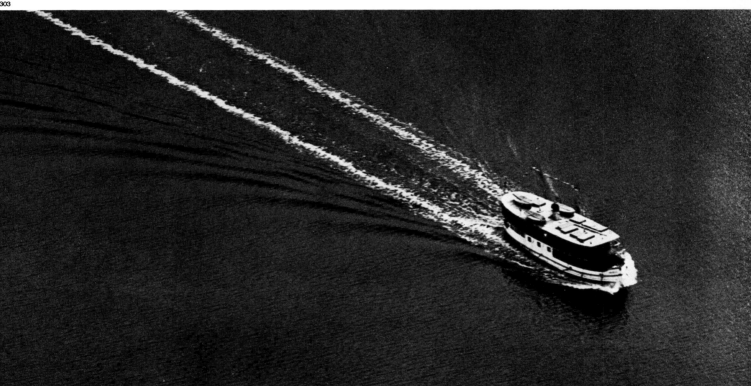

304

Der **Grosse Saimaa** ist der grösste ee Finnlands, denn das Gebiet zwischen Varkaus, Joensuu, matra, Lappeenranta und Mikkeli umfasst eine Wasserfläche von 4.400 km². Die Oberfläche des Sees liegt 76 m über dem Meeresspiegel und die tiefste Stelle bei 82 m. Wenn man die nseln mitrechnet, ergibt sich eine Uferlinie von insgesamt 13.700 km — über ein Drittel des Erdumfangs! Die Wassermassen des Saimaa fliessen durch das Bett des Vuoksi zum Ladoga-See ab. Ausgangs-

punkt ist Finnlands berühmtester Wasserfall Imatrankoski bei Imatra, aber das daneben liegende grösste Wasserkraftwerk Finnlands schluckt das Wasser so gründlich, dass dieses nur selten aus seinem natürlichen Bett überschäumt. Als Fahrweg für Schiffe dient der erneuerte Saimaa-Kanal, der auf der Seite der Sowjetunion liegt. Aufgrund dessen zerschneiden nicht nur Passagierschiffe /304/, sondern auch grosse Frachter die Gewässer des Saimaa-Gebiets.

Great Saimaa, made up of hundreds of lake-basins, is Finland's greatest lake, since the area includes 4,400 square kilometers of surface covered by water. The surface of the lake is 76 meters above sea-level and the deepest point of the lake is 82 meters deep. The shoreline, if the islands are also counted, amounts to 13,700 kilometers, over one-third the circumference of the globe. The water-mass of Saimaa flows toward Lake Ladoga in the water-bed of

the Vuoksi, with the famous Imatra rapids, starting from Imatra — but the adjoining power-station takes the water with such exactness that it is rare that it should splash in its natural channel. The Saimaa Canal stretch located on the Soviet Union side of the border has been restored as a route for ships from Lappeenranta to the Gulf of Finland and not only passenger-ships /304/ but freighters ply the waters of Great Saimaa.

305

307

308

309

310

Savonlinna on Saimaan laiva-liikenteen solmukohta /314/, sieltä johtavat reitit Lappeen-rantaan, Mikkeliin, Punkahar-julle, Joensuuhun ja kahta kautta Kuopioon; lisäksi on suora reitti Mikkelistä Lappeen-rantaan. Risteilyistä tunnetuim-mat ovat Viikko Saimaalla ja kolmipäiväinen Sinikolmio eteläisellä Saimaalla. Yksi kauneimmista reiteistä on Savon-linnan ja Kuopion välinen itäisempi väylä, **Heinäveden reitti** /307-310/.

Nyslott är en knutpunkt för båttrafiken på Saimen /314/. Där utgår rutterna mot Vill-manstrand, St. Michel, Punka-harju, Joensuu och på två olika vägar mot Kuopio; dessutom finns en direkt rutt från St.Michel till Villmanstrand. De bäst kända av kryssningarna är En Vecka på Saimen och tre dagars turen Blå-triangeln på sydliga Saimen. En av de vackraste rutterna är den östra mellan Nyslott och Kuopio, den kallas **Heinävesi-rutten** /307-310/.

Savonlinna ist ein Knotenpunkt für den Schiffsverkehr im Sai-maa-Gebiet /314/, von dort führen Routen nach Lappeen-ranta, Mikkeli, Punkaharju, Joensuu und Kuopio. Ausserdem besteht eine direkte Verbindung von Mikkeli nach Lappeenranta. Die bekanntesten Kreuzfahrten sind die Woche auf dem Saimaa und die 3 Tage dauernde Kreuz-fahrt Sinikolmio im südlichen Saimaa-Gebiet. Eine der schön-sten Routen ist die **Route** von **Heinävesi** /307-310/.

Savonlinna /314/ is a junct[ion] point of the Saimaa boat-traffic, with routes leading t[o] Lappeenranta, Mikkeli, Punk[a]harju, Joensuu and two by [way] of Kuopio. The most famous cruises are the Week-on-the-Saimaa cruise and the 3-day Blue Triangle cruise (Sini-kolmio) on the southern part of the Saimaa lake-chain. One of the most beautiful excursion-routes is the easter[n] channel between Savonlinna and Kuopio, the **Heinävesi route** /307-310/.

Saimaan saariin Haukiveden ja Pihlajaveden väliin ahtautuneen 30.000 asukkaan **Savonlinnan** ylpeytenä on Suomen matkailun tunnuskuvana paljon käytetty, v. 1475 perustettu **Olavinlinna** /312/, joka kohoaa vaikeasti valloitettavana vuolaan Kyrönsalmen pienessä saaressa. Paitsi sotilaallisena tukikohtana linna toimi aikanaan vuosisatoja Itä-Suomen hallinnollisena keskuspaikkana. Nykyisen elämän kohokohtia ovat...

Den på öar i Saimen mellan Haukivesi och Pihlajavesi inträngda staden **Nyslott,** med 30.000 invånare, bär stolt på det 1475 grundade **Olofsborg,** ofta använd som ett signum för turismen i Finland /312/. Borgen reser sig, svårerövrad, på en liten ö i det strida Kyrönsalmi. Utom som militär stödjepunkt fungerade borgen på sin tid i århundraden som en administrativ centralort i östra Finland. Numera hör till tillvarons höjdpunkter...

Der Stolz des auf den Inseln des Saimaa zwischen dem Haukivesi und dem Pihlajavesi eingezwängten **Savonlinna** mit seinen 30.000 Einwohnern ist die im Jahre 1475 gegründete Festung **Olavinlinna** /312/, die auf einer schwer einnehmbaren kleinen Insel im Sund Kyrönsalmi emporragt. Diese Burg diente nicht nur als militärischer Stützpunkt, sondern sie war auch jahrhundertelang das administrative Zentrum von Ostfinnland...

The pride of **Savonlinna,** the city of 30,000 inhabitants crammed onto the island of Saimaa between Lake Haukivesi and Lake Pihlajavesi, is the **Olavi Castle** /312/, founded in 1475 and often used as a symbol of Finnish tourism. The castle is on a little island of the Kyrö Stra. The Olavi Castle served not only as a military strongpoint but also for centuries as the administrative center of East Finland...

...jokakesäiset oopperaesitykset **Suurella linnanpihalla** /313/. Ne kuuluvat osana heinäkuisiin, jo v. 1912 alkaneisiin — tosin välillä keskeytyneisiin — Savonlinnan Oopperajuhliin, jotka ovat erikoistuneet kamarimusiikkiin ja oopperaan. Monipuolisten, kaupungin lähiseudutkin kattavien juhlien ohjelmassa on konserttien lisäksi mm. kesäteatteria ja taide- ja taideteollisuusnäyttelyjä.

... de varje sommar arrangerade operaföreställningarna på **Stora borggården**/313/. De är en del av Operafestspelen i Nyslott, som arrangerats ända sedan 1912 — dock med avbrott, vid vilka man specialiserat sig på kammarmusik och opera. I det mångsidiga festprogrammet, som också täcker närorterna, förekommer utom konserter bl.a. sommarteater samt konst- och konstindustriutställningar.

...Zu den heutigen Höhepunkten gehören die jeden Sommer stattfindenden Opernvorstellungen im **Grossen Burghof** /313/. Diese sind ein Teil der seit 1912 durchgeführten Opernfestspiele von Savonlinna, die sich auf Kammermusik und Opern spezialisiert haben. Zum Programm der vielseitigen Festspiele, die sich auch auf die Umgebung der Stadt ausdehnen, gehören ausser Konzerten u.a. Sommertheater sowie Kunst- und Kunstgewerbeausstellungen.

...Among the high points of its present use is the summer-opera which is presented annually in the **Great Courtyard** of the castle /313/. The opera performances in the castle are a part of the Opera Festival of Savonlinna, a festival initiated in 1912 which specializes in opera and chamber-music. In addition to concerts and summer-theater there are also art-exhibitions and industrial-design exhibitions within the framework of the festival.

314

315

Savonlinnan satama /314/, Saimaan laivareittien kokooja, toimii kesäöisin vanhojen, hillityn arvokkaiden ja hitaiden höyrylaivojen lepopaikkana. Aamuisin on elämää laivojen höyrytessä reiteilleen /307/. Lähellä Savonlinnaa sijaitsevasta, tiettävästi maailman suurimmasta puupyhätöstä **Kerimäen kirkosta** /315/ on monta tarinaa. Yksi väittää rakennettaessa tapahtuneen mittakaavan lukuvirheen, toinen sanoo kerimäkeläisten olleen aikanaan niin heränneitä, että koko seurakunta piti saada kerralla yhteen. Alun perin laaditut 1.500 hengen kirkon piirustukset hylättiin ja tehtiin uudet 5.000 henkeä varten. Osa kerimäkeläisistä olisi halunnut vielä suuremman kirkon, mutta intendentinkonttori epäili näinkin suuren rakennuksen pystyssä pysymistä. Joka tapauksessa v. 1847 valmistui tämä uusgotiikkaa ja uusbysanttilaisuutta edustava kirvesmiestaidon mestarinäyte, jossa puun tarjoamia mahdollisuuksia on käytetty nerokkaasti hyväksi niin rakenteissa kuin koristeissakin.

Nyslotts hamn /314/ som samlar upp båtrutterna på Saimen, tjänar under sommarnätterna som viloplats för gamla, lugnt värdiga och långsamma ångfartyg. Om morgnarna är det livfullt då båtarna ångar ut på sina rutter /307/. Det finns en mängd sägner om den nära Nyslott belägna **Kerimäki kyrka** /315/, såvitt man vet världens största trähelgedom. I en sägs det, att det vid byggandet skedde ett fel vid bedömningen av måttskalan, i en annan att kerimäkiboarna på sin tid var så väckta, att hela församlingen på en gång skulle få rum i kyrkan. Ritningarna, som från början var för en kyrka för 1.500 personer, kasserades, man gjorde nya för 5.000. En del sockenbor skulle ha velat ha en ännu större kyrka, men intendentkontoret var tveksamt om ens en så här stor kyrka skulle hållas samman. I varje fall blev detta timmermanskonstens mästarprov, som representerar nygotik och nybysantism, färdigt år 1847. De möjligheter trävirket erbjuder, är genialt utnyttjade både i konstruktionerna och i de dekorativa inslagen.

Der **Hafen** von **Savonlinna** /314/, in dem die Schiffsrouten des Saimaa zusammenlaufen, dient in den Sommernächten als Ruheplatz für die alten, ehrwürdigen Dampfschiffe. Am Morgen herrscht reger Betrieb, wenn die Schiffe aus dem Hafen auslaufen /307/.
Von der in der Nähe Savonlinnas gelegenen **Kirche** von **Kerimäki** /315/, die wahrscheinlich die grösste Holzkirche der Welt ist, werden viele Geschichten erzählt. So wird z.B. behauptet, dass beim Bau der Kirche ein falscher Masstab verwendet worden sei. Einer anderen Version nach sollen die Einwohner von Kerimäki so fromm gewesen sein, dass sich die ganze Gemeinde gleichzeitig versammeln wollte. Die ursprünglich angefertigten Zeichnungen für eine 1.500 Personen fassende Kirche wurden abgelehnt, und es wurde eine neue Kirche für 5.000 Personen entworfen. Ein Teil der Bevölkerung hätte gern eine noch grössere Kirche gebaut, aber die Intendantur bezweifelte, ob ein so grosses Gebäude überhaupt aufrecht stehengeblieben wäre. Dieses Meisterwerk der Zimmermannskunst, in dem die vom Holz gebotenen Möglichkeiten sowohl bei den Konstruktionen als auch bei den Ornamenten in genialer Weise ausgenutzt worden sind, wurde 1847 fertiggestellt.

The **harbour of Savonlinna** /314/, a focal point of the Saimaa boat-routes, serves during the summer-nights as a resting-place for the damped-down, dignified slow steam-ships. In the morning they come to life and steam off on their routes /307/.
There are many stories about the **Church of Kerimäki** /315/, certainly among the largest of the wooden churches in the world, which is located close to Savonlinna. It is said that a mistake was made in the scale of the church in building it, which accounts for its great size. It is also said that the inhabitants of Kerimäki were so enthusiastic about church-going that the church had to be large enough to accommodate all of them at once. The original plans for a church to hold 1,500 persons were rejected, and new plans were made for a church for 5,000 persons. Some of the Kerimäki folk wanted even a larger church but the Office of the Intendant of Public Buildings doubted that so big a building would be able to stand up. In any case the church, completed in 1847, is a splendid neo-gothic and neo-Byzantine example of the master-craft of the wood workers, in which the possibilities of the wood have been realized with genius both in the construction and in the decoration.

Suomen tunnetuimpaan matkailukohteeseen, Pihlajaveden ja Puruveden välissä kohoilevaan **Punkaharjuun** /316-318/, voi automatkaajakin tutustua vaivattomasti maantien mutkitellessa tämän jääkauden synnyttämän seitsenkilometrisen harjun lakimaita päästä päähän. Paikoin harju kapenee muutamametriseksi selänteeksi, mutta työntää sitten järvenselille leveitä, sokkeloisia niemiä ja piilottelee kainaloissaan pikkulampia. Nykyisin Punkaharju on siistityn kaunis, mutta aikanaan se on kokenut kovia: sen muodostumisesta luonnonsuojelualueeksi kiisteltiin muinoin suuresti — kuten nykyisinkin uusista alueista — sen luonnetta muuttivat sittemmin maantie ja rautatie, ja ensimmäisen maailmansodan aikana sen puustoa parturoitiin sotilaallisista syistä. Harjun 24 m korkeaa kumparetta kutsutaan Runebergin kummuksi kansalliskirjailijan sepitettyä siellä runojaan. Monien pikkunähtävyyksien lisäksi harjun pohjoisosassa on erikoinen Laukansaaren arboretum. Läheisyydessä on lomailupaikkoja leirintäalueista hotelliin.

Finlands bäst kända turistmål, **Punkaharju** /316-318/ som reser sig mellan Pihlajavesi och Puruvesi kan bilturisten bekanta sig med utan besvär emedan landsvägen slingrar sig längs denna sju kilometer långa, under istiden uppkomna ås från ena ändan till den andra. Ställvis smalnar åsen till en rygg på några meter men skjuter sedan ut breda, labyrintiska näs mot sjöfjärdarna och gömmer små tjärnar i sina armhålor. Numera är Punkaharju vackert ansad, men på sin tid genomgick åsen hårda öden. Man tvistade då storligen om att göra åsen till naturskyddsområde — precis som man nu tvistar om nya områden. — Dess karaktär ändrades sedan av landsväg och järnväg, och under första världskriget barberade man av militära skäl bort trädbeståndet. Åsens 24 m höga toppkulle kallas Runebergs kulle ty nationalskalden skrev där några dikter. Vid sidan om många mindre sevärdheter har vi i norra ändan av åsen det unika Laukansaari arboretum. I närheten ligger semesterplatser alltifrån campingplatser till hotell.

Finnlands bekanntestes Touristenziel, den zwischen dem Pihlajavesi und dem Puruvesi aufragenden **Punkaharju** /316-318/, kann auch der motorisierte Urlauber mühelos kennenlernen, denn die Strasse zieht sich in vielen Windungen von einem Ende dieses in der Eiszeit entstandenen, 7 km langen Landrückens bis zum anderen. Stellenweise wird der Landrücken zu einem nur einige Meter schmalen Streifen, aber gleich danach wird er breiter und verbirgt zwischen Landzungen und in Buchten kleine Teiche. Heute ist der Punkaharju gepflegt und schön, aber früher hat er abwechslungsreiche Zeiten erlebt: seine Umwandlung in ein Naturschutzgebiet war sehr umstritten, durch den Bau der Landstrasse und der Eisenbahn wurde sein Charakter verändert und während des Ersten Weltkrieges wurde sein Waldbestand aus militärischen Gründen abgeholzt. Die 24 m hohe Anhöhe auf dem Landrücken wird Runeberg-Hügel genannt, weil der Nationaldichter dort seine Gedichte schrieb. Neben vielen kleinen Sehenswürdigkeiten befindet sich im nördlichen Teil des Landrückens der Baumgarten von Laukansaari.

Punkaharju, the most famous objective of tourism in Finland /316-318/, rising up between Pihlajavesi and Puruvesi, can be easily traversed by auto by driving along the curves of the motor-highway from one end to the other of this seven-kilometer ridge produced by the ice-age. At places the ridge narrows to a formation only a few meters wide but then spreads out at the level of the lakeside into wide labyrinthine projections hiding little pools in its recesses. At the present time Punkaharju is well kept and beautiful but there were times when it was threatened by changes. A highway and a railway were built in the area. There was much dispute about its being turned into a natural preserve area. During the First World War its tree-growth was cut for military reasons. A 24-meter high hillock on the ridge is called Runeberg's Knoll because it was there that the national poet composed some of his poems. In the northern part of the ridge there is the special Laukansaari arboretum. In the vicinity of the ridge there are various tourist accommodations ranging from camping-areas to hotels.

Suomessa on lähes miljoona saunaa: maaseudulla omissa rakennuksissaan, taajamissa kerrostalojen kellareissa, luksushuoneistoissa yhtenä huoneena, hotelleissa, leirintäalueilla, uimahalleissa, jopa asuntovaunuissa. Nykyisin uudelleen muotiintulevassa savusaunassa puut poltetaan kiukaan alla niin, että savu tulee saunan sisälle, Uloslämpiävissä saunoissa voidaan lämmitystä jatkaa saunomisen aikana. Nykyisin kiuasta — lämmön antavaa kivikasaa — lämmitetään yleisesti myös sähköllä. Saunassa lämpö on 70—120°C ja sitä säädetään heittämällä vettä kiukaalle. Saunakulttuuriin kuuluu pyyteetön alastomuus.

Det finns närmare en miljon bastur i Finland; på landsbygden i skilda byggnader, på tätorterna i höghusens källarvåningar, i lyxvåningar som ett av rummen, i hotell, på campingplatser, i simhallar, rentav i husvagnar. I rökbastun, som nu igen blir på modet, bränns träden under röset så, att röken silar sig in i bastun. I de bastur, där röken går ut, kan man fortsätta uppvärmningen medan man badar. Numera värms röset — den stenhög som ger värmen — också allmänt med elektricitet. I bastun är hettan 70—120°C och den regleras genom att man med en skopa kastar vatten på stenarna. Till bastukulturen hör en osjälvisk nakenhet.

In Finnland gibt es ungefähr eine Million Saunas: auf dem Lande in freistehenden Gebäuden, in den Städten im Keller der Etagenhäuser, in den Luxuswohnungen als separater Raum, in Hotels, auf Campingplätzen, in Schwimmhallen und sogar in Wohnwagen. In der heute wieder modern gewordenen Rauchsauna wird das Holz unter dem Saunaofen so verbrannt, dass der Rauch im Inneren der Sauna bleibt. In einer Sauna mit Rauchabzug kann man auch während des Badens noch weiter heizen. Heutzutage wird der Saunaofen im allgemeinen elektrisch geheizt. Die Temperatur in der Sauna beträgt 70—120°C und wird reguliert, indem man Wasser auf die Ofensteine giesst.

There are almost a million saunas in Finland: in separa buildings in the countryside in the basements of apartm buildings in the cities, in separate rooms in luxuryapartments, in hotels, in camping-areas, in swimming halls, even in campingtrailers. In the outside-surface heated saunas it is possible to have the heating of the sauna going on while the sauna is be used. At present the saunastove, with the stones which radiate the heat, is generally heated by electricity. The temperature in the sauna is from 70 to 120 degrees centigrade, and the heat is regulated by throwing water on the stove.

Punkaharjun /316-318/ lähei-
syydessä sijaitseva **Kultakiven
lomailukeskus** /320/ on lajis-
saan Suomen parhaita. Useiden
lampien ja järvien rantamilla ja
kannaksilla ovat erillisinä leirin-
täalue, asuntovaunualue, leirin-
tämäjakylä, nuorison oma
leirintäalue ja lomamajakylä se-
kä harrastusmahdollisuudet. Lo-
ma- ja leirintämajoja on toista sa-
taa. Kultakivessä on mm. ravinto-
la, disko, valintamyymälä, ten-
niskenttä, pienoisgolf, lasten-
kaitsijat, kuntourheilun ohjaa-
jat, vesihiihtoa, ratsastusta, savu-
sauna, kymmenen tavallista
saunaa. Mukavuuksia on tarjolla
tv-huoneesta automaattipesu-
koneisiin.

Det i närheten av Punkaharju
/316-318/ belägna **Kultakivi
semestercentret** /320/ hör i
sitt slag till Finlands bästa.
På stränderna och näsen till
flera tjärnar och sjöar ligger
campingområdet, husvagns-
området, campingstugubyn,
ungdomens eget område,
semesterstugubyn och hobby-
möjligheterna. Semester-
och campingstugornas antal
överstiger etthundra. Här finns
också bl.a. restaurang, disko,
snabbköp, tennisplan, miniatyr-
golf, barnvakter, ledare för
konditionsidrott, möjlighet att
åka vattenskidor och att rida,
en rökbastu, tio vanliga bastur.
Bekvämligheter står till buds,
allt från ett tv-rum till automa-
tiska tvättmaskiner.

Das in der Nähe des Punkaharju
/316-318/ gelegene **Ferienzent-
rum** von **Kultakivi** /320/ gehört
zu den besten seiner Art in Finn-
land. An den Ufern der Teiche
und Seen befinden sich vonein-
ander getrennt ein Camping-
platz, ein Wohnwagengelände
und ein eigenes Campinglager
für die Jugend. Es gibt über 100
Ferienhäuser und Camping-
hütten. Hier befinden sich u.a.
ein Restaurant, eine Diskothek,
ein Selbstbedienungsladen,
Tennis- und Minigolfplätze,
Babysitter, Anlagen für Wasser-
ski und Reiten, eine Rauchsauna
sowie 10 gewöhnliche Saunas.
Vom Fernsehraum bis zu auto-
matischen Waschmaschinen
findet der Tourist allen Komfort.

The **Kultakivi tourist-center**
/320/ near Punkaharju /316-
318/ is among the best of its
kind in Finland. On the shores
and isthmuses of the numerous
ponds and lakes there are a
separate camping-area, a
trailer-area, a camping-cottage
village, a youth-camp and a
vacation-village as well as
sports facilities. There are over
a hundred vacation and
camping cottages. Kultakivi
has a restaurant, a disco-
theque, a variety store,
a tennis court, a miniature
golf-course, baby-sitters,
sports directors, water-skiing,
riding, a smoke-sauna, and a
dozen regular saunas. The
facilities offered range from a
TV-room to automatic
washing-machines.

Karjala

Karelen

Karjalan heimo on saamelaisten ohella Suomenmaan kovimpia kokenut väestönosa. Muinaiseen Suur-Karjalaan kuuluivat Suomen Karjala sekä Aunuksesta ja Vienasta koostuva Itä-Karjala aina kauas Vienanmerelle saakka. Idän ja lännen ristiriidat ovat kymmeniä kertoja muutelleet rajoja, jakaneet heimon kahtia tai riepotelleet sitä kauas syntymäsijoiltaan.

Viime sotiin asti yhtenäisen alueen muodostanut Suomen Karjala käsitti Karjalan kannaksen, Laatokan luoteispuolella sijaitsevan Laatokan Karjalan, pohjoispuolisen Raja-Karjalan ja nykyisinkin kokonaisuuden muodostavan Pohjois-Karjalan. Sodassa Suomi menetti Neuvostoliitolle tästä kaakkoisesta maakunnastaan lähes 25.000 km², josta viljeltyä maata oli kymmenesosa. — Nyt melkein suoraviivainen raja oikaisee Ilomantsista suoraan Suomenlahdelle jättäen lähimmillään kuulun Laatokan vajaan 25 km:n päähän.

Laatokan Karjala ja Karjalan kannas ovat supistuneet **Etelä-Karjalaksi**, kapeaksi maakaistaleeksi Saimaan ja valtakunnan rajan väliin. Varsinainen Salpausselkä, jota tie seurailee Kouvolasta Lappeenrannan kautta Imatralle, jakaa maakunnan pohjoiseen, yli viidenneksen vesistöjä käsittävään osaan ja eteläisempään, vähäjärviseen osaan. Salpausselän eteläreunassa ovat pellot, eniten niitä on koillisessa Simpeleellä ja Parikkalassa, missä automatkaaja näkee monessa kohdin Neuvostoliiton puolelle. Tärkeimmät asutus- ja teollisuuskeskukset ovat Lappeenranta ja Imatra, teollisuutta on myös Joutsenossa ja Simpeleellä. Lappeenranta on yksi Suomen vilkkaimmista kesämatkailukeskuksista, Saimaa pakottaa maanteitse kulkevat sinne. Alueella on satoja lomamajoja, vilkas laivaliikenne paitsi järville myös Saimaan kanavalle, lentokenttä ja runsaasti muita palveluja.

Aidoimmillaan karjalaisuus on järvialueen reunamilla ja itäisillä erämailla sijaitsevassa **Pohjois-Karjalassa**. Maakunta on suhteellisen korkeaa maata, keskikorkeus peräti 150 m, ja mahtavia ovat sen vuoretkin. Pitkän Pielisen länsirannalla kohoava maankuulu Kolin vaarajono yltää jo 254 metrin korkeuteen viereisestä järvestä, — vastaavaa on vasta Lapissa napapiirin pohjoispuolella. Kolin näkymät kilpailevat Kuusamon maisemien kanssa, avaruutta on enemmänkin. Neuvostoliiton rajan läheisyydessä ja Pielisen länsipuolella on vähäjärvisiä alueita, mutta muualla vedet hallitsevat viidennestä pinta-alasta. Saimaa on lounaisosien valtavesi, pohjoisessa on maakunnan ylpeytenä 100 km pitkä, 40 km leveä ja 942 km² laaja Pielinen. Myös Höytiäinen ja Koitere ovat niin luonnoltaan kuin historialtaan merkittäviä järviä. Suot valtaavat itäosissa puolet maasta. Viljelmät ovat usein vaarojen lakimailla. Parhaimmillaan peltomaita on 15 %, idässä on laajoja täysin asumattomia erämaita. Metsäteollisuus on tärkein, kuparia tuottava Outokummun kaivos omalla alallaan merkittävä.

Karjalaisuuden vaalimiseksi on Joensuussa ja Lappeenrannassa Karjalantalot, ja muuallakin henkii entisyys voimakkaana. Ortodoksisuus, runonlaulanta ja ihmeteltävän omaleimainen ja monipuolinen ruokakulttuuri ovat kehyksinä Runon ja Rajan tiellä, itärajaa lähentelevällä pitkällä matkailureitillä. Vahvimmillaan tunnelma on Ilomantsissa; kaupallisen matkailun keskuksena on Joensuu lentokenttineen.

Den karelska stammen har vid sidan om samerna genomgått de hårdaste ödena i Finland. Till det forna Stor-Karelen hörde Finska Karelen samt det av Aunus och Fjärr-Karelen bildade Öst-Karelen som sträckte sig långt mot Vita Havet. Kontroverser mellan öst och väst har ett tiotal gånger flyttat på gränserna, tudelat stammen och spritt ut den långt från födelsebygderna.

Det ända till de senaste krigen enhetliga Finska Karelen omfattade Karelska Näset, det nordväst om Ladoga belägna Ladoga-Karelen, det nordliga Gräns-Karelen och norra Karelen, nu en enhet. Vid fredslutet förlorade Finland åt Sovjet närmare 25.000 km² av detta sydöstra landskap, varav tiondedelen odlad jord. Den nu nästan rätlinjiga gränsen löper från Ilomants direkt till Finska Viken och närmaste avstånd till den berömda Ladoga-sjön är nu 25 km.

Ladoga-Karelen och Karelska Näset har krympt till **södra Karelen,** ett smalt jordbälte mellan Saimen och riksgränsen. Det egentliga Salpausselkä, som vägen från Kouvola via Villmanstrand till Imatra följer, delar landskapet i en nordlig del som omfattar mer än femtedelen vatten och en sydlig, på sjöar fattigare del. Vid södra randen av Salpausselkä ligger åkrar, främst i nordost, i Simpele och Parikkala, där bilturisten mångenstädes kan se in på sovjetiskt område. De viktigaste bostads- och industriorterna är Villmanstrand och Imatra, industri finns också i Joutseno och Simpele. Villmanstrand är en av landets livfullaste sommarturistorter, Saimen leder dit dem som reser landvägen. På området finns hundratals semesterstugor, en livlig båttrafik både på sjöarna och på Saima kanal. Här finns ett flygfält och mycken god service.

Mest äkta verkar det karelska att vara vid utkanten av sjöområdet och i de östliga ödemarkerna, i **norra Karelen.** Landskapet är relativt höglänt, medelnivån rentav 150 m och bergen är mäktiga. På västra stranden av långa Pielinen reser sig den bekanta Koli-bergskedjan som når 254 m över sjöytan, en motsvarighet till detta finns endast norr om polcirkeln, i Lappland. Utsikten från Koli tävlar med den i Kuusamo, men här finns mera rymd. Nära gränsen till Sovjet och väster om Pielinen finns sjöfattiga områden, men annorstädes upptar vattnen femtedelen av arean. Saimen är huvudvattendrag i sydväst, i norr har vi landskapets stolthet, Pielinen, 100 km lång, 40 km bred och med en areal om 942 km². Både naturmässigt och historiskt betydelsefulla sjöar är Höytiäinen och Koitere. I öster fyller kärren halva arean. Odlingarna ligger ofta på fjällens toppar. Högst 15 % är odlad jord, i öster ligger vidsträckta obebodda ödemarker. Skogsbruket är viktigt. Koppargruvan i Outokumpu är betydelsefull.

För att omhulda det karelska har man Karelska Hus i Joensuu och Villmanstrand, också på andra orter får forntiden kraftig betoning. På Diktens och Gränsens väg, ett långt turiststråk som löper nära ostgränsen, fäster man uppmärksamhet vid ortodoxa drag, runosång och den förunderligt originella och mångsidiga matkulturen. Kraftigast är stämningen i Ilomants. Som handelscentrum för turismen står Joensuu, med sitt flygfält.

Karelien

Die Karelier haben neben den Lappen das härteste Schicksal in Finnland ertragen müssen. Zum alten Gross-Karelien gehörte ausser dem Finnischen Karelien das aus Olonets und Archangelsk bestehende Ost-Karelien bis hin zum Weissen Meer. Die Konflikte zwischen Ost und West haben die Grenzen viele Male verschoben und den karelischen Stamm aufgeteilt oder ihn weit von seinen Heimatgebieten vertrieben.

Das Finnische Karelien bildete bis zu den Kriegen ein zusammenhängendes Gebiet, das die Karelische Landenge, Ladoga-Karelien nordwestlich vom Ladoga-See, das nördliche Grenz-Karelien und das heutige Nord-Karelien umfasste. Im Krieg verlor Finnland ungefähr 25.000 km² von seiner südöstlichen Provinz an die Sowjetunion, davon war ein Zehntel Anbaufläche. — Die heute beinahe geradlinige Grenze verläuft von Ilomantsi direkt zum Finnischen Meerbusen, und die kürzeste Entfernung zum Ladoga-See beträgt knapp 25 km.

Ladoga-Karelien und die Karelische Landenge sind zu **Süd-Karelien,** einem schmalen Landstreifen zwischen dem Saimaa und der Landesgrenze, zusammengeschrumpft. Der eigentliche Salpausselkä zerteilt die Provinz in einen nördlichen Teil, in dem ein Fünftel der Fläche aus Seen besteht, und in einen südlichen Teil, in dem es nur wenig Gewässer gibt. Am Südrand des Salpausselkä findet man Felder, die meisten davon liegen im Nordosten, in Simpele und Parikkala. Die wichtigsten Besiedlungs- und Industriezentren sind Lappeenranta und Imatra, aber auch in Joutseno und Simpele gibt es Industrie. Lappeenranta gehört im Sommer zu den belebtesten Fremdenverkehrszentren in Finnland. Hunderte von Ferienhäusern, der Schiffsverkehr auf den Seen und dem Saimaa-Kanal sowie viele andere Attraktionen locken Touristen in dieses Gebiet.

Karelisches Wesen in seiner reinsten Form findet man am Rand des Seengebiets und in **Nord-Karelien.** Diese Provinz liegt verhältnismässig hoch — 150 m im Durchschnitt —, und ihre Berge wirken beeindruckend. Die Bergkette des Koli ragt am Westufer des Pielinen 254 m empor — etwas Entsprechendes findet man nur in Lappland, nördlich vom Polarkreis. Die Aussicht vom Koli kann durchaus mit der Landschaft um Kuusamo konkurrieren. In der Nähe der sowjetischen Grenze und westlich vom Pielinen gibt es Gebiete mit wenig Seen, aber in den übrigen Teilen der Provinz nehmen die Gewässer ein Fünftel von der Landesfläche ein. Der Saimaa ist der grösste See im Südwesten, im Norden bildet der 100 km lange, 40 km breite und 942 km² grosse Pielinen den Stolz der Provinz. Der Höytiäinen und der Koitere sind sowohl wegen ihrer Natur als auch wegen ihrer Geschichte bemerkenswerte Seen. Sümpfe bedecken im Osten die Hälfte des Landes. Der Anteil der Felder steigt im besten Fall auf 15 %, im Osten gibt es weite, unbewohnte Einödgebiete. Forstwirtschaft ist ein wichtiger Industriezweig, das Kupferbergwerk von Outokumpu ein anderer.

Zur Pflege der karelischen Kultur sind in Joensuu und Lappeenranta Karelien- Häuser eingerichtet worden. Der orthodoxe Glaube, die alte Volksdichtung und eine erstaunlich originelle und vielseitige Speisekultur bilden den Rahmen für die Reise auf der langen, dicht neben der Ostgrenze verlaufenden Strasse des Liedes und der Grenze. Am intensivsten spürt man diese Stimmung in Ilomantsi.

Karelia

Along with the Lapps it is Karelians who have suffered the hardest blows of fate. The conflicts between the East and the West have shifted the borders of this area many times and have divided up the Karelian people or driven them far from their native areas. As a consequence of the Second World War Finland lost almost 25,000 square kilometers of this southeastern province of hers to the Soviet Union. The present boundary-line is an almost straight line which runs from Ilomantsi direct to the Gulf of Finland, with the point closest to Lake Ladoga being 25 kilometers away.

Ladoga-Karelia and the Karelian itshmus have been cut down to constitute **South Karelia,** a narrow strip of land between Saimaa and the present national border. The Salpaus ridge which the road follows from Kouvola via Lappeenranta to Imatra divides the province into a northern part, over one fifth of which consists of waterways, and a southern part which has few lakes in it. The most important centers of population and industry are Lappeenranta and Imatra; there is also industry in Joutseno and in Simpele. Lappeenranta is one of Finland's most active tourist-centers. The location of the Saimaa waterway makes the roads run to Lappeenranta. There are hundreds of vacation-cottages in the area and lively boat-traffic not only to the lakes but also into the Saimaa canal. There is an airfield and a great number of services offered.

The character of Karelia at its most authentic is to be found along the edge of the lake-area and in **North Karelia** in the easternmost wilderness. The province is relatively high land, the average height being 150 meters, and the mountains are impressive. The Koli chain of peaks rising up along the west shore of long Lake Pielinen rises up to a height of 254 meters above the level of the lake — the only comparable mountains in Finland are in Lapland, above the Arctic circle. The scenery in the Koli area can compete with that of Kuusamo — there is an even greater sense of openness. There are not very many lakes in the area near the Soviet border and on the west side of Pielinen, but elsewhere the waterways make up a fifth of the total surface-area; Saimaa is the largest body of water in the southwest, in the north the pride of the province is Lake Pielinen, 100 kilometers long, 40 kilometers wide and 942 square kilometers in extent. Höytiäinen and Koitere are also important lakes which have played their roles in history. In the eastern parts of the province swamps take up one-half of the land. Frequently there are cultivated patches of land high up on the hills. At most fields constitute only 15 % of the area and in the east there are wide stretches of uninhabited wilderness. Wood-processing is the most important industry, but the Outokumpu copper-mine must be noted.

Those who are searching for the true Karelian character will be interested in the Karelian houses in Joensuu and in Lappeenranta. The spirit of the past breathes in other parts of the province also. There are indications of the traditional Orthodox religion, the characteristically Karelian singing of song-poems and the very special cuisine of Karelia to be encountered on a trip along the so-called "Poetry and Boundary Road", a long excursion-route which goes close to the eastern border. Ilomantsi is the locality which gives the flavor of the past at its most intense — the usual perquisites of tourism are provided by Joensuu with its air-field and other tourist services.

322 323 324

omalaisten kesätapahtumien tjuun tuovat omaa onnellista riään entisaikojen häitä mu ilevat näytelmät ja kulkueet, ihin yleisö usein voi osallistua ikkapa ruokavieraina. Tunne impia ovat länsisuomalaiset uunuhäät, mutta tunnelmalli mpia, vivahteikkaimpia ovat uitenkin karjalaiset häät, jotka nnen venyivät moniosaiseksi ja onipäiväiseksi juhlaksi, par aimmillaan laulunäytelmäksi kuvirsineen, sekä tervehdys-, istys-, kiitos-, neuvonta-, oite- ja muine lauluineen. **uupovaaran** Saarivaarassa, arjalaisen perinnetalon tuntu assa heräävät **karjalaiset hää enot** henkiin joka kesä /325-28/.

I kedjan av finländska sommar evenemang utgör de skådespel och processioner som imiterar forntida bröllop och i vilka pu bliken ofta får delta t.ex. som matgäster, en lyckosam färg klick. Bäst kända är de väst finska kronobröllopen, men mest stämningsfulla och ny ansrika är de karelska bröllopen som förr drog ut till mångdelade och flera dagar pågående fester, då de var som bäst till sångspel med gråtkväden och välkomst sånger samt prisande, tack ande, rådgivande, klandran de och andra sånger. I Saari vaara i **Tuupovaara**, i närheten av ett traditionellt karelskt hus, får de **karelska bröllopscere monierna** varje sommar nytt liv /325-328/.

Der finnische Sommer ist reich an farbenfrohen Ereignissen. Zu den originellsten und gelun gensten gehören die nach histo rischem Vorbild arrangierten Hochzeiten und Festzüge, an denen die Allgemeinheit teil nehmen kann. Die westfinni schen Kronenhochzeiten zäh len zu den bekanntesten, aber die karelischen Hochzeitsfeste sind beinahe noch stimmungsvoller und nuancenreicher. Früher dauerten diese Feste mehrere Tage. Mit ihren Klage-, Will kommens-, Lob-, Dank- und Schmähliedern waren sie grossartige Gesangsdarbietun gen. In Saarivaara in der Ge meinde **Tuupovaara** erwachen die **karelischen Hochzeits zeremonien** jeden Sommer wieder zum Leben /325-328/.

Among the Finnish summer events in which the public or the tourists may participate are ceremonies and processions which relate to weddings. The best-known of these are in the West Finland so-called 'crown-weddings' but the most sentimental and colorful are the Karelian weddings which traditionally stretched out into festivals with many different ceremonies lasting for many days. These wedding-ceremo nies or celebrations included the acting out of song-dramas with crying-songs, toasting songs, boasting-songs, songs of thanks, songs of advice, reproach-songs and all sorts of songs. In Saarivaara at **Tuupovaara,** the **Karelian wedding-ceremonies** are revived every summer /325-328/.

Herkkäeloinen vieras aistii monissa asioissa perinteen Suomen itäisimmässä kunnassa **Ilomantsissa**. Runonlaulajien entisessä mahtipitäjässä on enää muutama vanhansanan taitaja; manalle ovat menneet Simana Sissonen, Iro Sissotar, Irinja Arhipoff, Fekli Martiskainen ja Kantelettaren suurin laulaja Mateli Kuivalatar, jota Elias Lönnrot runonkeruussaan kuunteli kaksi päivää yhtä mittaa. Kaikkiaan on Ilomantsissa kalevalaisia lauluja tallennettu puolitoista tuhatta. Perinne elää voimakkaasti v. 1964 valmistuneessa nykyaikaistetussa karjalantalossa, **Runonlaulajien pirtissä** /332/. Ortodoksisuuden ajattomana muistomerkkinä on 1790-luvulla valmistunut **Hattuvaaran tsasouna** /329, 331/, joka on suojelijoittensa Pietarin ja Paavalin muistopäivänä kesäkuun lopussa vietettävien praasniekkajuhlien keskus. Läheisen hautausmaan erikoisuus on grobu eli **haudanpäällisrakennus** /330/. — Ilomantsin monista luonnonnähtävyyksistä tunnetuin on satasaarinen **Koitere** /333/, runonlaulajien rauhaisa järvi.

En livfullt reagerande gäst förnimmer i mångt traditionen i Finlands östligaste kommun, **Ilomants**. I runosångarnas forna maktsocken finns endast några kvar som behärskar ordets gamla magi. I dödsriket befinner sig Simana Sissonen, Iro Sissotar, Irina Arhipoff, Fekli Martiskainen och den största Kanteletar-sångerskan Mateli Kuivalatar, som Elias Lönnroth då han samlade sina runor lyssnade till två dar i streck. I allt har man i Ilomants tillvaratagit halvtannat tusental Kalevala-sånger. Traditionen lever kraftfullt i det 1964 färdigställda, moderniserade karelska huset **Runosångarnas pörte** /332/. Som ett ortodoxt, tidlöst minnesmärke står den på 1790-talet uppförda **Hattuvaara tsasouna** /329, 331/ som på sina beskyddares, Peters och Pauls minnesdag i slutet av juni är centrum för praasniekkafesterna. En säregenhet på västra begravningsplatsen är **grobun,** ett slags gravbyggnad /330/. Den bäst kända av de många natursevärdheterna i Ilomants är runosångarnas fridfulla sjö **Koitere** /333/ med sina hundrade öar.

Der empfindsame Besucher verspürt in Finnlands östlichster Gemeinde **Ilomantsi** bei vielen Dingen den Hauch der Tradition. Diese Gegend war früher die Hochburg der finnischen Liedersänger; heute gibt es nur noch wenige, die die alten Volksweisen vortragen können. Die Stimmen von Simana Sissonen, Iro Sissotar, Irinja Arhipoff, Fekli Martiskainen und Mateli Kuivalatar, der Elias Lönnrot 2 Tage lang ununterbrochen zuhörte, sind verstummt. Insgesamt sind in Ilomantsi 1.500 Lieder aus dem Kalevala aufgezeichnet worden. Die Tradition lebt in dem 1964 fertiggestellten und modernisierten Karelien-Haus, in der **Hütte der Liedersänger** /332/, weiter. Ein zeitloses Denkmal der orthodoxen Bevölkerung ist die in den 90er Jahren des 18. Jahrhunderts fertiggestellte **Tsasouna** von **Hattuvaara** /329, 331/, die das Zentrum der zum Andenken an ihre Schutzherren Peter und Paul Ende Juni veranstalteten Praasniekka-Festtage ist. Eine Besonderheit ist das Grabgebäude /330/ auf dem nahe gelegenen Friedhof. — Die bekannteste Sehenswürdigkeit in der Natur um Ilomantsi ist der See **Koitere** /333/ mit seinen hundert Inseln.

Ilomantsi, the easternmost community of Finland, is imbued with Finnish tradition in many matters. There are still a few master-singers of the ancient song-poems in this former center of the epic song-tradition: the voices of Simana Sissonen, Iro Sissotar, Irinja Arhipoff, Fekli Martiskainen are stilled as is that of the greatest singer of the Kanteletar, Mateli Kuivalatar whom Elias Lönnrot listened to for two days at a stretch in the course of his song-collecting. Altogether there are some 1,500 of the Kalevala song-verses deposited in Ilomantsi. The tradition lives vigorously in the Karelia House, the **Cabin of the Song-singers** /332/ where the old songs can be heard recorded on tape. A timeless monument of the Orthodox population is the **Tsasouna of Hattuvaara** /329, 331/ established in the 1790's, which is the center of the Praasniekka Festival Days at the end of June. A special feature of the graveyard nearby is the **grobu,** a structure built over the grave /330/. Among the many natural attractions of Ilomantsi is Lake **Koitere** /333/ with its hundred islands.

Pohjois-Savolla ja Pohjois-Karjalalla on kummallakin oma kaakon-luoteen suunnassa lepäävä kalliohalkeamansa, matkailun merkitsemät nähtävyytensä. Savon **Maaningalla** jatkuu Tuovilanlahden täyttämä halkeama maalla luoteeseen 3 km, kunnes jyrkkä seinämä päättää louhikkoisen, maanvyörymien muokkaaman ja ihmeteltävän rehevän laakson äkkinäisesti. Tuosta seinämästä syöksyy rotkoon varsinkin kevättulvien aikaan vaikuttavasti

kohiseva **Korkeakoski** /334/ peräti 46 metriä. Karjalan rotko, **Kontiolahden** ja **Enon** rajamailla sijaitseva **Kolvananuuro** /335/ puolestaan on 12 km pitkä, 1/2 km leveä ja 80—100 m syvä laakso, joka paikoin kapenee uhkaavaksi. Pohja muistuttaa Korkeakosken laakson pohjaa: paikoin koristekasvinakin tunnettu kotkansiipi kasvaa syvänteiden rehevässä maassa miehenkorkuiseksi.

Norra Savolax och norra Karelen har vartdera sin egen bergsspricka som löper från sydost mot nordväst, en av turismen märkt sevärdhet. **I Maaninka** i Savolax fortsätter den av Tuovilanlahti täckta sprickan till lands mot nordväst 3 km tills en brant vägg plötsligen ändar den stenröserika, av jordskred omdanade och förundransvärt frodiga dalen. Längs denna bergsvägg störtar, speciellt vid tiden för vårflödet, den verkningsfullt

brusande **Korkeakoski** /334/ hela 46 m ner i ravinen. Den karelska ravinen, **Kolvananuuro** /335/ på gränsen mellan **Kontiolahti** och **Eno** är för sin del en 12 km lång, 1/2 km bred och 80 —100 m djup dalgång, som ibland hotfullt smalnar av. Bottnen påminner om bottnen i Korkeakoski dalgång; den ställvis också som prydnadsväxt kända strutsbräknen växer manshög i fördjupningarnas frodiga jord.

Sowohl in Nord-Savo als auch in Nord-Karelien gibt es eine von Südosten nach Nordwesten verlaufende Felsenschlucht, die eine Sehenswürdigkeit für Touristen darstellt. In Savo verläuft die Schlucht von **Maaninka** auf dem Lande 3 km nach Nordwesten, bis eine steile Wand das felsige, von Erdrutschen geformte und erstaunlich üppig bewachsene Tal plötzlich verschliesst. Von dieser Wand stürzt der Wasserfall **Korkeakoski** /334/ beson-

ders während der Frühjahrshochwasser mit brausendem Getöse 46 m in die Schlucht hinab. Die Felsenschlucht in Karelien, die zwischen **Kontiolahti** und **Eno** gelegene **Kolvananuuro**/335/, ist ein 12 km langes, 0,5 km breites und 80—100 m tiefes Tal, das stellenweise bedrohlich schmal wird. Der Boden erinnert an den Boden des Tales beim Korkeakoski, der an manchen Orten auch als Zierpflanze bekannte Straussfarn wächst auf dem üppigen Boden der Talschluchten bis zu Manneshöhe.

In North Savo and also in North Karelia there is a rock-gorge running from southeast to northwest which is an attraction for tourists. In Savo the gorge runs from **Maaninka** 3 kilometers toward the North-west until a steep wall terminates the rocky, surprisingly luxurious valley which is formed from earthslides. The **Korkeakoski** waterfall /334/ rushes over this wall especially during the spring high-water period with

a tremendous splash 46 meters down into the gorge. The rock-gorge in Karelia, the **Kolvananuuro** /335/ between **Kontiolahti** and **Eno,** is a twelve kilometer long, 0.5 kilometer wide and 80—100 meter deep valley, which at places becomes threateningly narrow. The bottom of the Kolvananuuro gorge reminds one of the bottom of the valley at Korkeakoski, and in many places ferns grow on the luxuriant bottom of the gorge to the height of a man.

336

337

Itä- ja Pohjois-Suomen liuske-
alueella kohoaa kvartsiittivuoria,
joiden iäksi on arvioitu lähes
kaksi miljardia vuotta. Nämä
maailman vanhimpiin kuuluvat
vuoret ovat aikanaan yltäneet
6.000—7.000 m:n korkeuteen,
mutta monet mullistukset ovat
syöneet ne matalammiksi. Lapin
Pyhätunturin /382/ ja Kainuun
Vuokatin /352/ eteläisempi veli
Koli /337-338/ kohoaa nykyisin
347 m merenpintaa ja 253 m
viereisen Pielisen pintaa korke-
ammalle. Puuttoman Ukko-
Kolin /338/ lisäksi mahtavaan
vaarajonoon kuuluvat mm. met-
säiset Akka-Koli, Paha-Koli ja
Ipatti. Laajalla luonnonsuojelu-
alueella risteilevät merkityt
polut ohjaavat parhaisiin paik-
koihin. Läheisen Herajärven
rantaan ovat syöpyneet kvart-
siittikallioon kuuluisat Kolin
aallot. Kolin harteille, Ukon
juureen, johtaa maantie ja yl-
häällä kohoaa moderni hotelli,
jonka vierestä pääsee Pielisen
rantaan matkailuhissillä. Kau-
pallisen matkailun monipuoli-
suutta lisäävät lähistön loma-
kylät ja leirintäalueet. Kolilta
on laivayhteys Pielisen yli Liek-
saan ja Nurmekseen.

På östra och norra Finlands
skifferområde reser sig kvartsit-
berg, vilkas ålder uppskattats
till nära två miljarder år. Dessa
berg, som hör till världens
äldsta, har på sin tid nått höjder
på 6.000—7.000 meter, men
många omvälvningar har gnagat
på dem och gjort dem lägre. En
sydligare bror till Lapplands
Pyhätunturi /382/ och Kainuus
Vuokatti /352/ är **Koli** /337-
338/ som nu reser sig 347 m
över havet och 253 m över den
närbelägna Pielinen. Utom den
trädlösa Ukko-Koli /338/ hör
bl.a. de skogiga Akka-Koli,
Paha-Koli och Ipatti till den
mäktiga bergskedjan. De ut-
prickade stigarna som korsar
det vidsträckta naturskydds-
området leder till de bästa
platserna. På stranden av
Herajärvi har Kolis berömda
vågor frätt in sig i kvartsitberget.
Till Kolis skuldror, vid Ukkos
rot, leder en landsväg och uppe
reser sig ett modernt hotell.
Med en turisthiss från hotellet
når man Pielinens strand. Här
finns semesterbyar och cam-
pingplatser. Från Koli finns
båtförbindelse över Lieksa till
Nurmes.

In den Schiefergebieten Ost-
und Nordfinnlands ragen
Quarzitberge empor, deren
Alter auf ungefähr 2 Milliarden
Jahre geschätzt wird. Diese
Berge gehören zu den ältesten
der Welt und erreichten früher
eine Höhe von 6.000—7.000 m.
Infolge zahlreicher Umschichtun-
gen sind sie jedoch erheblich
flacher geworden. Der südliche
Bruder des Pyhätunturi /382/ in
Lappland und des Vuokatti
/352/ in Kainuu, der **Koli** /337-
338/, steigt heute 347 m über
dem Meeresspiegel und 253 m
über der Oberfläche des benach-
barten Sees Pielinen empor.
Ausser dem Ukko-Koli /338/,
auf dem keine Bäume wachsen,
gehören zu der gewaltigen
Bergkette noch die bewaldeten
Akka-Koli, Paha-Koli und Ipatti.
Das weite Naturschutzgebiet
durchziehen mit Wegweisern
versehene Pfade, die zu den
schönsten Stellen führen. Am
Ufer des Sees Herajärvi haben
sich die berühmten Wellen des
Koli in den Quarzitfels einge-
fressen. Zum Koli hinauf, an den
Fuss des Ukko, führt eine Land-
strasse, und oben befindet sich
noch ein modernes Hotel, von
dem aus man mit dem Touristen-
lift zum Ufer des Pielinen kommt.
Vom Koli besteht eine Wasser-
verbindung über den Pielinen
nach Lieksa und Nurmes.

In the slate-areas of East and
North Finland there are
quartzite mountains the age
of which is estimated at two
billion years. These mountains
belong to the oldest in the
world and earlier reached a
height of from 6,000—7,000
meters. As a consequence of
many geological shifts they
have become considerably
more flat. **Koli** /337-338/,
the southern brother-mountain
of Pyhätunturi /382/ in Lap-
land of Vuokatti /352/ in Kai-
nuu, rises today to a height of
347 meters above sea-level and
253 meters above the surface
of the nearby Lake Pielinen.
In addition to Ukko-Koli /338/
on which no trees grow,
there are three forested
mountains which belong to
the Koli mountain-chain, Akka-
Koli, Paha-Koli and Ipatti.
The extensive surrounding
nature-preserve area is crossed
by paths with sign-posts which
direct one to the most
beautiful places. On the shore
of the nearby Herajärvi lake
the famous "waves of Koli"
have eaten into the quartzite
rock. There is a highway to
the shoulders of Koli, leading
to the base of Ukko-Koli and
high up there is a modern
hotel from beside which one
can go to the Pielinen beach
by tourist-elevator. There is
a water-connection from Koli
over Lake Pielinen to Lieksa
and to Nurmes.

Suomen monentasoisten pitäjänmuseoiden parhaimmistoon kuuluu **Lieksan** keskustassa sijaitseva **Pielisen museo,** jonka puolesta sadasta rakennuksesta vanhimmat ovat 1600-lukua edustava Lukan pirtti sekä 1700-luvun aitat ja suuri savutupa. Museon 12.000 luetteloitua esinettä kertovat pääasiassa Lieksan alueen elämästä 1800-luvulla. Erikoisuutena on Pohjois-Karjalaan läheisesti liittyvä **savottaosasto** /343/.

Till de bästa bland sockenmuseerna hör det i centrum av **Lieksa** belägna **Pielinen-museet,** av vars drygt femtio byggnader de äldsta är Lukas pörte från 1600-talet och några bodar från 1700-talet samt en stor rökstuga. Museets 12.000 katalogiserade föremål berättar i huvudsak om livet på området kring Lieksa under 1800-talet. Som specialitet finns en avdelning som visar för trakten typiska **skogsarbetsplatser** /343/.

Zu den besten der finnischen Kirchspielmuseen gehört das im Zentrum von **Lieksa** befindliche **Museum Pielinen**. Die ältesten von den über 50 Gebäuden dieses Museums sind die Hütte von Lukka aus dem 17. Jahrhundert sowie die Speicher und die grosse Rauchstube aus dem 18. Jahrhundert. Als Besonderheit ist die mit Nord-Karelien eng verbundene Abteilung für **Waldarbeit** /343/ zu erwähnen.

There are a number of local museums in Finland but among the best is the **Pielinen Museum,** located in the center of Lieksa. Of the half a hundred buildings the oldest are the Lukka cottage representing the 17th century and barns and a large smoke-hut from the 1700's. A special feature is a section representing **lumbering** in North Karelia /343/.

340

341

342

343

Kainuu ja Koillismaa

Kainuu och Koillismaa
(Nordöstra Finland)

Tervasta tunnettiin entinen **Kainuu**. Vielä viime vuosisadan lopulla sitkeät äijänköriläät lastasivat pitkiin veneisiinsä kolmattakymmentä yli satalitraista itsetehtyä tynnyriä täynnä vaivalla tiputettua tervaa ja laskivat jopa kolmesataa kilometriä pitkän vesitaipaleen Ouluun rikastuttaakseen ahneita porvareita. Pitkäikäisimmät äijät tekivät tuon suurten ja pienten järvien, vuolaiden jokien ja kohisevien koskien kehystämän matkan toistasataa kertaa.

Maa, josta tervaäijät matkansa aloittivat, on yhä metsien maata: itäosissa on pelloksi raivattu vaarankuvetta ja vedenrantaa yksi prosentti eikä läntisessä osassakaan ole päästy kuin viiteen prosenttiin. On peltomaata jäljellä: neljännes soista sopisi hyvin viljelyyn ja noita soita on Kainuun pinta-alasta lähes puolet. Hyvää metsää on hakattu jossakin puti puhtaaksi neliökilometrettäin — kuten ennen poltettiin kaskea — mutta matkailijalle riittää alkuperäistä luontoa yllin kyllin ihailtavaksi. Erikoiset nähtävyydet on äkkiä laskettu; Kainuun anti on suuripiirteisessä luonnossa. Itäosissa maa on 200—250 metriä merenpintaa korkeammalla ja siitä nousevat vaarat tavoittamaan 400 metriä. Lännessä, Oulujärven ympärillä maa on alavampaa ja samalla soisempaa.

Kainuun satatuhantinen kansa on tyytynyt yhteen kaupunkiin; Suomussalmen, Sotkamon ja Kuhmon väkiluku ei jää paljon jälkeen Kajaanin 20000 asukkaasta, ja maalaiskuntien keskuspaikatkin muistuttavat enemmän kaupunkia kuin syrjäseudun kirkonkylää. Tilastollisesti Kainuu on nälkämaan maineestaan huolimatta Oulun läänin rikkain osa, mutta savolaista alkuperää, 1500-luvulta, olevat kainuulaiset hieman hymähtävät näille puunjalostukseen, malminkaivamiseen ja voimavirran valmistukseen perustuville tilastoille. Toivottavat vain turistit tervetulleiksi huomattuaan matkailun uudeksi erinomaiseksi elinkeinoksi. Kajaaniin pääsee kiireinen lomailija lentäen, ja maakunnan hyväkuntoinen tieverkko jouduttaa matkan nopeasti syrjäkyliin asti.

Kainuun pohjoispuolella leviävä **Koillismaa** on luonteeltaan samanlaista, mutta erämaat ovat sata metriä korkeammalla ja vaarat tavoittelevat jo tunturin muotoa. Kuusamo hallitsee matkailumarkkinoita kymmenine nähtävyyksineen, monine uusine hotelleineen, kansallispuistoineen ja kehittyvine lentokenttineen.

Ilmari Kiannon, Veikko Huovisen, Reino Rinteen ja Kalle Päätalon kuvaama elämä sykkii vielä näissä maisemissa entisenkaltaisena, mutta nykyaika rynnii voimalla syrjäkyliinkin. Uusia rikkauksia Kainuu odottaa yhteistyöstä Neuvostoliiton kanssa Kostamuksessa.

Det forna **Kainuu** var känt för sin tjära. Ännu under slutet av senaste århundrade lastade sega gubbstutar sina långa roddbåtar med trettiotalet tunnor på etthundra liter som de själva byggt och fyllt med mödosamt framdroppad tjära. Så flottade de båten ned längs den ända upp till trehundra kilometer långa vattenvägen till Uleåborg, för att de snåla borgarna där skulle bli förmögna. De gubbar som levde längst gjorde denna resa, som ramades in av stora och små sjöar, strida älvar och brusande forsar, dryga hundratalet gånger.

Det landområde, där tjärgubbarna startade sin resa är alltjämt skogarnas land. I de östra delarna här har man rödjat upp en procent av fjällsidorna och vattenledernas stränder och inte ens i de västra delarna har man nått högre än till fem procent. Här finns alltjämt åkerjord att ta: en fjärdedel av kärren skulle gott lämpa sig för odling och nästan hälften av Kainuus ytareal består av dessa kärr. Av den goda skogen har man på vissa ställen fällt allt med hull och hår på kvadratkilometervida ytor — liksom man förr brände sved — men det finns mer än tillräckligt med ursprunglig natur kvar för turisten att beundra. De speciella sevärdheterna är snabbt uppräknade; det Kainuu har att ge finns i den storvulna naturen. I de östra delarna ligger markytan på 200—250 meter över havet och därifrån reser sig de bästa kullarna mot 400-meters strecket. I väster, kring Uleå träsk (Oulunjärvi) är marken mera låglänt och samtidigt mera kärrbetonad.

Den omkring hundratusenhövade befolkningen i **Kainuu** har nöjt sig med en enda stad. Invånartalet i Suomussalmi, Sotkamo och Kuhmo ligger inte långt ifrån Kajanas 20.000 invånare och landskommunernas centrala delar påminner mera om städer än om kyrkbyar i glesbygden. Statistiskt är Kainuu, trots att det har rykte om att vara ett hungerland, den rikaste delen av Uleåborgs län. Men de som bor här är av savolaxisk härstamning från 1500-talet och de drar en aning på munnen åt alla dessa statistiska data som talar om träförädling, gruvdrift och framställandet av kraftström. De hälsar nu turisterna välkomna ty de har märkt att här finns en ny utmärkt form att skaffa sig levebröd på. Till Kajana kan en jäktande semesterfirare komma med flyg och landsdelens vägnät är i gott skick. Resor ända ut i fjärran byar kan göras snabbt.

Koillismaa (nordöstra Finland) som utbreder sig norr om Kainuu är till sin natur likartad, men ödemarkerna ligger här hundra meter högre upp och kullarnas form närmar sig redan fjällets. Kuusamo behärskar turistmarknaden med sina tiotal sevärdheter, sina många nya hotell, sin naturpark och sina allt bättre utvecklade flygförbindelser.

Det liv som beskrivits av de finska ödebygdsförfattarna Ilmari Kianto, Veikko Huovinen, Reino Rinne och Kalle Päätalo pulserar alltjämt i dessa landskap på samma sätt som förr. Men nutiden stormar med kraft in också i de avlägsna byarna. Kainuu väntar sig nya rikedomar genom det samarbete som etablerats med Sovjetunionen i Kostamusprojektet.

Kainuu und Koillismaa

Kainuu war früher als Teerprovinz bekannt. Noch gegen Ende des vorigen Jahrhunderts luden die unverwüstlichen Teerschiffer über zwanzig Fässer mit mühselig abgefülltem Teer in ihre langen Boote und fuhren 300 km auf dem Wasser bis nach Oulu, um die habgierigen Bürger dieser Stadt noch reicher zu machen. Die ältesten Schiffer legten diese Strecke, die über grosse und kleine Seen, reissende Flüsse und tosende Stromschnellen führte, über hundert Mal zurück.

Die Gegend, in der die Fahrt der Teerschiffer begann, wird weithin von Wäldern beherrscht: im Osten beträgt die urbar gemachte Fläche am Fusse der Berge und am Ufer der Gewässer ein Prozent von der Gesamtfläche und auch im Westen nimmt sie nicht mehr als fünf Prozent ein. Es ist noch Anbaufläche übrig: ein Viertel der Sumpfgebiete wäre für den Ackerbau geeignet, und Sümpfe bedecken beinahe die Hälfte der ganzen Provinz Kainuu. An einigen Stellen sind viele Quadratkilometer guten Waldes abgeholzt, aber der Tourist findet noch genug unberührte Natur. Die besonderen Sehenswürdigkeiten sind schnell aufgezählt. Der Reiz dieser Provinz liegt in der weitläufigen Natur. Im Osten liegt das Land 200—250 m über dem Meeresspiegel und die höchsten Berge ragen bis zu 400 m empor. Im Westen, in der Nähe des Sees Oulunjärvi, ist das Land niedriger, und weite Flächen bestehen nur aus Sümpfen.

Die 100.000 Bewohner von **Kainuu** haben sich mit einer einzigen Stadt zufriedengegeben. Die Einwohnerzahl von Suomussalmi, Sotkamo und Kuhmo bleibt allerdings nicht weit hinter Kajaani mit seinen 20.000 Einwohnern zurück, und auch die Zentren der Landgemeinden erinnern mehr an Städte als an abgelegene Kirchdörfer, wie man im voraus annehmen könnte. Statistisch gesehen ist Kainuu trotz seines Rufs als „Hungergegend" der reichste Teil des Regierungsbezirks Oulu, aber die Bewohner von Kainuu, die im 16. Jahrhundert aus Savo in dieses Gebiet zogen, lächeln etwas über diese auf Holzveredelung, Erzbergbau und Kraftstromerzeugung basierenden Statistiken. Sie heissen Touristen willkommen, nachdem sie bemerkt haben, dass der Fremdenverkehr ein einträgliches Gewerbe sein kann. Der eilige Urlauber kommt mit dem Flugzeug schnell nach Kajaani, und auf dem guten Strassennetz der Provinz gelangt man bis zu den entferntesten Dörfern.

Nördlich von Kainuu erstreckt sich **Koillismaa**, eine Provinz, die Kainuu in vieler Hinsicht ähnlich ist. Die Einödgebiete liegen hier aber hundert Meter höher und die Berge beginnen schon, die Formen von Fjälls anzunehmen. Kuusamo ist mit Dutzenden von Sehenswürdigkeiten, vielen neuen Hotels, einem Nationalpark und dem ständig weiter ausgebauten Flugplaz das Zentrum des Fremdenverkehrs.

Das von den Schriftstellern Ilmari Kianto, Veikko Huovinen, Reino Rinne und Kalle Päätalo beschriebene Leben spielt sich in diesen Gegenden noch genau so wie früher ab, aber die Neuzeit dringt auch in die abgelegenen Dörfer vor. Kainuu erhofft sich neue Reichtümer von der Zusammenarbeit mit der Sowjetunion in Kostamus.

Kainuu and Koillismaa

Kainuu was known of old as the place from which the tar came. As late as the end of the last century the tough old tar-distillers would load up their boats with something over twenty home-made barrels of tar, each holding over a hundred liters of the painstakingly distilled tar, and they would make the trip of perhaps over 300 kilometers to Oulu to sell the tar to the merchants who would then re-sell it at a profit. The oldest of these tar-boaters had made the trip through big and little lakes, swiftly-flowing rivers and roaring cataracts over a hundred times.

The land from which the tar-boaters began their voyages is still a land of forests: in the eastern parts only one per cent of the land at the foot of the hills and along the shores of the waterways has been cleared for fields and in the western parts no more than five per cent. There is still the possibility of clearing fields — one-fourth of the swampland would be quite suitable for cultivation and almost half of the surface-area of Kainuu consists of these swamps. In places there have been whole square-kilometers of forest hacked down to the ground — as in the old days they were burned down to the ground to make way for fields — but the tourist will find great areas of untouched nature still to enjoy. There are not many special sights to see — what Kainuu has to offer the tourist is primarily nature itself. In the east the land is 200—250 meters above sea-level and the timber-covered hills rise another 400 meters. In the west the land around Lake Oulu is lower and swampier.

The population of **Kainuu** is about 100,000 and there is one main city, Kajaani, with 20,000 inhabitants. The population of Suomussalmi, Sotkamo and Kuhmo does not number much less than that of Kainuu and the centers of these so-called rural communes resemble cities much more than they do the old-time church-villages of a secluded countryside. In spite of its former reputation as a "hunger-area" Kainuu is, according to the statistics, the richest part of the province of Oulu, although the citizens of Kainuu are likely to smile at these statistics, based as they are on wood-processing, ore-mining and hydro-electric power. The inhabitants of Kainuu originally came from Savo in the 16th century and they are well-disposed toward welcoming the present wave of tourists as a splendid new way of earning a living. The traveler who is in a hurry to begin his vacation can fly to Kajaani and the road-network of the district is in good condition and gives ready access even to the most remote countryside village.

Koillismaa, which spreads out to the north of Kainuu, has similar natural characteristics but the wilderness areas of Koillismaa are a hundred meters or so higher and the hills begin to take on the form of the arctic fells. Kuusamo dominates the tourist-scene with its dozens of sights to be seen, its many new hotels, its national parks and its air-fields.

The life of the wilderness, portrayed by Ilmari Kianto, Veikko Huovinen, Reino Rinne and Kalle Päätalo, still goes on in these regions as before, but the effect of the modern era is felt even in the remotest villages. Kainuu is expecting new prosperity based upon cooperation with the Soviet Union in Kostamus.

Neuvostoliittoon 121 km 522 m 0 cm pituudeltaan nojaava uhmo tarjoaa laajojen erämaien ja rauhallisten järvien vastaainoksi 7.000 asukkaan kirkonylässään kaupunkimaisia palveja hotellista valintamyymään. Kirkonkylän laidassa piilotelee männikkökankaalla yksi uomen kauneimmista leirintäueista. Ja Kuhmon kesä tulvii apahtumia: kesäteatteria, amarimusiikkifestivaalit, retkiä alvisodan runtelemille taisteluantereille, tuoksuvia tervaautoja, rantakalajuhlia. Mutta nnen kaikkea erämaat: peltoa unnan pinta-alasta on vain adannes! Ja kiveliöön rohkenee ihteä oudompikin, sillä viittaolut vievät parhaille paikoille, hjaavat jopa polttopuin varusetuille nuotiosijoille. Muuan etkireiteistä kiertää peninulman päässä rajalta, jonne ei le asiaa ilman erikoislupia, ininen polku /344/ noudattee kirkkaiden järvien välistä ahtavaa harjua. Sinisiä konstaaisia ajatuksia herää myös alaretkellä laajalla **Lentualla** 345/.

Kuhmo som på en sträcka av 121 km 522 m 10 cm lutar sig intill Sovjetunionen bjuder, som en motvikt till de vidsträckta ödemarkerna och de fridfulla sjöarna i själva kyrkbyn med 7.000 invånare på en servicenivå av stadskaraktär med allt från hotell till självbetjäningsaffärer. Vid utkanten av kyrkbyn gömmer sig på en tallbevuxen mo en av Finlands vackraste campingplatser. Och sommaren i Kuhmo har ett överflöd av händelser: sommarteater, kammarmusikfestivaler, utfärder till de slagfält som under vinterkriget blev rådbråkade, doftande tjärmilor, fiskfester längs stränderna. Men framom allt annat ödemarkerna: av kommunens ytareal är endast en hundradedel åker! Och ut i obygden vågar också en främling bege sig, ty de välmärkta stigarna leder till platser där man med färdigt tillhandahållen ved kan tända lägerbål. En av utflyktsrutterna ringlar sig på en mils avstånd från gränsen, dit man inte har lov att gå utan specialtillstånd. **Den blåa stigen** /344/ följer den mäktiga åsen som ligger mellan klara sjöar. Också en fisketur på den vidsträckta **Lentua-sjön** /345/ kan man gärna rymma in i programmet.

Kuhmo hat eine 121 km, 522 m und 10 cm lange gemeinsame Grenze mit der Sowjetunion und bietet als Kontrast zu den weiten Einödgebieten und friedlichen Seen in seinem 7.000 Einwohner zählenden Kirchspiel auch städtischen Komfort. Am Rande des Dorfes verbirgt sich in einem Kieferngehölz eines der schönsten Campinggelände Finnlands. Im Sommer häufen sich die Ereignisse in Kuhmo: Sommertheater, Kammermusikfestspiele, Wanderungen zu den während des Winterkrieges verwüsteten Schlachtfeldern, duftende Teergräber, Fischerfeste am Strand. Aber vor allem die Einödgebiete: nur ein Hundertstel der Gemeindefläche besteht aus Feldern! Auch ein Ortsfremder traut sich, in die steinige Einöde aufzubrechen, denn Pfade mit Wegweisern führen zu den schönsten Stellen und sogar zu den mit Brennholz versehenen Lagerfeuerplätzen. Eine Wanderroute führt 10 km von der Grenze entfernt entlang, wo man sich nicht ohne Sondergenehmigung aufhalten darf. Der **Blaue Pfad** /344/ zieht sich über einen gewaltigen Landrücken zwischen klaren Seen hin. Verlockend ist auch eine Angeltour auf dem weiten **Lentua** /345/.

Kuhmo has a common border with the Soviet Union running for 121 kilometers, 522 meters and 10 centimeters. In contrast to the extensive wilderness areas and the peaceful lakes it also has a church-village with 7,000 inhabitants providing a measure of urban facilities. At the edge of the village there is one of the finest camping-areas in Finland nestling in the pine-forest. In summer there are a number of events in Kuhmo: a summertheater, a chamber-music festival, trips to the areas ravaged by the Winter War, tar-pits, fish-fries on the shore. But the main attraction is the wilderness itself: only one-hundredth of the surface of the district consists of fields! Even a stranger to the area can entrust himself to the marked paths which show the way through the stony forest to the most beautiful places. Blazed trees show the way to places reserved for fire-making. There is a special route going along ten kilometers from the boundary but one cannot halt and make camp there without special permission. The **'Blue Path'** /344/ leads one along a great ridge between clear lakes. A fishing-trip on the big **Lentua** lake /345/ is a rewarding experience.

Kuhmon pinta-alasta on soita peräti 43 prosenttia. Siellä, missä ihminen on helpottanut kulkuaan taidokkailla **pitkos-puilla** /346/, viihtyy — varsinkin itärajan tuntumassa — Euroopan monipuolisimpiin kuuluva villieläinkanta. Osittain rauhoitetuilla alueilla voi tavata mm. karhun, suden, ahman, ilveksen, supikoiran, kotkan, majavan, saukon, laulujoutsenen ja erittäin harvinaisen Suomen peuran.

Av Kuhmos areal är hela 43 procent kärrmark. Där, som människan med skickligt byggda **spångar av trä** har gjort sin framfart lättare /346/ trivs — speciellt i närheten av östgränsen — ett vilddjursbestånd som hör till de mångsidigaste i Europa. På de delvis fridlysta områdena kan man träffa på bl.a. björn, varg, järv, lo, mårdhund, örn, bäver, utter och sångsvan.

Kuhmo besteht zu 43 Prozent aus Sümpfen. Da, wo der Mensch das Vorankommen mit kunstvoll angelegten **Stegbrük-ken** /346/ erleichtert hat, hält sich ein Wildbestand auf, der zu den vielseitigsten in ganz Europa gehört. In den teilweise unter Naturschutz gestellten Gebieten kann man u.a. Bären, Wölfe, Vielfrasse, Luchse, Marderhunde, Adler, Biber, Fischotter, Singschwäne und das ausserordentlich seltene wilde Rentier antreffen.

Swamps make up 43% of the surface-area of Kuhmo. Here and there are wooden **causeway-paths** making it possible for people to make their way through the swamp areas /346/. The same terrain which makes it difficult for people makes it favorable for wildlife. In parts of Kuhmo all wildlife is protected and one may meet bears, wolves, hawks, beaver, otter, swans and the exceptionally rare Finnish wild reindeer.

346

347

348

Kuhmon kirkkaissa vesissä on
ielä kalaa, tammukkaa ja
aimentakin /349/. — Suomen
unnetuimmassa koskenlasku-
aikassa, kaksiosaisessa **Lentu-
nkoskessa** on pituutta 1200 m
a putousta 9 m. Vajaan tunnin
estävään retkeen kuuluu run-
aan veden aikana ajo Pikku-
entuasta ylös, veneen veto
haitse Ison-Lentuan ohi pitkin
anhoja kiskoja, ja sitten mat-
aajien vaatteet pärskyillään
astelevan virran lasku alas
350-351/.

I Kuhmos klara vattendrag
finns alltjämt fisk, laxöring och
också insjöforell /349/. Finlands
bäst kända ort för forsfärder,
Lentuankoski som har två skilda
forsar är 1.200 m lång och har ett
fall på 9 m. Under en knapp
timme bjuds vid riklig vatten-
mängd en färd upp för Lilla-
Lentua, så dras båten till lands
längs gamla skenor förbi Stora-
Lentua, och sedan stänks rese-
närens kläder våta under färden
ned för strömmen /350-351/.

Finnlands bekannteste Stelle
für Stromschnellenfahrten,
der aus zwei Teilen bestehende
Lentuankoski, ist 1200 m lang
und stürzt aus einer Höhe
von 9 m herab. Die Strom-
schnellenfahrt beginnt beim
Pikku-Lentua, danach wird
das Boot auf dem Land am
Iso-Lentua vorbeigezogen und
zum Schluss geschieht die
eigentliche Abfahrt, bei der die
Reisenden von den schäumen-
den Stromschnellen bis auf die
Haut durchnässt werden /350-
351/.

There are still fish in the clear
waters of Kuhmo /349/.
Lentuankoski, Finland's south-
ernmost place for boating
through the rapids, is divided
into two parts. It is 1,200
meters long and descends
from a height of 9 meters.
The descent of the rapids,
which lasts an hour, begins
with Little Lentua. The boat
is then portaged on boat-haul
tracks across a strip of land
to Big Lentua after which
the real descent of the rapids
begins /350-351/.

49

450

351

Vaarojen pitäjäksi mainitun **Sotkamon** tunnetuimmalle näköalapaikalle, peninkulmaisen kvartsiittiselänteen pohjoisimmalle vuorelle, **Vuokatille**, 326 m, pääsee autotietä pitkin katsomaan Kainuun järvimaisemia. Pitkistä hietikoista ovat kuuluisimpia Hiukan matalat hiekkarannat. Vuokatti oli ennen Kainuun kansan merkkitulipaikka, vihollisesta kertova — nyt sen juurella on kymmenkunta eritasoista lomailukeskusta.

Sotkamo kallas skogshöjdernas socken och till den bäst kända utsiktspunkten här, det nordligaste berget inom den milsvida kvartsitbergsryggen, **Vuokatti**, 326 m, kommer man längs en bilväg och kan betrakta Kainuus sjölandskap. Hiukas låga sandstränder är berömda. Vuokatti var tidigare en signaleldsplats för folket i Kainuu, som gav alarm om fienden — nu ligger där vid dess fot ett tiotal semestercentra med olika servicenivå.

Zum bekanntesten Aussichtsplatz im als Gemeinde der Berge bezeichneten **Sotkamo**, dem nördlichsten Berg eines langen Quarzitbergrückens, dem **Vuokatti**, 326 m, gelangt man auf eine Autostrasse, wobei man die Seenlandschaften von Kainuu bewundern kann. Der Vuokatti war früher eine Stelle, von der aus die Bevölkerung mit Feuerzeichen vor heranrückenden Feinden gewarnt wurde — heute befinden sich an seinem Fuss etwa zehn Ferienzentren.

The most famous vantagepoint of **Sotkamo,** is **Vuokatti** 326 meters high, the northernmost mountain of a long quarzite mountain-ridge. One can reach Vuokatti along an auto road from which the lakecountry of Kainuu can be admired. The sand-beach of Hiukka is among the most famous of the long sandstretches of Finland. Vuokatti was formerly the vantage place from which the people were warned by fire-signals of the approach of the enemy.

Kainuun suurimman ja maamme neljänneksi suurimman veden, suomalaisittain katsoen vähä-saarisen **Oulujärven** katkaisee omituinen, 15 km pitkä ja 8 km leveä **Manamansalon** saari /353/, jonka lossit yhdistävät mantereeseen. Pitkien hiekka-rantojen lisäksi saaren parikym-mentä kaunista sisäjärveä ja maakunnan ensimmäisen kirkon paikalla kohoava ulkoilma-kirkko sopivat matkaajan käynti-kohteiksi.

Uleå träsk (Oulujärvi) är Kainuus största och vårt lands fjärde största vatten, ur finländsk synvinkel fattig på öar. Den delas av den särpräglade 15 km långa och 8 km breda ön **Manamansalo** /353/, som med färjor är förbunden med fast-landet. Lämpliga besöksobjekt för resenären är utom de långa sandstränderna också tjugo-talet vackra insjöar på ön och den friluftskyrka som reser sig på den plats där landskapets första kyrka stod.

Den grössten See in Kainuu und viertgrössten See in Finnland, den **Oulujärvi**, der für finnische Verhältnisse wenig Inseln hat, durchschneidet die eigenartige, 15 km lange und 8 km breite Insel **Manamansalo** /353/, die durch Fähren mit dem Festland verbunden ist. Ausser den langen Sandstränden sind die ca. 20 Binnenseen der Insel und die an der Stelle der ersten Kirche dieser Provinz errichtete Freilichtkirche als Sehens-würdigkeiten für den Touristen zu erwähnen.

Oulujärvi, the largest lake in Kainuu and the fourth largest lake in Finland, has relatively few islands in it but it is intersected by the exceptional island of **Manamansalo** /353/, 15 kilometers long and 8 kilometers wide, which is connected to the mainland by ferries. Among the interest-ing sights for the tourist are the long sand-beaches, the twenty or so lakes within this island-in-a-lake, and the open-air church.

Kainuun kuuluisimmat putoukset ovat sijoittuneet kuin kiireisen matkailijan toivomuksesta vain parin peninkulman päähän toisistaan Puolangan ja Hyrynsalmen välisen maantien läheisyyteen. Matalampi, **Hyrynsalmen Komulanköngäs** putoaa vain 11 m, mutta on saanut kuin korvaukseksi vähävetisemmän sivuhaaran, missä kyyhöttää käyttökuntoinen hierinmylly.

De mest kända vattenfallen i Kainuu har liksom på begäran av den hastande resenären placerat sig endast på ett par mils avstånd från varandra i närheten av landsvägen mellan Puolanka och Hyrynsalmi. Den lägre, **Komulanköngäs i Hyrynsalmi,** har ett fall om endast 11 m, men har liksom som ersättning erhållit en sidofåra med mindre vattenmängder, och där sitter en användbar rivkvarn på huk.

Die berühmtesten Stromschnellen in Kainuu befinden sich — wie auf Vereinbarung für eilige Touristen — nur 20 km voneinander entfernt in der Nähe der Landstrasse zwischen Puolanka und Hyrynsalmi. Der niedrigere Wasserfall, der **Komulanköngäs** bei **Hyrynsalmi**, stürzt nur 11 m herab, aber als Entschädigung dafür hat er eine Abzweigung mit weniger Wasser, bei der eine betriebsfertige Tretmühle steht.

The most famous rapids in Kainuu are only 20 kilomete from each other in the vicin of the country road betweer Puolanka and Hyrynsalmi. The lower waterfall, the **Komulanköngäs** at **Hyrynsal** strait, drops only 11 meters. It has a tributary with less water and a grinding-mill alongside it which is still capable of functioning.

Puolangan kunnassa vaihtelevan maaston halki virtaileva Heini-joki intoutuu juoksunsa puoli-maissa 24-metriseksi **Hepo-könkääksi**, joka kuivan kauden aikaan laimenee moneksi pikku-uomaksi rosoisessa kallioseinä-mässä. Varta vasten matkaili-joille rakennettu parikilometri-nen tienpätkä päästää autoili-jankin koskella käymään. — Sekä Hepokönkään että Komu-lankönkään lähellä on vaelta-jille hyviä vaaramaita.

Heinijoki, som flyter genom det växlande landskapet i **Puolanka** socken, entusiasmeras i sitt mittersta lopp till det 24 meter höga **Hepoköngäs,** ett vattenfall som under torrtiden mattas av till många småfåror i den skrovliga bergsväggen. Enkom för turisterna har man byggt en vägstump på ett par kilo-meter som gör det lätt att besöka forsen. Både i närheten av Hepoköngäs och Komulan-köngäs finns lämpliga bergs-kullar för vandrare.

Der Fluss Heinijoki, der durch die abwechslungsreiche Land-schaft der Gemeinde **Puolanka** fliesst, wird in seinem Mittellauf auf einmal zum 24 m hohen **Hepoköngäs**, der sich während der trockenen Zeit in vielen kleinen Rinnsalen über die unebene Felsenwand schlängelt. Ein speziell für Touristen ge-bauter 2 km langer Wegab-schnitt erlaubt auch dem motori-sierten Urlauber, einen Ab-stecher zu diesem Wasserfall zu machen.

The Heinäjoki River flows through the variegated land-scape of the **Puolanka** district and comes in mid-course to the 24-meter high **Hepoköngäs** falls over which in a dry period it pours in a number of little rivulets. A two-kilometer long road enables even persons who do not think of themselves as hikers to traverse the area. Both the Hepoköngäs falls and the Komulanköngäs falls are in hill country which is ideal for hiking.

Tukkien kuljetuksen siirtyessä syrjäseuduillakin vesistä maanteille alkoivat uittojätkien moninaiset taidot hävitä. Vielä parikymmentä vuotta sitten satapäiset miesjoukot uittelivat kesän mittaan metsien rikkaudet pienistä latvapuroista lähtien meren rannikolle suurten jokien suihin; työ joka vaati kuntoa ja taitoa. Vanhoja taitoja elvytetään nykyisin eri puolilla maata kesän mittaan järjestettävissä **tukkilaiskisoissa**. Tukkimiehen valassa /356/ tasapainoillaan tukilla ja seremonioihin kuuluu jopa vedenjuonti. Sauvomisessa /357/ soljutetaan vene vastavirtaan koskenniskalle mahdollisimman nopeasti. Rullauksessa /358/ voittaa kauemmin tukilla pysyvä. Koskenlasku yhdellä tukilla /359/ ratkaisee usein kisan. Koillismaan valtavirta **Iijoki** on **Pudasjärvellä** vuosittain **tukkilaiskisojen** aitona näyttämönä.

Då transporten av stockar också i avlägsna bygder flyttades från vattendragen till landsvägarna började stockflottarnas mångsidiga skicklighet försvinna. Ännu för ett tjugotal år sedan flottade hundrahövade skaror av män om somrarna skogarnas rikedomar från små bäckars övre lopp till havets strand; ett arbete som krävde god fysik och skicklighet. Dessa åldriga färdigheter återupplivas nuförtiden vid **stockflottningstävlingar,** som anordnas under sommaren på olika håll i landet. I det prov som kallas stockflottarens ed /356/ balanserar man på stocken och till ceremonierna hör också att dricka vatten. Vid stakningen /357/ överhalar man båten motströms så snabbt som möjligt upp till forsnacken. Vid rullningen /358/ vinner den som längst hålls kvar på stocken. En forsfärd på en stock /359/ avgör oftast tävlingsleken. Den största strömfåran i Koillismaa, **Iijoki** är i **Pudasjärvi** årligen spelplats för forsfararnas tävlingar.

Als der Transport der Baumstämme vom Wasser auf die Landstrasse verlegt wurde, begannen die vielfachen Fertigkeiten der Flösserburschen zu verschwinden. Noch vor 20 Jahren flössten Gruppen bis zu 100 Mann die Schätze der Wälder von den hochgelegenen Bächen zu den Mündungen der grossen Flüsse am Meeresufer, eine Arbeit, die sowohl körperliche Kraft als auch Geschicklichkeit erforderte. Die alten Fertigkeiten werden heute bei den im Sommer veranstalteten **Flösserwettbewerben** wieder ins Leben gerufen. Wenn der Flösser seinen Eid ablegt /356/, balanciert er auf Baumstämmen und versucht, nach vorne gebeugt, ohne sich festzuhalten, Wasser zu trinken. Beim Staken /357/ wird das Boot so schnell wie möglich gegen den Strom hinaufgetrieben. Beim Rollen /358/ gewinnt derjenige, der am längsten auf dem Baumstamm bleibt. Die Fahrt von den Stromschnellen herab auf einem einzigen Baumstamm /359/ entscheidet oft den Wettbewerb. Der grosse Strom **Iijoki** in Koillismaa bei **Pudasjärvi** gibt oft den echten Hintergrund für die **Flösserwettbewerbe** ab.

With the shifting of the transporting of logs from the waters of even the outlying areas to roads the variegated skills of the log-floaters began to disappear. As late as twenty years ago there were teams of a hundred men or so floating the logs down to the sea, to the mouths of the great rivers — the work required strength and skill. These old skills are being kept alive today in a number of **log-floating contests** organized every summer in various parts of Finland. The ceremony of 'taking the log-floater's oath' involves balancing on a log and bending over to try to take a drink of water without holding fast /356/. In poling races /357/ the boat is pushed up stream against the current to the starting-point of the falls as quickly as possible. The log-rolling contest /358/ is won by the contestant who manages to stay upright on the log. The final event of the games is frequently the challenge of riding the rapids standing on one log /359/. The strong current of the **Iijoki River** in Koillismaa at **Pudasjärvi** is frequently the authentic stage for the log-floater competitions.

Pari sataa metriä ympäristöään korkeampi **Pudasjärven Iso-Syöte**, 431 m, ylpeilee Suomen eteläisimmän tunturin arvolla. Napapiirille on vielä yli kymmenen peninkulmaa, mutta tunturinlaen palovartijan majaan näkyy juhannuksena keskiyön aurinko. Aarnialueen koskemattomia metsiä esittelee viittapolku, mutta myös vaativa retkeilijä ihastuu: pohjoiseen on tietöntä taivalta viivasuoraan lähes neljä peninkulmaa.

Iso-Syöte i **Pudasjärvi**, 431 m, är ett par hundra meter högre än omgivningen och ståtar med äran att vara Finlands sydligaste fjäll. Till polcirkeln är det ännu mer än tio mil, men från brandvaktarens stuga på fjälltoppen ser man vid midsommar midnattssolen. En utprickad stig leder oss till ödemarksområdets orörda skogar, där också en krävande turist blir förtjust: åt norr kan man gå i väglösa marker streckrakt närmare fyra mil.

Der seine Umgebung 200 m überragende **Iso-Syöte**, 431 m, bei **Pudasjärvi** ist der südlichste Fjäll in Finnland. Bis zum Polarkreis sind es noch über 100 km, aber in der Feuerwache auf dem Gipfel des Fjälls sieht man in den Sommernächten die Mitternachtssonne. Durch die unberührten Wälder in diesem Gebiet führt ein Pfad mit Wegweisern, aber auch der anspruchsvolle Wanderer gerät in Begeisterung: er findet ein wegloses Gebiet, das sich ungefähr 40 km direkt nach Norden erstreckt.

Iso-Syöte, 431 meters above sea-level and towering 200 meters above its surroundin at Lake **Pudasjärvi,** is the southernmost fell in Finlanc It is still over 100 kilometer to the Arctic Circle but the midnight sun can be seen o summer-nights. There is a pat with sign-posts leading throu the untouched woods in this area, but the more demandin hiker will be enthusiastic abc an all-day hike across a track area which extends for 40 kilometers directly to the No

oillismaan kuuluisimman unnan, **Kuusamon,** eteläosissa ilkehtii nykyisin autolla ajetta- an tien päässä kahden järven uodostama viisikilometrinen esinauha, jota jyrkät kalliot eunustavat uhkaavina varsin- n ylemmän suvannon eli **ulman-Ölkyn** kohdalla. Yleensä adan metrin levyinen järvi apenee paikoin muutaman netrin levyiseksi; järvellä on eneitä käytettävissä.

I Koillismaas mest berömda sockens, **Kuusamos** södra delar glimmar i ändan av den nu med bil farbara vägen ett fem kilo- meter långt vattenband som bildas av två sjöar. Höga berg kantar hotfullt detta vatten, speciellt vid det övre lugn- vattnet, vid **Julma-Ölkky.** Den i allmänhet hundra meter breda sjön smalnar på sina ställen till bredden av någon båtlängd — och båtar står till disposition.

Im Süden von **Kuusamo** leuchtet am Ende der heute mit dem Auto befahrbaren Strasse ein von zwei Seen gebildeter Wasserstreifen von 5 km Länge auf. Die steilen Felsen, die dieses Gewässer umrahmen, wirken besonders bei der oberen Wasserfläche, dem **Julma- Ölkky,** furchterregend. Der im allgemeinen 100 m breite See wird an einigen Stellen so schmal, dass nur wenige Boote nebeneinander hindurchfahren können.

In the south of **Kuusamo** there is a five-kilometer ribbon of water, made up of two lakes, which is rimmed by steep rocks, producing an impres- sively threatening effect, especially in contrast to the quiet waters of the upper lake, **Julma-Ölkky.** This lake which is generally 100 meters wide at certain points becomes so narrow that only a few of the boats used on the lake can pass through side-by-side.

362

363

36

Kuusamon viitoitetun retkeily-
reitin, seitsenpeninkulmaisen
Karhunkierroksen musiikkina on
usein kosken pauhu. **Aallokko-**
koskea /363/ kuunnellaan
rannalta, mutta **Niskakoskea**
/362/ myös huojuvan riippu-
sillan pelottavuudesta ylhäältä.
Jyrävä /365/ on kuin Kitkan
sinfonian loppusoitto. Käylästä
alkava ja Juumaan päättyvä
Kitkajoen koskenlaskureitti
/364/ on nelikilometrisine joki-
suuksineen Suomen pisin.

Den utprickade exkursions-
rutten i **Kuusamo** är sju mil
lång och som musik på denna
Karhunkierros (Björnrundan)
hör man ofta forsars brus.
Aallokkokoski (Sjögångsforsen)
/363/ hör man från stranden
men **Niskakoski** (Nackforsen)
/362/ också uppifrån från den
gungande hängbron. **Jyrävä**
/365/ är som ett slutackord
i Kitkas symfoni. **Kitkajoki**
forsfararrutt vid Käylä /364/
är, med sina älvandelar på fyra
kilometer, Finlands längsta.

Als Begleitmusik auf der 70 km
langen, abgesteckten Wander-
route **Karhunkierros** in **Kuusamo**
ertönt oft das Getöse eines
Wasserfalls. Den **Aallokkokoski**
/363/ hört man vom Ufer, aber
den **Niskakoski** /362/ auf der
beängstigend schwankenden
Hängebrücke auch von oben.
Der **Jyrävä** /365/ ist gleichsam
das Finale der Symphonie von
Kitka. Die bei Käylä beginnende
und bei Juumaa endende **Strom-**
schnellenfahrtroute des **Kitka-**
joki /364/ ist die längste in
Finnland.

Hiking along the well-marked
'Bear-route' **(Karhunkierros)**
in **Kuusamo** is accompanied
for almost the whole 70
kilometers by the sound of
rapids. One hears the **Aallokko-**
koski from alongside /363/ but
there is also a swinging
hanging-bridge above the
Niskakoski /362/. The **Jyrävä**
/365/ is the finale of the
Kitka symphony. The **rapids-**
descent of the Kitka River
/364/ is with its river-section
the longest in Finland.

366

367

368

369

Kuusamo kokonaisuudessaan on yksi Suomen tunnetuimmista matkailukohteista, ihmisen luomien mukavuuksien ja luonnon annin monipuolinen aarreaitta. Retkeilyreittien takana voi hiljainen kulkija ihailla joutsenta /366/ ja kokea korpisoilla lakan /367/ tarjoaman makuelämyksen. Rukan /379/ lisäksi viittapolkua seuraten on helppo tavoittaa 492 m korkea **Valtavaara** /369/, tämän ylämaan kuningatar.

Kuusamo är ett av Finlands mest kända turistmål, en mångsidig skattkammare med de bekvämligheter som människan skapat och de gåvor naturen ger. Efter en exkursionsrutt kan den stillsamma vandraren beundra svanen /366/ och uppleva hjortronens /367/ smaksensationer på ödemarkskärren. Från Ruka /379/ är det lätt att längs den utprickade stigen nå det 492 m höga **Valtavaara** /369/, drottningen på denna högslätt.

Kuusamo ist als Ganzes eines der bekanntesten Touristenziele in Finnland, eine vielseitige Schatzkammer mit von Menschenhand geschaffenem Komfort und natürlicher Schönheit. Nach den Ausflügen kann der stille Wanderer den Schwan /366/ bewundern und den einmaligen Geschmack der Multbeere /367/ geniessen. Wenn man dem abgesteckten Pfad folgt, ist es leicht, ausser zum Rukka /379/ auch zum 492 m hohen **Valtavaara** /369/ zu gelangen.

Kuusamo as an entirety is one of the best-known areas for tourism in Finland. If he is quiet the hiker may very well spot a swan /366/ and the berries in the woods /36[have a very special taste. By following the marked-pat it is easy to ascend not only Ruka /379/ but also the 492 meter high **Valtavaara** /369/ the queen of this up-land.

apin lääniin liitetty mutta Koil-
smaahan olennaisena osana
kuuluva **Posio** on tyypillinen
rämaakunta: harvan mutta
errattain hyväkuntoisen tie-
erkon silmukoihin jää penin-
ulmaisia kiveliöitä, missä vael-
ja tapaa jylhiä laaksoja — tun-
etuin on Korouoma — ja mel-
ein paljaslakisia tuntureita.
empeämmän kauneuden
voittaa **Livojärven** kalaisten
esien äärellä pitkiltä hiekoilta
korkeilta harjuilta.

Det till Lapplands län inkorpo-
rerade men till Koillismaa
hörande **Posio** är en typisk
ödemarkssocken. I maskorna
till det glesa men i rätt gott
skick varande vägnätet finns
det milsvida obygder, där
vandraren träffar på mäktiga
dalar — den bäst kända är
Korouoma — och fjäll som just
och just är kaltoppiga. En
blidare skönhet möter man vid
Livojärvi som är rik på fisk,
på de långa sandstränderna
och de höga åsarna.

Das zum Regierungsbezirk
Lappland gehörige, aber einen
wesentlichen Bestandteil von
Koillismaa bildene **Posio** ist eine
typische Einödgemeinde: zwi-
schen dem dünnen, aber in
verhältnismässig gutem Zustand
befindlichen Strassennetz
bleiben meilenweite Steinfelder,
wo der Wanderer düstere Täler
und Fjälls mit kahlen Gipfeln
findet. Anmutigere Schönheit
trifft man an den fischreichen
Gewässern des **Livojärvi** auf
den langen Sandflächen und
den hohen Landrücken.

Posio, which belongs to the
administrative district of
Lapland but is an essential
part of Koillismaa, is a typical
wilderness commune: between
the sparse but well kept-up
roads there are stone-fields
extending for miles where the
traveler can run across deep
valleys — the most famous
is Korouoma — and some
bare-topped fells. At the edge
of the waters of **Livojärvi,**
with its abundance of fish,
there is a gentler beauty to be
seen in the long sand-fields
and high ridges.

Lappi

Lappland

Suomessa on omaleimaisuutta, poikkeavuutta jo etelässäkin, mutta omituisin maankolkka on Lappi, joka on hämmästyksen aiheita täynnänsä. Lappi on suomalaisellekin outo maa.

Yli kaksi kuukautta kestävä päivä, lähes samanmittainen pimeän aika, revontulet, kaksikymmenkiloiset kalat, susi ja karhu, vieläkin kunnioituksella katsotut palvontapaikat, kultaryntäykset Alaskan tyyliin, parikymmenmetriset putoukset, tasaisesta maasta arvaamatta putoava kaksisatametrinen rotkolaakso, kymmenmetriset lumikinokset talvella, myrskyn jäämereltä tuomat merilinnut, toukokuiset hiihtohanget ja juhannuksen hiihtokisat, kevään ryntäys viikossa, miljoonaiset sääskiparvet, syksyn ihmeellinen väriloisto, parisatatuhantinen poroelo, sointuva saamenkieli ja yhä tunturiin kajahtava joiku — kaukaisen maan taikaa.

Lappi on käsitteenä epämääräinen. Ennen oli Lappia koko Suomi, sitten suomalainen alkoi työntää saamelaista pohjoiseen ja Lapin eteläraja seurasi mukana. Lapin lääni ulottuu Pohjanlahden perukasta Suomen päälakeen ja käsivarteen, mittaa oikosuoraan enimmillään yli 500 km — sama matka kuin Helsingistä Ouluun! Läänin pinta-ala on peräti kolmannes Suomen pinta-alasta, mutta asukkaita on vain 5 % maan väestöstä. Saamelaisten osuus on jatkuvasti vähentynyt, nyt heitä on enää alle 2 % läänin asukkaista.

Ihmisen vaikutus Lapissa tuntuu yllättävän laajasti; oudon taikapiirin lisäksi Lappi on elävä ihmisten maa. Mutta ilmasto rajoittaa suuresti toimintaa. Lappalainen ottaa toimeentulonsa porosta, mutta elinkeinon merkitystä usein liioitellaan. Samoin kalastus on vähäistä. Pääturva on metsätaloudessa ja niukasti kasvavissa ohra-, peruna- ja heinäviljelmissä. Lähestyttäessä merta alkaa puunjalostusteollisuus olla merkittävää; jo Kemijärvellä on suuri tehdas.

Lähinnä luontoon liittyvä turistien tuntema taika oli kaukana myös 1944—45, kun Suomi Neuvostoliiton kanssa tehdyn rauhansopimuksen mukaan karkotti Lapista saksalaiset sotajoukot. Lapin sota tuhosi koko maakunnan, vain muutama syrjäseudun kylä säilyi. Lappi nousi nopeasti tuhkasta ja tämänpäivän matkailija saa nähdä yllättävän elinvoimaisia taajamia.

Etelä-Lappi, myös **Peräpohjolaksi** kutsuttu pohjoisen osa kohoaa teollistuneiden Kemin ja Tornion kaupunkien ympäristön alavuudesta vähitellen kohti koillista ja pohjoista. Tornionjokilaakson ensimmäinen nimivuori on aurinkovaarana tunnettu Aavasaksa, 242 m, keskiosissa kohoaa ylpeilevään korkeuteen Kemijärven-Pelkosenniemen Pyhätunturi, 538 m, ja Sallan perukoilla Neuvostoliiton rajan tuntumassa Sorsatunturi, 629 m. Maakunnan halkaisee monin voimalaitoksin kahlittu, Suomen suurin virta, Kemijoki, jonka varrella on läänin pääkaupunki, vireä Rovaniemi. Suot valtaavat maasta yli puolet, ja lopussakin on paljon pohjoista viidakkoa, kuusten hallitsemaa vaikeakulkuista rääseikköä. Jokivarsilla ovat viljelysmaat, joiden määrä vähenee koilliseen noustaessa 10 % :sta alle 1 %:n.

Maakunta on suurelta osalta vain matkailun läpikulkumaata; Rovaniemi ja Kemijärven seutu pysäyttävät kuitenkin paikallisella kauneudellaan ja vilkkaudellaan vieraita pitemmäksi aikaa.

I Finland finner man något särpräglat också i söder, men underligast bland landsändorna är Lappland, också för finnen ett okänt land.

En dag som dröjer kvar två månader, en nästan lika lång mörk tid, norrskenen, fiskar som väger tjugo kilo, varg och björn, platser för avgudadyrkan som alltjämt inger respekt, guldrusher i Alaska-stil, vattenfall på tjugotals meter, raviner som plötsligt från jämn mark stupar ned tvåhundra meter, vintertid tio meter höga snödrivor, havsfåglar som stormen hämtar hit från Ishavet, skid-skare i maj och skid-tävlingar vid midsommar, en vår som stormar in på en vecka, myggsvärmar på miljoner, om hösten en underbar färgprakt, några hundratusen renars livfullhet, klingande samiskt språk och över fjällen en ekogivande joik — det fjärranliggande landets trolldom.

Lappland är som begrepp obestämt. Förr var hela Finland ett Lappland, så kom finnen och trängde samerna norrut och Lapplands sydgräns följde efter. Lapplands län mäter fågelvägen maximalt över 500 km. — Länets areal är hela tredjedelen av rikets, men invånarna utgör endast 5 % av landets. Samernas andel minskar stadigt, nu utgör de knappa 2 % av länets invånare.

Människans inverkan märks i Lappland överraskande ofta, Lappland har inte bara sin underliga trollkrets, det är också ett levande, människors land. Klimatet begränsar dock handlandet. De som bor här försörjer sig på renen, men betydelsen av det näringsfånget överdrivs ofta. Också fisket är begränsat. Huvudtryggheten ger skogsbruket och de sparsamt växande korn-, potatis- och höodlingarna. Närmare havet blir träförädlingsindustrin allt betydelsefullare, redan i Kemijärvi ligger en stor fabrik.

Någon till naturen knuten trolldom märktes inte då Finland åren 1944—45 enligt fredsfördraget med Sovjet jagade bort de tyska trupperna från Lappland. Det kriget ödelade hela landskapet, någon enstaka avlägsen by räddades. Lappland reste sig snabbt ur askan. I dag ser man överraskande livskraftiga tätorter.

I södra Lappland som också kallas **Nordbotten**, reser sig markytan från de industrialiserade städerna Kemi och Torneå småningom mot nordost och norr. Aavasaksa i Torne älvdal, 242 m, kallas solberget. Pyhätunturi vid Kemijärvi-Pelkosenniemi stoltserar med 538 m, och i Sallas utmarker nära gränsen till Sovjet ligger Sorsatunturi, 629 m. Landskapet klyvs av Finlands största ström, Kemi älv, bunden av många kraftverk. Vid den ligger länets huvudstad, det livfulla Rovaniemi. Kärren annekterar mer än hälften av arealen och resten upptas av svårframkomliga snår där granarna härskar. Längs älvarna ligger odlingarna, de minskar i omfång mot nordost, från 10 % till under 1 %.

Landskapet är till stor del bara ett genomfartsområde för turismen. Trakterna kring Rovaniemi och Kemijärvi stoppar dock upp främlingarna för en längre tid tack vare sin lokala skönhet och livfullhet.

Lappland

In Finnland findet man auch im Süden Eigenartiges und Ausser-
gewöhnliches, aber der merkwürdigste Landesteil ist Lappland,
das auch für den Finnen ein unbekanntes Land ist.

Ein über zwei Monate dauernder Tag, eine beinahe ebenso
lange Nacht, Nordlichter, über 20 kg schwere Fische, Raubtiere
wie Wölfe und Bären, Kultstätten, die man heute noch ehrfürch-
tig ansieht, ein Goldrausch wie im alten Alaska, über 20 m her-
abstürzende Wasserfälle, Felsspaltentäler, die im ebenen Ge-
ände plötzlich 200 m tief abfallen, 10 m hohe Schneewehen im
Winter, Seevögel, die der Sturm vom Eismeer hierher treibt,
Schneefelder im Mai und Skiwettbewerbe mitten im Sommer, ein
schlagartig einbrechender Frühling, Millionen von Mücken,
eine wundervolle Farbenpracht im Herbst, einige hunderttausend
Rentiere, die klangvolle lappische Sprache und auf den Fjälls
weithin erschallendes Jodeln — Zauber eines fernen Landes.

Der Begriff Lappland ist schwer abzugrenzen. Früher war ganz
Finnland Lappland, aber dann drängten die Finnen die Lappen
immer weiter nach Norden. Der Regierungsbezirk Lappland ist
über 500 km lang und seine Fläche nimmt ein Drittel von der
Gesamtfläche Finnlands ein, aber die Bewohner machen nur 5 %
von der Bevölkerung des ganzen Landes aus. Der Anteil der
Lappen hat ständig abgenommen, heute sind weniger als 2 %
der Bewohner dieses Regierungsbezirks Lappen.

Der Einfluss des Menschen ist in Lappland überraschend oft
zu spüren. Lappland ist nicht nur ein verzaubertes Land, hier
gibt es auch Menschen. Die Bewohner Lapplands leben von der
Rentierzucht, obwohl die Bedeutung dieses Gewerbes oft über-
schätzt wird. Das Schwergewicht liegt bei der Forstwirtschaft und
bei Weizen, Kartoffeln und Heu. In der Nähe des Meeres ge-
winnt die Holzverarbeitungsindustrie an Bedeutung, in Kemi-
järvi befindet sich eine grosse Fabrik.

Vom Zauber der Natur, den die Touristen heute in Lappland
verspüren, war nicht viel zu merken, als Finnland in den Jahren
1944—45 die deutschen Truppen aus Lappland verjagte. Wäh-
rend des Lappischen Krieges wurde die ganze Provinz zerstört,
nur einige abgelegene Dörfer blieben verschont. Lappland stieg
schnell aus der Asche empor, heute findet man dort blühende
Ortschaften.

In **Süd-Lappland** steigt die Bodenfläche von den Industrie-
städten Kemi und Tornio allmählich nach Nordosten und Norden
hin an. Der erste bekannte Berg im Tal des Flusses Tornionjoki
ist der als Sonnenberg bezeichnete Aavasaksa, 242 m, im mitt-
eren Teil erreicht der Fjäll Pyhätunturi die stolze Höhe von 538 m
und in der Nähe der sowjetischen Grenze liegt der Fjäll Sorsa-
tunturi, 629 m. Die Provinz wird von Finnlands grössten Strom,
dem Kemijoki, durchschnitten, der von vielen Kraftwerken ge-
bändigt wird. Am Ufer dieses Flusses liegt die Hauptstadt der
Provinz, Rovaniemi, eine moderne Stadt mit lebhaftem Fremden-
verkehr. Seen findet man nur in einem schmalen Streifen beider-
seits des Polarkreises und südöstlich von Kemijärvi. Sümpfe und
schwerzugängliche Fichtenwälder bedecken über die Hälfte
der Provinz. Die Anbauflächen liegen an den Flussläufen, ihr
Anteil nimmt ab, je weiter man nach Nordosten geht.

Die Provinz ist zum grossen Teil nur ein Durchgangsgebiet
für den Tourismus. Rovaniemi und die schöne Gegend um Kemi-
järvi laden aber auch Fremde zu längerem Verweilen ein.

Lapland

There is much in Finland that is unique and exceptional, even in
the south of the country, but the most extraordinary corner of the
country is Lapland, which is full of surprises. Lapland is a strange
country even for the Finns themselves.

In Lapland there is a day which lasts for two months or more, a
night which lasts for almost the same amount of time, the North-
ern Lights, fish that weigh over twenty kilos, the wolf and the
bear, the ancient worshiping-places of the Lapps, the gold-rush
scene in the style of the Alaska gold-rush, falls that drop for over
twenty meters, unsuspected crevices that drop for 200-meters
in the midst of otherwise flat land, snow-piles that rise for dozens
of meters in the winter, sea-birds brought in from the Arctic Ocean
by storms, snow-crusted surfaces in May, ski-competitions at
midsummer, the onrush of spring in a week's time, millions of
mosquitoes, the incomparable colour-outburst of autumn, rein-
deer herds running into the hundreds of thousands, the resound-
ing speech of the Lapps and the unforgettable singing of the
Lapps echoing from the fells — all the magic of a distant land.

Lapland is an inexact concept. Long ago Lapland was all of
Finland, then the Finns began to push the Lapps to the north and
the border of Lapland moved with them. What is the present
province of Lapland extends from the Gulf of Bothnia through to
the top of the head and the end of the arm of the maiden that the
map of Finland outlines. The distance is over 500 kilometers in
one direction — the same distance as from Oulu to Helsinki! The
surface-area of this one province, Lapland, is a good third of the
whole surface-area of Finland, but the population of Lapland
is only 5 % of the total of the country. The effect of man in
Lapland appears to extend widely; in addition to being a country
of magic Lapland is a living land of people. But the climate
limits their activity. The main reliance of the inhabitants is on
forestry and in the cultivation of the sparsely growing barley,
potato and hay crops. The closer to the sea the more important
wood-processing is. And in Kemijärvi there is a large wood-
processing plant.

In 1944—45 Finland, in accordance with the agreement she
had made with the Soviet Union, expelled the German troops
from Lapland. The war in Lapland resulted in the destruction of
almost everything that could be destroyed in the whole province
— only a few remote villages remained standing. But Lapland
rose quickly from the ashes and the present-day tourist can
observe surprisingly thriving settlements of population.

In **South Lapland** the ground-surface rises gradually from the
area of the industrial cities of Kemi and Tornio toward the North-
east and the North. The first mountain in the Tornio river-valley
which bears a name is Aavasaksa, meaning "Mountain of the
Sun", which reaches a height of 242 meters. Further on there is
the Pyhätunturi fell, which reaches the height of 538 meters and
in the vicinity of the Soviet border there is the Sorsatunturi fell,
629 meters high. The province of Lapland is cut through by
Finland's largest river, the Kemijoki, on which many power-
plants have been erected. The capital city of the province, Rova-
niemi, is on this river.

Swamps dominate over half of the land, and the woods are
difficult to traverse. Along the banks of the rivers there are
cultivated areas the amount of which diminishes as one proceeds
northwards and northeast from 10 % to less than one per cent.

374

375

376

377

Pohjoinen Suomi tarjoaa etelän ihmisen kummasteltavaksi vahvassa vuotisessa rytmissään myös valon omituisen ilmiön. Mitä lähemmäksi napapiiriä uskaltaudutaan sitä selvemmäksi valon ja varjon suuri leikki kehkeytyy, ja varsinaiseen Lappiin matkattaessa kesän valoisuus alkaa suorastaan häikäistä: Kilpisjärven /421/ ja Inarin /396/ korkeudella aurinko unohtuu taivaalle soikealle radalleen toukokuun lopusta heinäkuun lopulle, ja Utsjoella

yötöntä yötä kestää peräti 64 vrk. Mutta myös napapiirin eteläpuolen korkeilla paikoilla /360, 379, 386/ näyttäytyy keskiyön aurinko juhannuksen aikoihin. — Kesäaurinko maalaa karun maan vuorokauden eri aikoina eri tavalla /374-377/ kuin lohduttaakseen talvella pitkään yöhön joutuvaa maata /441/. Retket niin maalla kuin vesillä tarjoavat unohtumattomia elämyksiä: tuntuu uskomattomalta, että kello on **Kuusa-mossa** yöllä yksi /378/.

Norra Finlands starka årsrytm bjuder människan från söder någonting som väcker förvåning — ljusets underliga fenomen. Ju närmare polcirkeln man vågar sig dess tydligare blir den stora leken mellan ljus och skugga. Vid en resa till egentliga Lappland börjar sommarens ljus rentav blända: På höjd med Kilpisjärvi /421/ och Enare /396/ förglömmer solen sig på himlen i sin avlånga bana från slutet av maj till slutet av juli och i Utsjoki pågår den nattfria Utsjoki pågår den nattfria

natten hela 64 dygn. Men ock söder om polcirkeln på högt belägna platser /360, 379, 38(visar sig midnattssolen vid midsommartid. Sommarsoler målar det karga landet olika /374-377/ på olika tider av dygnet, som ville den trösta jorden som om vintern råkar in i den långa natten /441/. Utflykterna både till lands och sjöss bjuder på oförglömliga upplevelser: det känns otroligt att klockan i **Kuusam** är ett på natten /378/.

Nordfinnland bietet dem Menschen aus dem Süden auch eine einzigartige Lichterscheinung. Je weiter man sich an den Polarkreis herantraut, desto klarer wird das Zusammenspiel zwischen Licht und Schatten, und im eigentlichen Lappland beginnt die Helle des Lichtes geradezu zu blenden: auf der Höhe von Kilpisjärvi /421/ und Inari /396/ bleibt die Sonne von Anfang Mai bis Ende Juli auf ihrer länglichen Bahn am Himmel, und in Utsjoki dauert die nachtlose Zeit sogar 64 Tage.

Aber auch südlich vom Polarkreis ist die Sonne während der Mittsommernächte an hochgelegenen Stellen /360, 379, 386/ zu sehen. — Die sommerliche Sonne färbt die karge Landschaft zu den verschiedenen Tageszeiten auf verschiedene Weise /374-377/, als ob sie das Land für die langen Winternächte entschädigen wollte /441/. Wanderungen auf dem Land und zu Wasser vermitteln unvergessliche Erlebnisse: es scheint unglaublich, dass es in **Kuusamo** ein Uhr nachts ist /378/.

North Finland offers those who come from the south an unforgettable experience in the phenomena of light. The further one penetrates toward the Arctic Circle the more one is affected by the interplay of light and shadow and on traveling into Lapland itself the brightness of the summer begins to be downright shocking: at the level of Kilpisjärvi /421/ and Inari /396/ the sun does not set below the horizon from the beginning of May until the

end of July and in Utsjoki the nightless night lasts for 64 days. But also in areas south of the Arctic Circle on high places /360, 379, 386/ the sun can be seen at midnight during the midsummer nights. The summer sun paints the rugged land in different ways /374-377/ as if to comfort the land for the long night of winter /441/. It seems unbelievable at one o'clock in the morning in **Kuusamo** /378/ that it should be so late.

Nykyisin **Kuusamon Rukatunturilta**, 462 m, avautuu näkymä, missä luonto säätelee itse itseään, missä joet juoksevat ylpeinä kanjoneissaan ja missä järvet välkehtivät luonnollisin rannoin. Mutta voisi olla toisinkin: 1950-luvulla riehuneessa koskisodassa voimayhtiöt halusivat valjastaa tekniikan rattaisiin sekä Kuusamon että Posion vedet. Sota oli ankara, keinoja ei kaihdettu, mutta lopulta luonnonystävät ja matkailuväki voittivat ja kiistellyille alueille perus-

tettiin Oulangan kansallispuisto. Myöhemmin, 1960-luvulla, paljastui ns. Iijoki-suunnitelma, jonka toteutuessa Kuusamon suurimman järven, Kitkan, vedet olisi käännytetty juoksemaan länteen Livojärvien /371-373/ kautta ja Kitkanjoki uljaine nähtävyyksineen /362-365/ olisi jäänyt kuivaksi! Tämäkin luonnon teennäinen mullistus tyrmättiin.

Från **Rukatunturi,** 462 m, i **Kuusamo** öppnar sig nuförtiden en utblick, där naturen reglerar sig själv, där älvarna flyter stolta i var sin kanjon och där sjöarna med sina naturliga stränder glittrar. Men det kunde vara annorledes: I det på 1950-talet utkämpade forskriget ville kraftverken binda både Kuusamos och Posios vatten i teknikens hjul. Kampen var hård, man skrädde inte på medel, men naturvännerna och turistfolket segrade

till slut, på de omstridda områdena grundades Oulanga folkpark. Senare, på 1960-talet blottades det s.k. Iijoki-projektet. Om det hade verkställts skulle vattnen i Kuusamos största sjö, Kitka, vänts mot väster i sitt lopp via Livo sjöarna /371-373/ och Kitka älv med sina mäktiga sevärdheter /362-365/ skulle ha torrlagts! Också för denna konstgjorda naturomvälvning satte man stopp.

Heute bietet sich von dem Fjäll **Rukatunturi**, 462 m, eine Aussicht, wo die Natur über sich selbst bestimmt, wo die Flüsse ungebändigt durch ihre Cañons brausen und die Ufer der Seen hell aufleuchten. Es könnte aber auch anders sein: in den 50er Jahren dieses Jahrhunderts entbrannte ein Stromschnellenkrieg, bei dem die Energiegesellschaften sowohl die Wasser von **Kuusamo** als auch die von Posio für die Technik nutzbar machen wollten. In diesem Krieg wurden keine Mittel gescheut, aber zum Schluss siegten Naturfreunde und Fremdenverkehr. In den umstrittenen Gebieten wurde der Nationalpark von Oulanka gegründet. Später wurde der sog. Iijoki-Plan aufgedeckt, der eine Umleitung der Wasser des grössten Sees von Kuusamo, des Kitka, über die Livojärvi-Seen /371-373/ nach Westen vorsah und infolge dessen der Kitkajärvi mit seinen prächtigen Sehenswürdigkeiten ausgetrocknet wäre. Auch dieser künstliche Eingriff in die Natur wurde abgewehrt.

At the present time the height of **Rukatunturi,** 462 meters, provides a view of unspoiled nature in **Kuusamo** where rivers run proudly in their canyons and the lakes sparkle. But it could have been otherwise: during the 1950's the electric companies wanted to harness the waters both of Kuusamo and Posio to the wheels of industry. The wiles of the companies were resisted by the nature-lovers and those who espoused the cause of tourism and finally the Oulanka National Park was established in the disputed area. Later, in the 1960's, a plan was revealed, the so-called Iijoki plan, in the realization of which the waters of Kitka, Kuusamo's largest lake, would have been turned to run westward through the Livo Lakes /371-373/ and the Kitka River with its glorious natural sights /362-365/ would have been let run dry! This violation of nature was also warded off.

380

381

382

Omassa yksinäisyydessään kohoavan Suomen eteläisimmän **suurtunturin,** Kemijärven ja Pelkosenniemen rajalla sijaitsevan **Pyhän,** seitsenkilometrisen selänteen katkaisevat mahtavat kurut moneksi, kauas näkyväksi laeksi /382/. **Pikkukuruksi** nimitetty laakso /383/ esittelee edustavasti maailman vanhimpiin kuuluvaa jäännösvuorta. Kiviaines, kvartsiitti, on muodostunut muinaisen meren hiekasta; miljoonien vuosien takaisten **merien aallot** ovat jähmettyneet tunturin juureen /384/. Pyhä on aikanaan erottanut Suomen ja Lapin, ja vasta 1760-luvulla uudisasukkaat saivat virallisen luvan tunkeutua varsinaiseen Saamenmaahan. Mutta jo 1600-luvulla Lapin apostoliksi kutsuttu E.M. Fellman kastoi **Pyhänkasteenlampeen** putoavassa purossa /381/ Sompion lappalaisia kristinuskoon. Pyhätunturilla on Lappi pienoiskoossa, ja harvinaisen eläimistön ja kasvillisuuden säilyttämiseksi on perustettu kansallispuisto. Entisestä erämaan rauhasta kertoo mm. **Pyhänkasteenlampi** /380/. Pyhätunturin välittömässä läheisyydessä on useita eritasoisia lomapaikkoja.

Finlands sydligaste **storfjäll** **Pyhätunturi** reser sig i ensamt majestät, dess sju km långa fjällrygg bryts av mäktiga raviner i många toppar, som syns långväga /382/. En dal som kallas **Pikkukuru** /383/ visar bergsrester som hör till världens äldsta. Stenämnet, kvartsiten, har bildats av strandsanden på forntida hav; **havets** **vågor** från miljoner år tillbaka har stelnat vid fjällets rot /384/. Pyhätunturi har på sin tid skiljt åt Finland och Lappland, och först på 1760-talet fick nybyggarna officiellt tillstånd att tränga in i egentliga Sameland. Men redan E. M. Fellman, Lapplands apostel, döpte på 1600-talet i en bäck som sprang ned från **Pyhänkasteenlampi** (Det heliga dopets tjärn) /381/ Finlands lappar. På Pyhätunturi möter vi Lappland i miniatyr och för att bevara dess sällsynta djur- och växtvärld har man kring fjället grundat en nationalpark. Om ödemarkens forna frid berättar bl.a. **Pyhän** **kasteen lampi** /380/. I omedelbar närhet av Pyhätunturi finns semesterplatser på olika servicenivå.

Den 7 km langen Bergrücken des einsam aufragenden **Pyhätunturi**, des südlichsten von den grossen Fjälls in Finnland, zerteilen gewaltige Schluchten in mehrere weithin sichtbare Gipfel /382/. Bei dem **Pikkukuru** genannten Tal /383/ findet man einen der ältesten Restberge der Welt. Dieser Berg besteht aus Quarzfels, der aus dem Ufersand eines alten Meeres entstanden ist. Die **Wellen** der **Meere** sind vor Millionen Jahren am Fusse des Fjälls erstarrt /384/. Der Pyhätunturi trennte früher Finnland von Lappland, und erst in den 60er Jahren des 18. Jahrhunderts erhielten die Neusiedler die offizielle Erlaubnis, in das eigentliche Lappland vorzudringen. Der als Apostel Lapplands bezeichnete E.M. Fellman hatte allerdings schon im 17. Jahrhundert die Lappen von Sompio in dem in den Teich **Pyhänkasteenlampi** herabstürzenden Bach /381/ getauft. Die Gegend um den Pyhätunturi ist wie Lappland im Kleinformat, und zur Erhaltung der seltenen Tier- und Pflanzenwelt wurde hier ein Nationalpark gegründet. Von der paradiesischen Ruhe vergangener Zeiten legt u.a. der Teich **Pyhänkasteenlampi** /380/ Zeugnis ab.

The great gullies of **Pyhätunturi,** the southernmost of the great fells of Finland, break its seven-kilometer long ridge into many peaks, visible from afar /382/. Pyhätunturi is located on the edge of Kemijärvi and Pelkosenniemi. A valley named **Pikkukuru** (little gully) /383/ presents one of the oldest residuehills in the world. The mineral element, quartzite, has been formed out of the beach-sand of an ancient sea; the **waves** **of the sea** from millions of years ago have congealed at the base of the fell /384/. Pyhätunturi in a previous time separated Finland and Lapland, and only during the 1760's did the new settlers of Finland receive official permission to enter into Saamenmaa, the land of the Lapps. But as early as the 1600's E. M. Fellman, who was called the apostle of Lapland, baptized the Lapps of Sompio into the Christian faith in the brook of **Pyhänkasteenlampi** (Pond of Holy Baptism) /381/. Pyhätunturi is Lapland in miniature, and a national park has been established there to preserve the rare animal and plant life. **Pyhänkasteenlampi** /380/ gives a picture of the agelong peace of the wilderness. In the immediate vicinity of Pyhätunturi there are a number of vacationing-places of different levels.

Lähes 30.000 asukkaan **Rovaniemi**, Lapin läänin monipuolinen keskus on noussut Lapin sodan täydellisestä tuhosta moderniksi taajamaksi, joka levittäytyy akateemikko Alvar Aallon luoman asemakaavan pohjalta mahtavan Kemijoen molemmille rannoille. Kaupungin keskustasta on maankuululle **napapiirin** /388/ **majalle**, kuuluisuuksien käyntipaikalle, vain kahdeksan kilometriä. Kesällä Lapin portiksi kutsuttu Rovaniemi on todellinen kansainvälinen matkailijain

kohtaamispaikka, jonka monet hyvätasoiset hotellit, motellit ja retkeilymajat tarjoavat monipuolisia palveluja ja ohjelmaa. Leirintäalue sijaitsee kaupungin sydämessä näköalapaikka **Ounasvaaran,** 203 m, juurella joen rannalla /386/. Entinen kuuluisa kaupungin halkaiseva Ounasjoki on nyt hiljalleen soluva suvantovesi /387/, joka juoksuttaa Lapin metsiä kohti Kemin teollisuutta.

Rovaniemi med närapå 30.000 invånare, ett mångsidigt centrum i Lapplands län, har rest sig ur den fullständiga ödeläggelsen under kriget i Lappland (1944) till en modern tätort, som utbreder sig på var sida om Kemi älv enligt akademiker Alvar Aaltos stadsplan. Från centrum är det endast ca 8 km till **polcirkelstugan** /388/ där många berömdheter gästat. Rovaniemi som kallats Lapplands port, är sommartid en verklig träffpunkt för interna

tionella turister. Många hotell, motell och turisthyddor med god servicenivå bjuder mångsidiga tjänster och program. Campingplatsen befinner sig i hjärtat av staden, vid foten av utsiktsplatsen **Ounasvaara,** 203 m, vid älvens strand /386/ Ounaskoski som ligger mitt i staden var förr en välkänd fors nu rinner detta spakvatten långsamt /387/ och transporte rar Lapplands skogar mot industrierna i Kemi.

386

387

388

Rovaniemi hat annähernd 30.000 Einwohner und ist das vielseitige Zentrum des Regierungsbezirks Lappland. Die Stadt hat sich nach der völligen Zerstörung im Krieg zu einem modernen Siedlungszentrum entwickelt, das sich auf der Grundlage des von Alvar Aalto entworfenen Rentiergeweih-Bebauungsplanes an beiden Utern des breiten Kemijoki ausdehnt. Vom Zentrum der Stadt sind es nur 8 km bis zur **Hütte** am **Polarkreis** /388/, dem Treffpunkt vieler Berühmtheiten.

Im Sommer ist das als Tor nach Lappland bezeichnete Rovaniemi ein wirklich internationaler Touristenplatz, dessen erstklassige Hotels, Motels und Jugendherbergen einen vielseitigen Service anbieten. Das Campinggelände liegt am Fusse des Berges **Ounasvaara,** /386/. Der früher berühmte Ounaskoski ist heute ein geruhsam dahinfliessendes Gewässer /387/, das die Schätze der lappischen Wälder zu den Industriebetrieben in Kemi befördert.

Rovaniemi is a city of almost 30,000 inhabitants and is the administrative center of Lapland. After almost complete destruction at the end of the war it has been rebuilt as a modern community on both sides of the Kemi River in accordance with the plans of Alvar Aalto, member of the Academy of Finland. It is eight kilometers from the center of the city to the famous **Polar Hut** /388 /. In summer Rovaniemi, which

has been called the Gateway to Lapland, is a real international tourist-center offering a whole series of variegated programs and services. A camping-area is located in the center of the city at the base of **Ounasvaara,** 203 meters high, alongside the river /386/. The formerly famous Ounas Rapids cutting through the city is now a quietly gliding stream /387/ which taps the woods of Lapland for the industry of Kemi.

389

Kristinuskon noustessa 1300-luvulla piispa Hemmingin matkassa väkinäisesti Kemijokea vastavirtaan kohti Lappia Iso-Hiisi keitteli mahtavissa kattiloissaan pari peninkulmaa ennen Rovaniemeä taikalientä uskonmiehen surmaksi. Mutta tulijan loitsut olivat paremmat, Hiisi peitti kattilansa ja heitteli piispaa kivillä, niin että syntyi Messusaari. Siinä Hemming sitten piruuttaan piti ensimmäisen saarnansa pakanoille. — Tosikot ovat toista mieltä: Sukulanra-

kassa **Rovaniemen maalaiskunnassa** sijaitsevat **Suomen suurimmat hiidenkirnut** syntyivät jääkauden loppuessa. Satoja metrejä paksun jääkerroksen sulaessa syntyi railoja, joissa vesi alkoi voimakkaissa virroissaan pyörittää kovaa kiveä pehmeämmässä emäkalliossa. Vasta 1960-luvulla löydetyistä kaikkiaan 30 kirnusta syvin on Piispa Hemmingin kirnu, 11,54 m ja pyöreämuotoisin Ison-Hiiden piilopirtti, syvyyttä silläkin 11,50 m.

När den kristna tron på 1300-talet gensträvigt under biskop Hemmings resa trängde sig motströms längs Kemi älv upp till Lappland, kokade Iso-Hiisi (Den store Lede) i sina mäktiga kittlar några mil före Rovaniemi en trollsoppa för att ta kål på predikaren. Men dennes besvärjelser var bättre. Den Lede täckte över kitteln, kastade sten på biskopen och så uppkom Messusaari (Mässans ö). Där höll Hemming sedan på djävulskap sin första predikan för alla otrogna. Om detta är

dock de humorlösa av annan mening: I Sukulanraka i **Rovaniemi landskommun** uppkom **Finlands största jättegrytor** vid istidens slut. Då islagret, ett hundratal meter tjockt, smälte, uppkom det råkar, i vilka vattnet i kraftiga strömmar snurrade hårda stenar mot det mjuka urberget. Den djupaste av de 30 jättegrytorna, som påträffades först på 1960-talet, är Biskop Hemmings, 11,54 m och den till formen rundaste Iso-Hiisis gömställe, dess djup är 11,50 m.

Als der Christenglaube im 14. Jahrhundert mit dem Bischof Hemming gewaltsam den Kemijoki hinauf nach Lappland eindrang, bewarf der böse Geist Iso-Hiisi den Bischof Hemming mit Steinen. Die Zaubersprüche des Ankömmlings waren jedoch stärker, so dass die Insel Messusaari entstand. Dort hielt der Bischof den vom bösen Geist besessenen Heiden seine erste Predigt. — Humorlose Menschen sehen es anders: die **grössten Gletschertöpfe** in **Finnland,** die bei Sukulanrakka

in der Nähe von **Rovaniemi** liegen, sind nach der Eiszeit entstanden. Als die einige hundert Meter dicke Eisschicht schmolz, entstanden Eisspalten, in denen das Wasser hartes Gestein auf dem weicheren Mutterfelsen herumzuwirbeln begann. Der tiefste von den erst in den 60er Jahren dieses Jahrhunderts entdeckten insgesamt 30 Gletschertöpfen ist der 11,54 m tiefe Topf des Bischofs Hemming und der rundeste ist das Schlupfloch des Iso-Hiisi, das auch 11,50 m tief ist.

When during the 1300's the Christian faith in the person of Bishop Hemming pressed up the Kemi River into Lapland, the evil spirit Iso-Hiisi brewed a magic potion in his massive kettles to bring about the death of the holy man. But the magic of the oncoming Bishop was stronger so the evil spirit instead threw stones at the bishop and one of them became Messusaari. That is where Hemming preached his first sermon to the heathen. — The **'devil's churns'** in

Sukulanrakka, the largest in Finland, came into being with the ending of the ice-age. With the melting of the glacial-layer, hundreds of meters thick, there appeared crevices in the ice in which the water began to spin hard rock in the softer mother-rock base. The deepest of the total of 30 churns are the Bishop Hemming churn, 11.54 meters deep, and the round-shaped Hiding-place of Iso-Hiisi, its depth being 11.50 meters.

Suomen ja Ruotsin erottavan Tornionjoen kuuluisin ja suurin koski, **Karungin Kukkolankoski**, pudottaa vesiä 3 km:n matkalla 14 m. Kosken parhailla paikoilla, autotien varrella, lipotaan siikaa yhä satavuotisen perinteen mukaisesti. Haikeina vanhat lippoajat puhuvat ajoista, jolloin lippoon saattoi osua yhtä aikaa kaksikin lohta. Nyt haaviin, jonka kehys on katajaa ja varsi kuivattua kuusta, saadaan parhaina päivinä satakunta siikaa. Lippoa kuljetetaan kalan nousu-reittiä pitkin myötävirtaan /391/ ja koukataan saalis haaviin läheltä pohjaa. Entiseen tapaan saalis myös jaetaan joka ilta lippoamisoikeuden omistajien kesken /395/. Ennen Kukkolan juhlapäivänä, Jaakonpäivänä, lippoajat paistoivat kalaa ilmaiseksi köyhille — nykyisin voi matkailija muinakin päivinä ostaa herkullista, tuoretta loistesiikaa /394/.

Den största och bäst kända forsen i Torne älv, som skiljer Finland och Sverige åt, är **Kukkolankoski** i **Karunki,** på 3 km är vattnets fallhöjd 14 m. På de bästa ställena i forsen, vid bilvägen, håvar man sik enligt hundraårig tradition. Sorgsna talar gamla håvmän om tider, då man kunde få två laxar samtidigt i håven. Håven, vars ram är av enträd och skaftet av torkad gran, kan nu i bästa fall ge ett hundratal sikar per dag. Håven dras medströms längs fiskens rutt /391/ och fångsten grips i håven nära bottnet. Enligt gammal sed delas bytet varje afton mellan alla dem som äger inhåvnings rätt/395/. Förr stekte håvmännen fisken på Jakobdagen en festdag i Kukkola, och gav den gratis åt de fattiga — numera kan turisten också andra dagar köpa läcker, färs glimrande sik /394/.

391

392

393

394

er berühmteste und grösste Vasserfall des Finnland und chweden voneinander trennenden Flusses Tornionjoki ist er **Kukkolankoski** bei **Karunki,** essen Gefälle auf einer 3 km ngen Strecke 14 m beträgt. n den besten Stellen des Vasserfalls fängt man wie vor undert Jahren Felchen mit dem escher. Heute bekommt man n den besten Tagen ungefähr undert Felchen | in den escher, dessen Rahmen us Wacholderholz und dessen

Stiel aus getrocknetem Fichtenholz angefertigt ist. Der Kescher wird mit dem Strom an der Aufstiegsroute der Fische entlanggeführt und die Beute in der Nähe des Bodens aufgeschnappt. Der Fang wird jeden Abend unter den Besitzern des Fischereirechts aufgeteilt /395/. Früher brieten die Fischer am Jaakonpäivä, dem Festtag von Kukkola, umsonst Fische für die Armen — heute kann der Tourist auch an anderen Tagen frische Felchen kaufen /394/.

In the **Kukkolankoski** rapids at **Karunki,** the most famous and the largest of the rapids of the Tornionjoki River which divides Finland and Sweden, there is a descent of 14 meters over a 3-kilometer stretch. At the best places white-fish are caught with hoop-nets. Regretfully, the old-time hoopnet fishermen tell of times when two salmon might be caught with one scoop of the net. On good days the catch can be a hundred white-fish.

The net is drawn with the current to catch the fish as they struggle upstream /391/. In accordance with the old custom the catch is divided up every evening among those who have the licenses for hoop-net fishing /395/. Previously on Jaakko's Day, the ceremonialday of Kukkola, the fish were fried free for the poor — now the tourist can buy the delicious, fresh white-fish on other days too /394/.

Saamenmaa

Samernas land

Peräpohjolan ja varsinaisen Lapin raja on epämääräinen; pitkien välimatkojen maassa muuttuu maisema, luonto huomaamatta. Rajamaita hallitsevat suuret, etelään laskevat joet, niiden väliset asumattomat, soiset, vaikeakulkuiset, kuusikkoiset kairat ja muutamat mainittavat tunturit. Valtaosa jokikairoista on kulkematonta seutua — mitä metsänkaatajat ovat työntäneet kapeita teitään ryteikköön ja nurittaneet arvokasta lapinpuuta. Asutus on jokia seuraavien harvojen teiden varsilla.

Muonionjoen ja Ounasjoen välissä on kuitenkin maisemanhuokailijan mielipaikka, koko läntistä Lappia katseellaan hallussaan pitävä Ounaksen, Pallaksen ja Ylläksen tunturijono — se tuo tuulahduksen varsinaisesta Saamenmaasta. Idässä sen sijaan tuulahdus jää tekojärvien ruskehtaviin ja kannokkojen valtaamiin aaltoihin. Sitten Lapin sodan ei ihminen ole muuttanut Pohjoista näin paljon: Lokan tekojärvellä on pintaa 400 km², veden korkeuden vaihtelua viitisen metriä ja suurta ulappaa suurimmillaan 32 km. Porttipahdan altaan pinta on puolta pienempi. Pallaksen-Ylläksen lisäksi matkailijan mieliseutuja ovat Levi-Sirkka ja Luosto-Pyhä, tuntureita ja majoituspaikkoja.

Saamenmaahan kuuluu ainoastaan kolme Suomen pohjoisinta kuntaa. Se ei ole paljon, mutta niiden yhteinen maa-ala on yhtä suuri kuin Uudenmaan ja Turun ja Porin läänien yhteensä! Eteläisissä lääneissä asuu reilut puolitoista miljoonaa ihmistä, pohjoisissa kunnissa vähän toistakymmentätuhatta. Pohjoisessa on asukkailla tilaa kulkea ja olla: keskitiheys on 0,3—0,5 ihmistä neliökilometriä kohti. Saamenmaa ei ylpeile pelloillakaan: eniten Inarin kunnassa, 9 km², ja vähiten Utsjoella, 2,7 km². Enontekiö sijoittuu siihen väliin. Saamenmaassa ei paikoin ole kuin vaivaista tunturikoivua: mäntymetsän raja kulkee Enontekiön kirkonkylän pohjoispuolitse Norjan rajan kulmaan ja siitä Inarinjärven luoteissyrjitse koilliseen.

Käsivarren pitäjän, **Enontekiön**, suurin osa on tunturi-Lappia. Ounas, 723 m, kohoaa kirkonkylän, Hetan, eteläpuolella. Käsivarsi on melkein yhtenäistä tunturimaata, ylväin Suomi seisoo äärimmäisenä luoteessa; korkein vuori, Halti, yltää 1.328 m:iin.

Pohjoisin kunta, Suomen päälaen käsittävä **Utsjoki,** kätkee Norjaa vasten Suomen syvimmän jokilaakson, mahtavan Tenon, joka enemmän yhdistää kuin erottaa kaksi valtakuntaa. Vielä parikymmentä vuotta sitten kunnan kirkonkylä oli tiettömän taipaleen päässä, nyt öljysoratiet seuraavat tärkeimpiä jokia.

Inarissa voi kulkea viivasuorasti samassa kunnassa 218 km eli matkan Helsingistä Jyväskylään ylittämällä vain yhden tien. Nimensä pitkä pitäjä on saanut kallioperän vajoamaan syntyneestä 3.000 saarta ja karia käsittävästä Inarijärvestä, jolla on laajuutta 1.386 km², pituutta 80 km, leveyttä 41 km ja syvyyttä paikoin 100 m. Inarijärvi myöhästelee vuosittaisessa rytmissään: se jäätyy joulukuussa ja sulattaa jäät kesäkuussa. Monet tunturiylängöt ovat retkeilijän kultamaita. Kunnan keskuksena on lähes kaupunkimainen Ivalo lentokenttineen.

Gränsen mellan Lappmarken och egentliga Lappland är obestämd, i de långa avståndens land förändrar sig landskapet omärkbart. Gränsområdena behärskas av stora, mot söder rinnande älvar, av obebodda, kärrbundna, granrika obygder och några fjäll. Obygderna här är stiglösa. Någonstans har skogshuggarna pressat en smal spång in genom snåren och fällt värdefulla träd. Bosättningen ligger längs vägarna i älvdalarna.

Mellan Muonio älv och Ounasjoki ser man Ounas-, Pallas-, Ylläs-fjällräckan, den härskar över blickfånget i västra Lappland — och för med sig en fläkt av det egentliga Samelandet. I öst ser man de konstgjorda sjöarnas bruna av stubbgyttringar fyllda vågor. Sedan kriget här har människan inte förändrat naturen så mycket som här: Lokka konstgjorda sjö har en yta på 400 km², vattenhöjden varierar fem meter och den vidaste fjärden är 32 km Porttipahta konstsjö har en hälften mindre yta. Utom vid Pallas-Ylläs trivs turisten gott vid fjällen och inkvarteringsplatserna Levi-Sirkka och Luosto-Pyhä.

Samernas land omfattar tre av Finlands nordligaste kommuner, men deras areal är lika stor som Nylands och Åbo och Björneborgs län tillsammans! I de södra länen bor drygt halvannan miljon människor, i de norra kommunerna något mer än tiotusen. Medelbefolkningstätheten är i norr 0.5 människor per km². Samernas land kan inte heller skryta med sina åkrar, i Enare kommun 9 km², i Utsjoki endast 2,7 km². I Sameland växer det ställvis endast ynkliga dvärgbjörkar, barrskogsgränsen går norr om Enontekis kyrkby.

Enontekis socken är till största delen fjäll – Lappland. Ounas, 723 m, reser sig söder om kyrkbyn, Heta. Det ståtligaste Finland ligger längst i nordväst, det högsta berget, Halti, når 1.328 m.

Den nordligaste kommunen, **Utsjoki,** gömmer Finlands djupaste älvdal, den mäktiga Teno, som mera förenar än åtskiljer två riken. Ännu för ett tjugotal år sedan ledde inga vägar till kommunens kyrkby, nu löper oljegrusvägar längs de viktigaste älvarna

I Enare kan man färdas rätlinjigt inom samma kommun 218 km utan att korsa mer än en enda väg. Enare träsk har 3.000 öar och grund, en vidd av 1.386 km², en längd på 80 km, en bredd på 41 km och ställvis ett djup på 100 m. Sjön är sen i sin årliga rytm, den fryser till i december och isen smälter i juni. Många fjällplatåer är guldriken för turisterna. Centrum i kommunen är det stadslika Ivalo, som har ett flygfält.

Das Land der Lappen

Die Grenze zwischen Süd-Lappland und dem eigentlichen Lappland ist schwer zu ziehen. In dem Land der weiten Entfernungen ändert sich die Landschaft unmerkbar. Die Grenzgebiete werden von grossen, nach Süden strömenden Flüssen beherrscht, zwischen denen unbewohnte, sumpfige, schwerzugängliche Einödgebiete und einige Fjälls liegen. An einigen Stellen haben Holzfäller schmale Wege in das Dickicht geschlagen und wertvolle Bäume gefällt. Besiedlung gibt es nur an den seltenen Wegen, die an den Flüssen entlang laufen.

Zwischen dem Muonionjoki und dem Ounasjoki liegt die das ganze westliche Lappland beherrschende Fjällkette Ounas — Pallas — Ylläs, die einen Eindruck vom eigentlichen Land der Lappen vermittelt. Im Osten gibt es nur künstliche Seen und von Stubben übersätes Gelände. Seit dem Lappischen Krieg hat der Mensch das Land nirgendwo so sehr verändert wie hier: der künstliche See Lokka hat eine Fläche von 400 km², die Wasserhöhe schwankt bis zu 5 m und die offene Seefläche erstreckt sich 32 km weit. Die Fläche des Sees Porttipahta ist halb so gross. Ausser beim Pallas-Ylläs halten sich die Touristen gern bei den Fjälls Levi-Sirkka und Luosto-Pyhä auf.

Zum **Land der Lappen** gehören nur die drei nördlichsten Gemeinden Finnlands, deren gemeinsame Fläche aber ebenso gross ist wie die der Regierungsbezirke Uusimaa sowie Turku und Pori zusammen! Im Süden leben über anderthalb Millionen, im Norden nur etwas mehr als zehntausend Menschen. Hier hat man Bewegungsfreiheit: auf einem Quadratkilometer leben im Durchschnitt 0,3-0,5 Menschen. Im Land der Lappen gibt es nicht viele Felder: am meisten in der Gemeinde Inari, 9 km², und am wenigsten in Utsjoki, 2,7 km², Enontekiö liegt dazwischen.

Im Land der Lappen gibt es stellenweise nur verkrüppelte Fjällbirken: die Kieferngrenze verläuft nördlich vom Kirchdorf Enontekiö zur norwegischen Grenze und von dort am Inari-See vorbei nach Nordosten.

Der grösste Teil der Gemeinde **Enontekiö** gehört zu Fjäll-Lappland. Der Ounas, 723 m, ragt südlich vom Hetta empor, und die höchste Stelle in Finnland liegt ganz im Nordwesten: der Berg Halti erreicht die respektable Höhe von 1.328 m.

In Finnlands nördlichster Gemeinde **Utsjoki** liegt das tiefe Flusstal des Teno, der Norwegen und Finnland mehr vereint als trennt. Noch vor zwanzig Jahren lag das Kirchdorf der Gemeinde in einem weglosen Gebiet, heute laufen geschotterte Wege an den wichtigsten Flüssen entlang. An der Mündung des Flusses Utsjoki liegt ein Hotel, anderswo ist die Unterbringung anspruchsloser.

In **Inari** kann man in derselben Gemeinde 218 km geradeaus wandern und überquert nur einen Weg. Die Gemeinde hat ihren Namen nach dem Inari-See erhalten, in dem es 3.000 Inseln und Riffe gibt. Der See ist 1.386 km² gross, 80 km lang, 41 km breit und stellenweise 100 m tief. Er friert im Dezember zu, und das Eis schmilzt im Juni. Viele Fjällhochebenen sind ein Paradies für Wanderer. Zentrum der Gemeinde ist das beinahe stadtartig anmutende Ivalo mit seinem Flugplatz.

Saamenmaa (The Land of the Lapps)

There is no very clear border-line between the south of the province of Lapland as such and the real land of the Lapps to the north. In the course of the long distances the landscape changes, but gradually. The border-lands are dominated by large rivers flowing toward the south, and between them are unsettled swampy lands, difficult to traverse, and wild wooded stretches with a number of fells worthy of mention. In places the timber-fellers have cut narrow swathes into the wood-growth and have cut down valuable trees. What settlement there is is along the few roads which parallel the rivers.

Between the Muonio River and the Ounas River there is a chain of the fells — Ounas, Pallas and Ylläs — from which the whole of western Lapland can be viewed and it gives an impression of the true land-of-the-Lapps. To the east there is an artificial lake. Since the time of the Lapland War there is no place in the Northland which man has altered so much as here: the artificial lake of Lokka has a square-surface of 400 kilometers, the height of the water varies within a five-meter range and the greatest dimension in any one direction is 32 kilometers. The surface of Lake Porttipahta is half that size. In addition to the stretch from Pallas to Ylläs the favorite regions for the tourists are in the vicinity of the Levi-Sirkka and the Luosto-Pyhä fells.

The only tree-growth in the **Land-of-the-Lapps** is an occasional birch-clump here and there: the limit of the pine-tree growth runs to the north of the Enontekiö church-village to the corner of the Norway border and from there from northwest of Lake Inari to the northeast.

The greater part of **Enontekiö**, the parish in the arm of Finland on the map, is the Lapland of the fells. Ounas towers 723 meters high to the south of the church-village of Hetta. The arm of Finland is almost uniformly fell-land, the highest mountain, Halti, rising in the extreme northwest to a height of 1,328 meters.

In **Utsjoki**, the northernmost local-district of Finland, there is the deep valley of the Teno River, which is the border of Norway but serves rather to unite than to separate the two countries. Twenty years ago the church-village of the district lay in a trackless area, but today there are a number of gravel-roads running along the most important rivers.

In **Inari** one can travel for 218 kilometers without having occasion to cross a single road. The district has gotten its name from Lake Inari in which there are 3,000 islands and shoals. The lake is 1,386 square kilometers in extent, 80 kilometers long and 41 kilometers wide. At places it is 100 meters deep. It freezes in December and the ice melts in June. Many of the fells and the regions around them are a veritable paradise for the hiker. In the center of the district is Ivalo, with an airfield, and several hotels.

Inarijärven /396/ sadoista
saarista ovat mielenkiintoisim-
pia, ja Inarin kirkonkylästä alka-
vien veneretkien takia helpoim-
min tavoitettavia Hautuumaa-
saaret ja Ukonsaari eli Ukko.
Entisaikaan oli vainajat haudat-
tava saareen, koska villieläimet
kaivoivat ruumiit haudoista
mantereella. Peninkulman pääs-
sä kirkonkylästä sijaitsevat Van-
ha Hautuumaasaari, jossa on
enää näkyvissä vain kumpareita,
ja **Uusi Hautuumaasaari** /398-
399/, jonka puiset ristit ja kelot

kertovat viimeisten hautausten
tapahtuneen tämän vuosisadan
alussa. Lähellä hautasaaria
kohoaa 100 m pitkä ja 30 m
korkea **Ukko** /400/, ehkä kuului-
sin saamelaisten uhripaikoista.
Inarin omituisuuksia on myös
Ivalon tien varressa, jyrkän
vaaran ylärinteessä kyhjöttävä
Karhunpesäkivi /397/, jonka
ontossa sisustassa kerrotaan
karhun nukkuneen talviunensa
viime vuosisadalla.

Bland de hundrade öarna i
Enare sjö /396/ är Hautuumaa-
saaret och Ukonsaari de intres-
santaste och lättast tillgängliga
tack vare båtutflykter som
startar i Enare kyrkby. Förr i
tiden måste de avlidna begravas
på en ö, eftersom vilddjuren
grävde upp liken på fastlandet.
På en mils avstånd från kyrkbyn
ligger Vanha Hautuumaasaari
(Gamla Kyrkogårdsön) där man
numera ser endast gravkullarna
och **Uusi Hautuumaasaari**
(Nya —) /398-399/ där trä-
korsen och de rottorra träden

berättar oss att de sista
begravningarna här skedde i
början av århundradet. Nära
gravöarna reser sig Ukonsaar
eller **Ukko** /400/ (Gubben)
100 m lång och 30 m hög,
måhända den berömdaste av
samiska offerplatser. Till mär
värdigheterna i Enare hör ock
Karhunpesäkivi (Björnideste-
nen) /397/ vid vägen mot
Ivalo, på övre sluttningen av
brant kulle. I dess ihåliga inre
lär en björn ha sovit sin vinte
sömn.

398

399

400

Von den vielen hundert Inseln im **Inari-See** /396/ gehören die Hautuumaasaaret und die Ukonsaari zu den interessantesten und am leichtesten erreichbaren. Früher musste man die Verstorbenen auf einer Insel begraben, da auf dem Festland die Raubtiere die Leichname ausgegraben hätten. 10 km von dem Kirchdorf Inari entfernt liegen die Inseln Vanha. Hautuumaasaari, wo nur noch Hügel zu sehen sind, und **Uusi Hautuumaasaari** /398-399/,

deren hölzerne Kreuze und abgeästete Kiefern von den letzten Begräbnissen zu Beginn dieses Jahrhunderts erzählen. In der Nähe der Gräberinseln ragt der 100 m lange und 30 m hohe **Ukko** /400/ empor, der berühmteste Opferplatz der Lappen. Zu den Besonderheiten von Inari gehört auch der an der Strasse nach Ivalo stehende **Karhunpesäkivi** /397/, in dessen Höhle die Bären ihren Winterschlaf gehalten haben sollen.

Among the hundreds of islands in Lake **Inari** /396/ Hautuumaasaari (Burial-ground Island) and Ukko Island are the most interesting. In the old days bodies were buried on the island because wild animals would dig up bodies buried on the mainland. About 6 miles distance from the church-village there is Vanha Hautuumaasaari (Old Burial-ground Island) and **Uusi Hautuumaasaari** (New Burial-ground Island) /398-399/ on

which the wooden crosses and marked trees tell of the last burials which occurred at the beginning of this century. Near the burial-island there rises **Ukko** /400/, 100 meters long and 30 meters high, perhaps the most famous of the sacrificial places of the Lapps. Among the special features of Inari is also the **Bear's Den Rock.** It is said that bears used to hibernate during the last century in the hollow of the rock /397/.

401

Inarin kirkolla sijaitseva **Saamelaismuseo** kertoo elävästi Pohjoisen menneestä elämästä, sillä kilometrisen polun varressa entisyyttä esittelevät kylät, aidat, metsästysalue ja yöpymispaikat tuntuvat kuin käytössä olevilta. Tirron kylässä — neljä aittaa ja kaksi asuinrakennusta — kiinnittävät huomiota aitta ja aita /405/. Aitta kyyhöttää yhden jalan varassa suojaten varastot eläimiltä ja aita pysyy tukevasti pystyssä, vaikka siihen ei ole käytetty yhtään naulaa

eikä yhtään puuta ole upotettu maahan. Havupuurajan pohjoispuolella oli ennen turvauduttava turpeeseen rakennusaineena; kammeja /404/ ja kotia /402/ käytettiin asuinpaikkoina, eläinsuojina ja varastoina. Laavun tai louteen eteen kahdesta puusta rakennettu rakotuli /403/ paloi läpi yön itsekseen. Myös esineistö luo kuvan muinaisesta elämästä; taidokas komsio /401/ toimi kehtona.

Samemuseet vid **Enare** kyrka berättar på ett levande sätt om forntida leverne här i norr. De längs en kilometer lång stig befintliga byarna, visthusen, jaktmarkerna och övernattningsplatserna visar oss forntiden, som vore allt detta alltjämt i bruk. I Tirro by, fyra visthus och en bostadsbyggning, fäster man sig vid både visthus och gärdsgårdar /405/. Visthuset höjer sig på ett enda ben, skyddande förråden för djuren medan gärdsgården håller sig rejält upprätt fastän man inte använt en enda

spik i den och inget stöd har grävts ned i marken. Norr om barrskogsbältet måste man tidigare förlita sig på torv som byggmaterial; torvhyddor /404/ och kåtor /402/ användes som bostäder, för att ge djuren skydd och som förråd. Bakom ett vindskydd byggde man av två träd en lägereld /403/ som på egen hand brann hela natten. Också föremålen här ger en bild av forntida leverne: en skickligt gjord vagga /401/ i lapsk stil hör hit.

402

403

404

405

Das bei der Kirche von **Inari** gelegene **Lappische Museum** schildert in anschaulicher Weise das frühere Leben im Norden, denn die an einem einen Kilometer langen Pfad liegenden Dörfer, Zäune, Jagdgebiete und Nachtlager wirken, als seien sie noch heute in Betrieb. Im Dorf Tirro fallen ein Speicher und ein Zaun besonders auf /405/. Der Speicher steht auf einem Baumstamm, um die Lagerräume vor Tieren zu schützen, und der Zaun steht aufrecht, obwohl kein einziger Nagel verwendet

worden ist und keine Stange in den Boden gerammt ist. Nördlich von der Nadelbaumzone wurden früher Torfhütten /404/ und Zelte /402/ als Wohnstellen, als Schutz vor Tieren und als Lagerräume verwendet. Das vor dem Schutzdach aus zwei Holzscheiten aufgeschichtete Lagerfeuer /403/ brannte die ganze Nacht durch. Auch die im Museum ausgestellten Gegenstände vermitteln ein Bild vom früheren Leben. Ein kunstvoll verfertigter Holztrog /401/ diente als Wiege.

The **Lapp Museum** by the church of **Inari** depicts the life in the North country in the past with a kilometer-long path presenting villages, fences, a hunting-area and over-night shelters which feel as if they are still in use. In the village of Tirro — consisting of four sheds and two dwelling-places — the shed and the fence /405/ are especially interesting. The shed is perched on a pillar to protect the supplies from animals and the fence manages

to stay upright although there are no nails used in it and there is no wood sunk into the ground. Here, north of the evergreen tree line, it was necessary to use turf as a building-material: tents and turf-huts /402, 404/ were used as dwelling-places, animal-shelters and store-places. A slit-fire made of two trees /403/ would burn all night in front of a lean-to or wind-screen shelter. There is an artistically constructed Lapp cradle /401/.

Lapin viimeisimmän kultaryntäyksen näyttämö, **Lemmenjoki** /409/, on nyt rauhoittumassa, vain muutama erakkokaivaja asustaa seudulla. Lemmenjoen ammattikaivajat Yrjö Korhonen ja Niilo Raumala /408/ hylkäsivät entiset valtauksensa, muuttivat maantien varteen ja perustivat ehkäpä koko maailmassa ainutlaatuisen turistikaivannon **Tankavaaraan, Sodankylän** kirkolta sata kilometriä pohjoiseen /407/. Nyt voi jokainen ohiajava pientä maksua

vastaan huuhtoa oikealla vaskoolilla oikeaa kultaa oikeiden kaivajien opastuksella /406/. Tässä Tankavaaran huuhtomossa on myös kultamuseo, jossa on esillä kultaa, jalokiviä ja kaivuuvälineistöä. Läheisyydessä on merkkejä suurista kaivoksista 1930- ja 1940-luvuilta; suurin kimpale, 186 g, löytyi v. 1949. Maantien sorasta Tankavaarasta pohjoiseen on löydetty niin ikään runsaasti kultahippuja.

Platsen för den senaste guldrushen i Lappland, **Lemmenjoki** (Kärleksälven) /409/ ligger nu lugn, endast några eremiter bor och gräver guld här. Yrkesguldgrävarna Yrjö Korhonen och Niilo Raumala /408/ övergav sina inmutningar här, flyttade intill landsvägen och grundade en i hela världen enastående turistgruva etthundra km norrut från **Sodankylä kyrka,** i **Tankavaara** /407/. Här kan var och en som kör förbi mot en liten avgift vaska

guld "på riktigt" under ledning av riktiga guldgrävare /406/. Vid Tankavaara vaskeri ligger också ett guldmuseum, där förevisas guld, ädelstenar och vaskningsredskap. I närheten finns spår av de stora guldgrävarplatserna på 1930–40-talet; den största guldklimpen, 186 g, hittade man 1949. I land vägens grus norr om Tankavaa har man också funnit rikligt med guldkorn.

Der Schauplatz des letzten Goldfiebers in Lappland, der **Lemmenjoki** /409/, kehrt allmählich in seinen ehemaligen friedlichen Zustand zurück, nur einige wenige Goldgräber wohnen noch in dieser Gegend. Die berufsmässigen Schürfer vom Lemmenjoki Yrjö Korhonen und Niilo Raumala /408/ haben die früher eroberten Gebiete aufgegeben und sind an den Rand der Landstrasse gezogen. Bei **Tankavaara** 100 km nördlich von **Sodankylä** haben sie eine auf der ganzen Welt einmalige

Schürfstelle für Touristen /407/ gegründet. Nun kann jeder gegen eine geringe Gebühr mit einem echten Goldgräberbecken echtes Gold unter der Anleitung echter Goldgräber waschen /406/. In der Nähe findet man noch Überreste von den grossen Bergwerken aus den 30er und 40er Jahren dieses Jahrhunderts. Der grösste Klumpen, der 186 g wog, wurde 1949 gefunden.

Lemmenjoki /409/, the scene of the last Lapland gold-rush, has now calmed down with only a few lone prospectors still living in the area as hermits. Two of the professional gold-miners of Lemmenjoki, Yrjö Korhonen and Niilo Raumala /408/, renounced their previous digs, moved to the edge of the highway and established what is perhaps the world's only tourist gold-mine at **Tankavaara,** one hundred kilometers to the north of **Sodankylä.** Now, for a small fee, every motorist

has the opportunity to try his luck washing real gold grains with a real gold-pan under the direction of a real gold-miner /406/. There is also a gold-museum at Tankavaara, where gold, precious stones and digging-equipment are on display. In the vicinity are indications of the large mines of the 1930's and the 1940's: the largest single lump of gold, weighing 186 grams, was found in 1949.

Lounaasta Inarijärveen halki Suomen suurimman kansallispuiston virtaava **Lemmenjoki** hakeutuu keskijuoksullaan yhteen Suomen Lapin kauneimmista jokilaaksoista /409/. Paikoin tunturit kohoavat molemmin puolin satametrisiksi, karuiksi seinämiksi, mutta alhaalla jokilaaksossa on ihmeteltävää vehmautta. Kansallispuistossa Lemmenjoen sivujokien varsilla levittäytyvät vuosina 1949—52 suuren ryntäyksen kohteina olleet kultamaat, jotka houkuttavat poluilleen ja kaivantojen ääriin kesäisin satoja retkeilijöitä /413/. Mutta Lemmenjoen kultamaille pääsee vaivattomastikin: Menesjärven /410/ pienen kylän kautta juoksee uusi hyväkuntoinen maantie Njurgalahteen, mistä saamelaisten kapeat ja ketterät jokiveneet pyyhältävät halki luonnonkauneuden kultamaiden reunaan /412/. Matkalla voi ihailla sivujokien, kuten Ravadaksen /414/ komeita putouksia. — Lemmenjoen kansallispuistossa on noudatettava tinkimättä yksityiskohtaisia määräyksiä; tulenteko ja yöpyminen on sallittu vain luvallisissa paikoissa.

Lemmenjoki, som rinner från sydväst till Enare sjö genom Finlands största nationalpark, söker sig i sitt mittersta lopp genom en av finska Lapplands vackraste älvdalar /409/. Ställvis reser sig fjällen på var sida till hundra meter höga, karga väggar, men nere i älvdalen är allt förvånansvärt frodigt. I nationalparken utbreder sig längs biälvarna till Lemmenjoki de guldområden som åren 1949—52 förorsakade den stora guldrushen. De lockar sommartid hundratals turister till stigarna och vaskplatserna /413/. Men med mindre besvär än så når man guldområdena vid Lemmenjoki. En ny väg i gott skick löper genom den lilla byn Menesjärvi /410/ till Njurgalahti, därifrån fräser man med samernas smala och lättrörliga älvbåtar genom det sköna landskapet till guldområdet /412/. Under färden kan man beundra sidoälvarnas, såsom Ravadas /414/ ståtliga vattenfall. I Lemmenjoki nationalpark måste man utan prutmån följa noggranna bestämmelser: bara på bestämda platser är det tillåtet att göra upp eld eller att övernatta.

Der **Lemmenjoki,** der von Süd-westen durch Finnlands grössten Nationalpark in den Inari-See fliesst, trifft in seinem Mittellauf auf eines der schönsten Fluss-täler im finnischen Lappland /409/. Die felsigen Wände der Fjälls ragen auf beiden Seiten stellenweise bis zu 100 m empor, aber unten im Tal findet man eine erstaunlich üppige Vegetation. Im Nationalpark breiten sich an den Ufern der Nebenflüsse des Lemmenjoki die Goldfelder aus, die in den Jahren 1949—52 den grossen Goldrausch hervorriefen und noch heute im Sommer Hunderte von Wanderern auf ihre Pfade und zu ihren Schürfstellen locken /413/. Man kommt auch mühelos zu den Goldfeldern am Lemmenjoki: eine neue Land-strasse führt über das kleine Dorf Menesjärvi /410/ zur Bucht Njurgalahti, von wo die schmalen und flinken Fluss-boote der Lappen leicht bis zu den Goldfeldern vordringen /412/. Unterwegs kann man grossartige Wasserfälle, wie den des Ravadas /414/ bewundern. — Im Nationalpark vom Lemmenjoki sind genaue Vorschriften zu befolgen, das Feuer-machen und Übernachten ist nur an bestimmen Stellen gestattet.

The **Lemmenjoki** river which flows from the southwest through Finland's largest national park to Lake Inari forms in its mid-course one of the most beautiful river-valleys in Finnish Lapland /409/. At places the fells rise to heights of a hundred meters in bare rock-walls, but below the river-valley is marvelously luxuriant. The tributaries of the Lemmenjoki river within the national park extended into the gold-lands of the great rush between 1949 and 1952 and during the summers hundreds of excursionists were attracted to the paths and to the diggings /413/. But it is possible to go without too much trouble to the gold-lands of the Lemmenjoki river. There is a new road in good condition which runs by way of the little village of Menesjärvi /410/ to the bay of Njurgalahti from which the narrow and light river-boats of the Lapps dart swiftly through the natural beauties of the area to the edge of the gold-lands /412/. On the way one can admire the beautiful falls of the tributary rivers, like those of Radavas /414/ — Within the Lemmenjoki national park there are strict detailed rules which must be strictly obeyed making fires and remaining overnight are permitted only in certain designated places.

410

411

Pohjoisimmassa Lapissa, **Uts-joella**, kaukana asumattomassa erämaassa, putoaa yksitoikkoisesta tunturitasangosta omituinen rotkolaakso **Kevo**, jonka pohjalla virtaa kirkasvetinen, virkeä joki intoutuen välillä koskiksi, mutta rauhoittuen usein järvimäisiksi suvannoiksi, juoden yhä kiihtyvään janoonsa sivujokien pikkuputouksia. Neljä peninkulmaa pitkä, paikoin kaksi-kolmesatametrisin rintein ylpeilevä Kevo on oma pienoismaailmansa, missä ilmas-

tokin poikkeaa ympäröivästä kiveliöstä. Kanjoni kuuluu 342 neliökilometrin laajuiseen luonnonpuistoon, missä liikkuminen on sallittua vain Utsjoen tien varrelta Kenestuvalta ja Karigasniemen tien varresta Luomusjärviltä alkavia, merkittyjä polkuja pitkin. Erämaista taivalta ilman yhtään kiinteää asuinpaikkaa on yli viisi peninkulmaa.

I Norden, i Lappland, i **Utsjoki,** fjärran i obebyggd ödemark, ligger i ett enformigt fjäll-landskap en egenartad ravindal **Kevo,** som vore den infälld i landskapet. På dess botten flyter en pigg älv med klart vatten. Stundom blir den ivrig och forsartad, stundom lugnar den ner sig i sjölika spakvatten, drickande i sin ständigt stegrande törst sidoälvarnas små vatten-fall. Den fyra mil långa, ställvis med två till trehundra meters sluttningar ståtande Kevo är

en miniatyrvärld för sig, där också klimatet skiljer sig från de omgivande obygdernas. Denna kanjon hör till den 342 kvadratkilometer vida nationalparken, där det är tillåtet att röra sig endast längs utprickade stigar, dessa börjar vid Kenestuva invid Utsjokivägen och v Luomusjärvi invid Karigasnien vägen. Sträckan genom öde-markerna, där inga fasta boplatser finns, är mer än fem mil lång.

415

Im nördlichsten Teil Lapplands, in der unbewohnten Einöde von **Utsjoki**, wird die eintönige Landschaft der Fjälls von der eigenartigen Talschlucht **Kevo** durchschnitten. Durch diese Schlucht strömt ein Fluss mit klarem Wasser, der ab und zu kleine Stromschnellen bildet, sich dann aber zu seeartigen Wasserflächen ausbreitet und gierig die kleinen Wasserfälle der Nebenflüsse verschluckt. Dieses 40 km lange Tal, dessen Abhänge stellenweise 200-300 m hoch sind, ist eine Welt für sich, in der auch das Klima anders als in den steinigen Einödgebieten der Umgebung ist. Der Cañon gehört zu einem 342 km² grossen Naturschutzgebiet, in dem man sich nur auf abgesteckten Pfaden bewegen darf, die von der Strasse nach Utsjoki bei Kenestupa und von der Strasse nach Karigasniemi bei den Luomusjärvi-Seen ausgehen. Hier findet man über 50 km Einödgebiete ohne eine einzige ständig bewohnte Stelle.

In the northern part of Lapland, in the uninhabited wilderness of **Utsjoki,** the fell-country is suddenly cut through by the unique crevice-valley of **Kevo,** along the base of which flows a clear-water stream which at places quickens into rapids but which also at places broadens into a lakelike pond, receiving the little falls of tributary streams. Twenty-five miles long, with its side-banks rising to two or three hundred meters at places, the Kevo valley is a miniature world of its own where even the climate differs from that of the surrounding rocky area. The canyon belongs to a 342 square-kilometer natural park, where movement is permitted only on the marked paths which run from the Utsjoki road at Kenestupa and from the Karigasniemi road beginning at Luomusjärvi. It is possible in this wilderness area to walk for over 50 kilometers without coming across any permanent dwelling.

417

418

419

Suomen luoteeseen työntyvä käsivarsi jää Jäämerestä 27 km:n päähän, mutta tavoittaa kuitenkin Skandinavian mahtavan Kölivuoriston ja sen yli kilometriset tunturit. Suomen ja Ruotsin rajajoen, pohjoisimpana Könkämäenon, vartta on vuosisatoja kuljettu Jäämeren markkinapaikoille, mutta vasta kolme vuosikymmentä sitten varsinainen maantie ylti Kilpisjärvelle, **Enontekiön** kaukaiseen kylään. Neljäntuulen tieksi saamelaisten kolkkahatun /452/ mukaan ristitty tie näyttää jo matkalla muutamia tuntureita /419/ ja pohjoisen tunnelmaksi saamenkotia /418/. Ennen Kilpisjärveä tie kiipeää korkeimmalle Suomessa, 563 m:iin, mutta vasta perillä matkaajaa odottaa varsinainen Ylätunturien maa. Kilpisjärven matkailukylää, sen hotellia ja muutamaa retkeilykeskusta, suojelee ehkäpä Suomen tunnetuin tunturi, 1029 m korkea **Saana** /420/, muinainen palvontakohde sekin.

Den från Finland mot nordväst skjutande armen når riksgränsen 27 km från Ishavet, men den träffar ändå på Skandinaviens mäktiga Köl med dess mer än kilometerhöga fjäll. Gränsälven häruppe i norr mellan Sverige och Finland, Könkämäeno, har under århundraden erbjudit en färdväg till Ishavets marknadsplatser. Först för tre decennier sedan nådde den egentliga landsvägen ända till Kilpisjärvi, till den fjärran belägna byn **Enontekis**. De fyra vindarnas väg, döpt efter samernas hörniga hatt /452/ uppvisar redan under färden några fjäll /419/ och som nordligt stämningsinslag samekåtor /418/. Strax före Kilpisjärvi når den s högsta punkt, 563 m men förs vid ändan av vägen väntar de höga fjällenas land på turister Finlands måhända bäst kända fjäll, **Saana,** 1029 m /420/ var förr en helig ort, den beskydd nu Kilpisjärvis turistby, dess hotell och några exkursionscentrum.

Der nach Nordwesten ausge-
treckte Arm Finnlands hört
7 km vor dem Eismeer auf,
ber er berührt trotzdem Skan-
dinaviens gewaltiges Köli-
Gebirge und dessen kilometer-
ange Fjälls. Auf den Grenz-
flüssen zwischen Finnland und
Schweden hat jahrhundertelang
eine Verbindung zu den Handels-
plätzen am Eismeer bestanden,
aber erst vor 30 Jahren wurde
eine richtige Landstrasse zum
Kilpisjärvi, zu dem fernen Dorf
Enontekiö, gebaut. Auf dieser
nach der Kopfbedeckung der

Lappen /452/ als Weg der vier
Winde bezeichneten Strasse
sieht man schon während der
Reise einige Fjälls /419/ und
Lappenzelte /418/. Vor dem
Kilpisjärvi klettert die Strasse
in die Höhe, und erst am Ende
der Reise gelangt der Tourist in
das eigentliche Gebiet der
Hochfjälls. Das Feriendorf am
Kilpisjärvi sowie das Hotel und
einige Ausflugszentren werden
von Finnlands vielleicht bekann-
testem Fjäll, dem 1029 m hohen
Saana /420/ beschützt.

The arm of Finland extending
to the northwest ends 27 kilo-
meters short of the Arctic Ocean,
but it nevertheless reaches as
far as the mighty Köli mountain-
range and its fells which are
over a kilometer high. The rivers
which constitute the boundary
between Finland and Sweden
have for centuries served to
reach the trading-posts of the
Arctic Ocean, but only thirty
years ago a real road was built
to Kilpisjärvi lake, to the distant
village of **Enontekiö.** This road,
called the Road of the Four

Winds /452/, gives a view of
a number of fells /419/ and
Lapp dwellings /418/. Before
it reaches Kilpisjärvi the road
climbs to its highest point in
Finland, to 563 meters, but
only at the end does the real
high-fells land await the
traveler. The tourist village of
Kilpisjärvi, its hotel and a
number of excursion-head-
quarters are protected by
Finland's perhaps best-known
fell, the 1029 meter high **Saana**
/420/, itself an ancient object
of worship by the Lapps.

Jylhin, karuin Suomi esittäytyy **Saanan** /420/ laakealta laelta, jonne ei onneksi pääse hissillä. Pari peninkulmaa pitkän, siioistaan kuulun Kilpisjärven takana kohoavat **Mallatunturit** /421/, jotka kuuluvat kasviharvinaisuuksien hallitsemaan luonnonpuistoon; liikkumista on suuresti rajoitettu. Kilpisjärven lähellä on Suomen, Ruotsin ja Norjan rajan kulmaus, Kolmenvaltakunnan rajapyykki, suosittu käyntikohde.

Det mest storvulna, kargaste Finland kan vi betrakta från **Saanas** /420/ flata topp. Bakom den ett par mil långa, för sin sik berömda Kilpisjärvi reser sig **Mallatunturit** /421/ som hör till en naturpark, rik på botaniska rariteter; rörelsefriheten är här kraftigt begränsad. Nära Kilpisjärvi ligger gränspunkten mellan Finland, Sverige och Norge, det populära utflyktsmålet Treriksröset.

Den düstersten und kargsten Eindruck von Finnland erhält man vom flachen Gipfel des **Saana** /420/ herab. Hinter dem 20 km langen, für seine Felchen berühmten Kilpisjärvi ragen die **Mallasfjälls** /421/ empor. Die Bewegungsfreiheit ist hier weitgehend eingeschränkt. In der Nähe des Kilpisjärvi grenzen Finnland, Schweden und Norwegen aneinander an. Der hier aufgestellte Dreiländer-Grenzstein ist ein beliebtes Ausflugsziel.

The wildest and most rugged impression of Finland is gaine from the flat top of **Saana** /420/. Behind the twentykilometer long Lake Kilpisjär there rise the **Malla** fells /421 which are part of a naturepreserve. Near Kilpisjärvi is th point where Finland, Sweden and Norway come together and the so-called 'Threecountry Boundary-stone' is a favorite objective for an excursion.

421

424

Läntistä Lappia hallitsee retkeili-jäin suosima mahtava tunturi-selänne, joka alkaa pohjoisessa Hetan lähellä Ounastuntureina, kohoaa sitten pehmeämuotoi-siksi Pallastuntureiksi /428/, työntyy yhä etelään vaarajononna **Äkäsjärven** ohitse /427/ ja ko-hottaa vihdoin lakensa 718 m korkeaksi **Ylläkseksi** /426/, jonka juurella sijaitsee **Äkäs-lompolon kylä** samannimisen järven rannalla.

En av turisterna omhuldad, mäktig fjällrygg behärskar västra Lappland. Den börjar i norr nära Hetta som Ounastunturi, stiger sedan till den av mjuka former rundade Pallastunturi /428/, pressar sig allt mera mot söder som en kalfjällsrad förbi **Äkäsjärvi** /427/ och höjer till slut sin topp till 718 m vid **Ylläs** /426/ vid vars rot **Äkäs-lompolo by** ligger, vid sjön med samma namn.

Das westliche Lappland wird von einem gewaltigen Fjäll-rücken beherrscht, der im Norden nahe bei Hetta mit den Ounasfjälls beginnt, dann zu den sanft geschwungenen Pallasfjälls /428/ emporsteigt, sich als Bergkette immer wei-ter nach Süden am **Äkäsjärvi** /427/ vorbeischiebt und zuletzt als 718 m hoher **Ylläs** /426/ aufragt. Am Fuss dieses Berges liegt das Dorf **Äkäslompolo** am Ufer des gleichnamigen Sees.

Western Lapland is dominated by a mighty ridge of fells which begins in the north near Hetta as the Ounas fells, rises then into the soft-formed Pallas fells /428/, extends southward as a hill-chain by Lake **Äkäs-järvi** /427/ and finally raises its crest into the 718-meter high **Ylläs** /426/ at the base of which there nestles the village of **Äkäslompolo** by the edge of the lake which bears the same name.

428

Lapin helvetiksi kutsuttu **Muonion** eteläosassa sijaitseva **Pakasaivo** /429-430/, saamelaisten entinen palvontapaikka, oli ennen vain vaeltajien kohde, mutta nyt voi autoilijakin hyristää pyhän, pohjattomaksi sanotun lammen reunamille. — Pallakselta etelään kohoavan tunturijonon syleilyssä välkehtii muoniolaisten muinainen kuulu kalavesi **Jerisjärvi** /428/, johon työntyy pohjoisesta pitkä **Keimiöniemi**. Sen rantaan kyhäsivät entiset asukkaat 1700-luvulta lähtien kala-aittansa, rakensivat pienen kylän /432/. Aitoissa on

asuinpuoli sekä varasto-osa. Mielenkiintoisimpia näistä kalakämpistä on **Hurulanniemen kämppä** /431/, jonka sisäseinät on tyypilliseen tapaan kaiverrettu täyteen päivämääriä ja vanhoja muistoja. — Autolla pääsee puolen kilometrin päähän; lähellä useita retkeilymajoja, Pallaksen kansallispuistossa matkailuhotelli.

Pakasaivo /429-430/ i södra **Muonio** har kallats **Lapplands helvete.** Denna samernas forna kultplats var tidigare ett mål endast för vandrare, men nu kan också bilisten fräsa ända fram till den heliga och som man sagt bottenlösa insjöns stränder. Famnad av en rad fjäll som reser sig söder om Pallas, glimmar **Jerisjärvi**, muoniobornas i forntiden berömda fiskevatten /428/, in mot det tränger norrifrån den långa **Keimiöniemi.** På dess stränder slog forna bebyggare, från 1700-talet framåt, ihop fiskebodar,

de byggde en liten by /432/. Bodarna har en del att bo i, en annan som förrådsrum. Den intressantaste av dessa fiskebodar är **Hurulanniemi skogshydda** /431/, vars innerväggar på välkänt sätt är fullklottrade med data och minnen. Med bil når man 500 m intill, i närheten finns flera turisthyddor, i Pallas nationalpark ett turisthotell.

429

430

Der als **Hölle Lapplands** bezeichnete **Pakasaivo** /429-430/ im Süden von **Muonio**, eine frühere Kultstätte der Lappen, war bis vor kurzem nur ein Ort für Wanderer, aber heute kann auch der Autofahrer bis an den Rand des heiligen Teiches fahren. — Inmitten der sich vom Pallas nach Süden erstreckenden Fjällkette leuchtet das berühmte Fischgewässer der Bewohner von Muonio, der **Jerisjärvi** /428/ auf, in den von Norden die lange Landzunge **Keimiöniemi** hineinragt. Am Ufer dieses Sees bauten die

Anwohner seit dem 18. Jahrhundert Speicher für die Aufbewahrung von Fischen und ein kleines Dorf /432/. In den Speichern befindet sich ein bewohnbarer Teil sowie ein Lagerraum. Zu den interessantesten dieser Behausungen gehört der **Stall** auf **Hurulanniemi** /431/, dessen Innenwände in typischer Weise mit geschnitzten Daten und Eintragungen verziert sind.

In the southern part of **Muonio** there is a pond, **Pakasaivo** /429-430/, which is called the **Hell of Lapland** and is supposed to be bottomless. It was a former place of worship of the ancient Lapps but now it can be reached not only by Lapps on pilgrimage but by modern motorists. In the arms of the line of fells rising to the south of Pallas there flashes the waters of the Lake **Jerisjärvi** /428/, famous for fishing, into which there extends the long **Keimiö** cape from the north. The ancient inhabitants of the area beginning in the 1700's erected

fish-sheds and built a little village there /432/. Among the most interesting of these fishing-huts, which have both a part to live in and a part to use for storage, is the **Hurulanniemi fishing-hut** /431/, the inner walls of which have been carved with dates and old marks of one sort or another. — One can go by auto a half a kilometer and find a number of excursion-huts, and a tourist hotel in the Pallas national park.

Ihminen ja elo

Kristuksen syntymän aikoihin **saamelaiset** liikkuivat asumattomassa Suomessa seuraten kalaa ja riistaa sen vuosittaisessa kierrossa. Suomalaisten saapuessa itsekeskeisinä uuteen maahan saamenkansa vetäytyi vapaaehtoisen joustavasti — kuten näihin päiviin saakka — kauemmas pohjoiseen rauhaan, riistan perään.

Nyt eteläisin saamelaisasutus on Vuotsossa Sodankylän pohjoispuolella — muissa naapurimaissa saamelaisuutta on huomattavasti etelämpänä. Suomessa saamelaisia arvioidaan olevan 4.400, mutta vain 2.200 on saamenkielisiä. Oma erityinen ryhmänsä ovat kolttasaamelaiset. Suomen toisessa käsivarressa, Petsamon läheisyydessä, asui 90 kolttaperhettä, jotka alueen tultua v. 1944 luovutetuksi Neuvostoliitolle siirrettiin Inarinjärven kaakkoisrannalle Nellimöön ja Inarin pohjoispuolelle Sevettijärvelle.

Suomen saamelaisilla on kolme murretta, jotka poikkeavat toisistaan niin, että voidaan puhua jopa eri kielistä: tunturisaamea puhuvia on 66 %, inarinsaamen taitajia 18 % ja koltankielisiä 16 %.

Poro on saamenkansan elo. Poro syntyy kevättalvella, hankikelien aikaan, ja seuraa emoaan tiiviisti syksyyn asti. Juhannuksen paikkeilla, luonnon alkaessa viheriöidä ja sääsken lentää, tehdään poronvasan korvaan sama omistajanmerkki kuin on emolla — poronhoitajilla on merkkauserotuksensa. Kesällä porosta tulee ruma, sen karva takkuuntuu, ja eläin pakenee vihollistaan, lentävää räkkää, ylös tunturien tuuliin laskeutuen vain yön viileydessä laaksoihin syömään jäkälää ja heinää. Syksyä kohti poro lihoo, sille kasvaa uusi, kiiltävä karva, sarvet komistuvat. Syksyllä hirvaat kokoavat ympärilleen kymmenpäisen vaadin-partion, jota ne puolustavat muita hirvaita vastaan. Joskus elonhoitaja järjestää näitä partioita yhteen — on syyserotuksia. Syystalvessa hirvaat sitten hedelmöittävät vaatimensa, pudottavat sen jälkeen sarvensa ja pakenevat yksinäisyyteen lepäämään. Vuodenvaihteessa hirvaat palaavat vaadintokkiin, missä kantavat vaatimet ovat nyt komeampia säilyttäessään sarvensa kevättalvella tapahtuvaan poikimiseen asti. Marraskuusta helmikuuhun saamenkansa kokoaa eloaan erotuksiin, Pohjolan värikkääseen kansanjuhlaan..

Poronhoito ei vastoin yleistä käsitystä ole saamelaisten yksinoikeus — kuten se on mm. Ruotsissa ja Norjassa. Saamelaisilla on vain neljännes nykyisestä porokannasta ja vain kolmannes heistä saa elantonsa poronhoidosta. Huomattavin ansionlähde se on Enontekiöllä, Sodankylässä ja Inarissa; Utsjoella on maatilatalous merkittävämpi! Kaikkiaan poronhoitoa harrastaa 3.000 perhettä.

Viime vuosituhannella poroa tarvittiin vain kanto- ja veto-eläimenä sekä peurojen ansaan houkuttajana, luonto antoi muun elannon. Tuliaseiden yleistyttyä, peurojen hävittyä, saamelaiset turvautuivat poroon.

Vuosittain saadaan erotuksiin yli 200.000 eläintä, joista teurastetaan 75.000—80.000. Ankarat olosuhteet tappavat joskus kymmeniä tuhansia poroja vuodessa.

Människan och livet

Vid tiden för Kristi födelse rörde sig samerna i det obebyggda Finland, följande fisken och villebrådet i deras årliga rytm. När finnarna anlände till det nya landet, drog sig samefolket frivilligt och smidigt — så som ända in i våra dagar — längre norröver.

Nu ligger den sydligaste samebosättningen i Vuotso, norr om Sodankylä — i grannländerna bor samerna betydligt längre söderut. I Finland finns ca. 4.400 samer, endast 2.200 talar samiska. En egen grupp bildar skoltlapparna. I närheten av Petsamo bodde 90 skoltfamiljer. När området avträddes till Sovjet år 1944 flyttades de till sydöstra stranden av Enare träsk, till Nellimö och till Sevettijärvi.

Finlands samer har tre dialekter, som tydligt skiljer sig från varandra. Fjällsamiska talar 66 %, enaresamiska 18 % och skoltspråket 16 %.

Renhjorden är samefolkets säd. Renen föds på vårvintern och följer sin moder ända till hösten. Vid midsommar skär man i kalvarnas öra in samma ägarmärke som modern bär. — Till sommaren blir renen ful, fällen blir tovig, djuret undflyr sina fiender upp på fjället, det kommer ner till dalarna endast i nattkylan för att äta lav och hö. Mot hösten fetmar renen, en ny, glansig hårbeklädnad växer ut, hornen blir ståtligare. Om hösten samlar rentjurarna kring sig ett tjugotal renkor, som de försvarar mot andra brunstiga rentjurar. Då ordnar renkarlarna dessa renhjordar samman — man håller höstskiljning. Om höstvintern befruktar tjurarna sina kor, fäller efter det sina horn och flyr ut i ensamheten. Vid årsskiftet återvänder tjurarna till renkohjorden, där de dräktiga korna nu är ståtliga, de håller kvar sina horn ända tills de på vårvintern kalvar. Mellan november och februari samla samefolket sina hjordar till renskiljning, till den färggranna nordliga folkfesten.

Renaveln är inte någon samernas ensamrätt — såsom den är bl.a. i Sverige och Norge. Endast en fjärdedel av renstammen är i samernas ägo nu, och endast var tredje same får sin utkomst härav. Huvudnäring är renaveln i Enontekis, Sodankylä och Enare, i Utsjoki har jordbruket större betydelse! 3.000 familjer idkar renavel.

Under senaste årtusende behövdes renen endast som dragdjur och för att locka vildrenarna i fällan. Då eldvapnen blev utbredda, då vildrenarna försvann, började samerna förlita sig på renen. Årligen samlar man 200.000 djur till renskiljningen, av dem slaktas 75.000—80.000. Naturens hårdhet kan ta kål på tiotalstusen renar per år.

Der Mensch und das Leben

Zur Zeit um Christi Geburt streiften die **Lappen** frei im unbewohnten Finnland herum, sie folgten den Fischen und dem Wild bei deren jährlicher Wanderung. Als die Finnen in das Land kamen, zogen sich die Lappen freiwillig – wie sie es heute noch tun – auf den Spuren des Wildes immer weiter nach Norden zurück.

Heute befindet sich die südlichste Ansiedlung der Lappen in Vuotso nördlich von Sodankylä — in den Nachbarländern leben die Lappen bedeutend weiter im Süden. Man schätzt, dass in Finnland 4.400 Lappen leben, von denen aber nur 2.200 Lappisch sprechen. Eine besondere Gruppe bilden die Skolt-Lappen. In der Nähe von Petsamo lebten 90 Skolt-Familien, die bei der Abtretung des Gebiets an die Sowjetunion im Jahre 1944 nach Nellimö am Südostufer des Inari-Sees und an den Sevetti-See übersiedelten.

Die finnischen Lappen sprechen drei Dialekte, die sich so sehr voneinander unterscheiden, dass man beinahe von drei verschiedenen Sprachen reden kann: 66 % sprechen Fjäll-Lappisch, 18 % Inari-Lappisch und 16 % Skolt-Lappisch.

Die **Rentierherde** ist der Lebensquell der Lappen. Das Rentier wird im Spätwinter geboren und folgt dem Muttertier bis in den Herbst hinein. Im Vorsommer, wenn die Natur grün wird und die Mücken ausschwärmen, wird das junge Ren mit demselben Zeichen im Ohr versehen wie das Muttertier. Alle Rentierzüchter haben ihr eigenes Zeichen. Im Sommer wird das Rentier hässlich, und sein Fell verfilzt. Das Tier flieht vor den Insektenschwärmen zu den Fjälls hinauf und kommt nur während der kühlen Nacht in die Täler herunter, um Flechten und Heu zu fressen. Bei Einbruch des Herbstes setzt das Ren Fett an, es bekommt ein neues, glänzendes Fell und das Geweih wird stattlicher. Im Herbst versammeln die Rentierböcke bis zu zwanzig Rentierkühe um sich, die sie vor anderen brünstigen Böcken schützen. Im Spätherbst befruchten die Böcke die Kühe, danach verlieren sie ihr Geweih und fliehen in die Einsamkeit, um auszuruhen. Beim Jahreswechsel kehren die Böcke zu den Herden der Kühe zurück. Die trächtigen Kühe sind jetzt stattlicher, da sie ihr Geweih bis zum Kalben im Spätwinter behalten. Vom November bis zum Februar versammeln die Lappen die Herden zu den Ausscheidungen, zum farbenprächtigen Volksfest des Nordens.

Die **Rentierzucht** ist kein Privileg der Lappen, wie es u.a. in Schweden und Norwegen der Fall ist. Die Lappen besitzen nur ein Viertel des gegenwärtigen Reintierbestands, und nur ein Drittel von ihnen lebt von der Rentierzucht. Die wichtigste Einnahmequelle stellen die Rentiere in Enontekiö, Sodankylä und Inari dar. In Utsjoki ist die Landwirtschaft wichtiger. Im ganzen widmen sich 3.000 Familien der Rentierzucht.

Im vorigen Jahrtausend brauchte man das Rentier nur als Trag- und Zugtier oder als Lockmittel für wilde Rentiere. Als die Feuerwaffen aufkamen und die wilden Rentiere verschwanden, suchten die Lappen Zuflucht bei der Rentierzucht. Jährlich bekommt man über 200.000 Tiere zu den Rentierscheidungen, davon werden 75.000 – 80.000 geschlachtet. Aufgrund der harten Lebensbedingungen sterben manchmal viele tausend Rentiere im Jahr.

Man and life

At the time of the birth of Christ there were **Lapps** in the unsettled area of Finland, hunting and fishing, and traveling through the country in the wake of their prey. When the Finns arrived in the country the Lappish folk preferred to withdraw — as they have done to the present day — farther to the north where they could continue their life in the old way.

The southernmost settlement of Lapps in Finland is in Vuotso, to the north of Sodankylä — in the neighboring countries of Norway and Sweden the settlements of the Lapps are considerably further to the south. It is estimated that there are 3,800 Lapps in Finland but only 2,900 of them are Lappish-speaking. One special group is the Koltta-Lapps. There used to be 90 Koltta-Lapps in the second arm of Finland, the one that extended to Petsamo, but upon the area being ceded to the Soviet Union in 1944 the Koltta-Lapp families were transfered to Nellimö on the southeast shore of Lake Inari and to Sevettijärvi, a lake in the north of the Inari district.

The Lapps of Finland speak three different dialects which differ so much from each other that they can be called different languages. Some 66 % speak the so-called fell-Lappish dialect, 18 % the Inari-Lappish dialect and 16 % Koltta Lappish.

The **reindeer-herd** is the animal-stock on which the life of the Lappish people is based. The reindeer is born in the late-winter early-spring, when the snow is still crusted on the ground, and the calf stays close to its mother until the Fall. Around midsummer, when nature is beginning to green and the mosquitoes are flying, the reindeer calf is ear-marked with the same owner's-mark as its mother — the reindeer herdsmen have a roundup for ear-marking. During the summer the reindeer gets ugly-looking, its coat thickens and tangles and the animal flees its enemies, the mosquitoes and the gnats, by going up into the fells, coming down only in the cool of the evening to eat lichen and hay in the valleys. Toward fall the reindeer puts on weight, grows a new, glistening coat and gets handsome antlers. In the fall the bucks gather a herd of females around them which they defend against other rutting bucks. Sometimes the herdsmen have their round-ups at this time and combine the female-herds into one. In the late-fall, early-winter the bucks fertilize their females. and after this they lose their antlers and desert their females to lead a solitary restful existence. At the turn of the year bucks return to their females who are considerably handsomer, having preserved their antlers through to the calving time in late-winter early-spring. From November to April the Lapps gather their live-stock together for the round-ups, the colourful celebration of the Northland.

In Finland the **care of the reindeer** is not a monopoly of the Lapps — as it is in Sweden and Norway. Only a fourth of the reindeer herds are owned by Lapps nowadays and only one third of the Lapps earn their living through the care of reindeer. It is the most important source of earnings for the Lapps of Enontekiö, in Sodankylä and in Inari; in Utsjoki farming is more important. Altogether there are some 3,000 families earning their living through the care of reindeer.

Luonnon syksyinen värikkyys, **ruska**, ilahduttaa jo Etelä-Suomessakin, mutta todella erikoiseen loistokkuuteen se yltää Lapissa, missä elokuussa alkavat yöpakkaset purevat niin puut ja pensaat kuin aluskasvillisuuden punaisen ja keltaisen kaikkiin vivahteisiin. Ruskaa on pidetty jumalten työnä, leikittelynä, ja sen vuosittaista vaihtelua merkkinä tulevista ajoista, mutta — valitettavasti — selitys on yksinkertaisempi: Kesällä lehtivihreä peittää lehtien muut väriaineet, kellanpunaisen karotiinin ja keltaisen ksantofyllin, mutta syksyisten kylmien aikana lehtivihreä kulkeutuu kasvin varteen varastoon tulevaksi kesäksi. Tällöin pääsevät värit hehkumaan ja kaiken lisäksi solunesteessä syntyy sinipunaista antósyaania kuivina ja kylminä syksyinä, jolloin ruska on tavallista häikäisevämpi. Oman korostavan lisänsä tuo joskus ensi askeleitaan taivaltava talvi.

Naturens höstliga färgrikedom, **ruska,** kan glädja oss redan i Södra Finland, men till en verkligen speciellt glans når den i Lappland, där nattfrosten, som kommer i augusti, biter både träden, buskarna och markvegetationen i alla nyanser av rött och gult. Man har ansett ruskan vara gudarnas lekande spel, och i dess årliga växlingar har man sett tecken som rör kommande tider. Men — tyvärr — är förklaringen enklare än så: Om sommaren täcker det bladgröna de övriga färgämnena i bladen, det rödgula karotinet och det gula xantofyllinet, men under den kalla tiden på hösten förs det bladgröna in i växtens skaft, för förvaring till nästa sommar. Färgerna blir då glödande och till råga på allt uppkommer det i cellvätskorna blårött antosyan speciellt under torra och kalla höstar, då ruskan är mer än vanligt bländande. Ibland kan också vintern, som tar sina första steg då, ge en speciell betoning åt synen.

437

Die herbstliche Farbenpracht der Natur erfreut schon in Südfinnland das Auge des Betrachters, aber ihren wirklichen Höhepunkt erreicht die **ruska**-Zeit erst in Lappland, wo die im August einsetzenden Nachtfröste sowohl Bäume und Büsche als auch die Bodenvegetation in ein Meer von roten und gelben Farben verwandeln. Früher hielt man diese Zeit für eine Laune der Götter und das alljährlich wechselnde Farbenspiel für einen Hinweis auf kommende Zeiten, aber die Erklärung ist — leider — einfacher: im Sommer verdeckt das Blattgrün die anderen Farbstoffe der Blätter, aber während der herbstlichen Kälte wandert es in den Stiel der Pflanze. Dann brechen die anderen Farben durch, und in einem trockenen und kalten Herbst entsteht in der Zellflüssigkeit blaurotes Anthozyan, was die Landschaft noch farbenprächtiger erscheinen lässt. Der herannahende Winter verstärkt diese Wirkung.

The special colorfulness of nature in the fall, called **ruska** in Finnish, is a delight not only in South Finland but it attains a special splendour in Lapland where the night frosts which begin in August turn trees and bushes as well as the undergrowth into all the possible shades of red and yellow. In the summer the green chlorophyl in the leaves covers over all the other color-elements, the yellow-red karotine and the yellow xantophyl, but during the cold autumn periods the chlorophyl passes back into the plant to be stored for the coming summer. This leaves the other colors to glow and in addition in the cell-fluids there appears the blue-red antosyane in dry and cold autumns and then the **ruska** is more striking than ordinarily. The decorative effect of fall is often enhanced by the first steps of the approaching winter.

438

439

440

Kesän oudoksuttavan valoisuuden /374-377/ ja syksyn häikäisevän ruskan /434-440/ jälkeen luonto rauhoittuu hetkessä, vaipuu raskaaseen talviuneen. Kilpisjärven ja Inarin korkeudella punahehkuinen aurinko näyttäytyy taivaanrannassa viimeisen kerran marras—joulukuun vaihteessa ja nousee uudelleen tammikuun puolivälissä. Pohjoisimmassa kunnassa Utsjoella pitkää hämärää, **kaamosta**, kestää yli 50 vrk. Mutta pohjoinen viikkokausien

mittainen yö ei ole pimeä: eteläisellä taivaalla hehkuvat värit keskipäivällä useita tunteja, ja pimeyttä laimentavat muuna aikana valkoiset hanget, tähdet ja kuu, ja hyvin yleiset, voimakkaat revontulet, Pohjoisessa yössä näkyvät varjotkin! Kaamos laimentaa myös ihmisen elämää, mutta työ jatkuu; poroerotukset /444-446/ tuovat vastapainoksi vauhdikasta värikkyyttä.

Efter sommarens sällsamma ljusintensitet /374-377/ och höstens bländande ruska /434-440/ lugnar sig naturen plötsligt och faller i tung vintersömn. På höjd med Kilpisjärvi och Enare visar sig den rödglödande solen vid horisonten för sista gången då november skiftar i december och stiger så på nytt upp i mitten av januari. I den nordligaste socknen Utsjoki varar den långa skymningen, **kaamos,** mer än 50 dygn. Men den veckolånga natten i norr

är inte helmörk: på den sydliga himlen glöder färgerna flera timmar vid middagstid, och andra tider av dygnet dämpar de vita drivorna mörkret, liksom också stjärnorna, månen och de mycket vanliga, kraftiga norrskenen. Under natten här i norr ser man också skuggorna! Kaamos dämpar ned människornas leverne, men arbetet fortgår; renskiljningarn /444-446/ ger som motvikt fartfylld färggrannhet.

Nach der Helligkeit des Sommers /374-377/ und dem Flammenmeer im Herbst /434-440/ beruhigt sich die Natur schnell und versinkt in einen tiefen Winterschlaf. Auf der Höhe von Kilpisjärvi und Inari erscheint die rotglühende Sonne Ende November oder Anfang Dezember zum letzten Mal am Himmel und taucht erst Mitte Januar wieder auf. In der nördlichsten Gemeinde Utsjoki dauert die **Polarnacht** über 50 Tage. Aber die wochenlange

Nacht im Norden ist nicht dunkel: am südlichen Himmel leuchten mittags stundenlang Farben auf, und die Finsternis wird auch sonst durch die weissen Schneefelder, die Sterne, den Mond und die alltäglichen Nordlichter aufgehellt. Während der Polarnacht verläuft auch das Leben der Menschen ruhiger als sonst, aber die Arbeit geht weiter. Die Rentierscheidungen /444-446/ bringen einen farbenfrohen Kontrast in die düstere Zeit.

After the enchanting luminousness of summer /374-377/ and the striking colorfulness of the autumn **ruska** /434-440/ nature sinks into the deep sleep of winter. At the latitude of Kilpisjärvi and Inari the red-glowing sun appears on the horizon for the last time at the end of November or the beginning of December and does not rise again until the middle of January. In the northernmost commune, Utsjoki, the long dark sunless period, called the **kaamos**, lasts for over 50 days.

But the night which lasts for weeks in the North is not dark: the glowing colors of the southern horizon appear for several hours in mid-day and the darkness is relieved the rest of the time by white snow, the stars and the moon, and the very frequent appearances of bright northern-lights. The **kaamos** period does have a depressing effect on people but work goes on: in Lapland the reindeer round-ups /444-446/ bring with them a lot of colorfulness to compensate for the **kaamos.**

Talviset **poroerotukset** tuovat vähäilmeiseen maahan kaivattua elämää. Lapinmiehelle erotus on juhlahetki, porolle — arvattavasti — helvetti, elämän ja kuoleman arvontatilaisuus. Poroja kootaan ympäri erämaata viikkokausia yhteen, ajetaan verkalleen kohti erotuspaikkaa. Eläinten annetaan levätä yksi yö rauhassa ennen erotusta, johon ne johdetaan, yleensä vastamaahan, käyttäen houkuttimena kellohärkää, **houkutinporoa** /444/. **Tokka** seuraa kauempana /445/ joutuen joskus jopa kilometriä pitkien siulojen eli johdeaitojen väliin ja päätyen lopulta **kaarteeseen** /446/, missä se alkaa pelästyneenä kiertää ympyrää. Ja lapinväki tekee työnsä: erottaa pikkuaitauksiin omat poronsa, merkitsee korvamerkeillä vasat, tekee hirvaista härkiä ja värjää lumen punaiseksi teurastamalla omaan käyttöönsä ja paikalle oleville ostajille vuosittain neljänneksen karjastaan.

Renskiljningarna vintertid för med sig en välbehövlig livfullhet i det stelfrusna landet. För lapparna är det hela en fest, för renarna — troligen — ett hasardspel om liv och död. I veckotal samlar man in renarna runtom i ödemarken och så leds de småningom mot skiljningsplatsen. Man låter djuren vila en natt i lugn och ro före skiljningen, dit de leds lockade av en klocktjur, **lockar-renen** /444/. **Renhjorden** följer på längre avstånd /445/ och hamnar ofta i kilometerlånga ledgärden och till slut till **svängen** /446/ där djuren skrämda, börjar röra sig i cirkel. Folket skiljer då ut sina egna renar i små kättor, bränner in märken i öronen på ungrenarna, gör rentjurar till oxar och färgar snön röd genom att årligen slakta omkring en fjärdedel av djuren för eget bruk och för uppköpare som kommit till platsen.

Die **Rentierscheidungen** im Winter bringen das ersehnte Leben in das eintönige Land. Für den Lappen ist diese Prozedur ein Fest, für das Rentier eine Auslosung, bei der es um Leben und Tod geht. Die Rentiere werden wochenlang aus den Einödgebieten zusammengetrieben und zur Stelle der Rentierscheidung gebracht. Eine Nacht lang dürfen die Tiere ausruhen, bevor die eigentliche Auslese beginnt, zu der sie mit Hilfe eines **Lockrentiers** /444/ geführt werden. Die **Herde** folgt diesem /445/ durch manchmal kilometerlange Leitzäune und gerät zum Schluss in ein **Gehege** /446/, wo sie verängstigt im Kreis herumzulaufen beginnt. Dann machen sich die Lappen an die Arbeit: sie treiben die eigenen Tiere in kleine Gehege, vermerken die Anzahl in einem Buch und kennzeichnen die Kälber. Der Schnee färbt sich rot, wenn ein Viertel des Viehs jedes Jahr für den eigenen Gebrauch und für die anwesenden Käufer geschlachtet wird.

The winter **reindeer-roundup** bring longed-for life and acti to the Lapps. The round-up f the Lapp man is a festive tim for the reindeer themselves a judgment-day, when the dec ion of life or death is made. T reindeer are collected for we from around the wilderness a and are driven gradually tow the round-up stockade. The animals are allowed to rest fo one night in peace before the are driven into the round-up stockade into which they are usually using a bellwether, a **decoy reindeer** /444/. The he follows farther off /445/ con along sometimes for a distan of kilometers between long wings or guiding-fences and finally ends up in the round-u **stockade** /446/ where it begi to race around, frightened. A the Lapps do their work: they take their own reindeer into little enclosures, they mark t fawns with their ear-marks, g the males and redden the sno by slaughtering reindeer for their own use and for selling the local buyers — annually about one-fourth of their her

Raidossa liikkuminen /449/ on herätetty henkiin matkailua varten: pari kertaa talvessa pari päivää kerrallaan poron kyydissä ja yöt autiomajoissa /451/ kertovat seikkailijoille menneisyydestä. Moottorikelkat ovat nykyisin kulkuvälineinä syrjäyttäneet poron, joka entisaikaan oli ainoa mahdollinen liikkumiskeino pohjoisen pakkasessa ja hangissa.

För turisterna har man återupplivat den gamla **rajd-seden** /449/. Ett par gånger per vinter några dagar per gång kör man ut i renspann, övernattar i **ödestugorna** /451/ och äventyrslystna turister får uppleva hur det gick till förr i tiden. Motorkälkarna har nuförtiden som samfärdsmedel utträngt renen, som förr utgjorde det enda möjliga sättet att röra sig i kölden och drivorna högt i norr.

Die **Fahrt in der Schneespur** /449/ ist für den Fremdenverkehr wieder ins Leben gerufen worden: zweimal im Winter versetzen eine zweitägige Fahrt mit dem Rentierschlitten und die Nächte in den **Einödhütten** /451/ den abenteuerlustigen Touristen zurück in die Vergangenheit. Die Motorschlitten haben heutzutage das Rentier als Beförderungsmittel verdrängt. Früher stellte dieses jedoch die einzige Möglichkeit der Fortbewegung auf den Schneefeldern im Norden dar.

The practise of moving the reindeer in a **long file** /449/ h been revived for the purpose tourism: taking part in the two day treks and spending nights the wilderness huts /451/ give the traveler an experience which recreates the feeling of the past. Motor-sleds have in recent years displaced the rei deer as a mode of transportati Previously the reindeer was th only possible mode of transportation in the northern cold and frost.

452

453

Maaliskuun puolivälissä, Marianpäivänä, saamenkansan vanhana juhlapyhänä, kokoontuu **Enontekiön Hettaan** väenpaljous, jonka mukana entiset ajat tapoineen ja asusteineen elävöittävät pienen kirkonkylän muutamiksi päiviksi. Soinnikas saamenkieli voittaa suomen, väki kokoontuu kirkonmenoihinsa, markkinoillensa, kilpailee poronajossa /454/ ja suopunginheitossa /452/. Lapinmiehen puukko, jykevä leuku /453/, kiiltelee kevättalven kirkkaudessa ja katse kiintyy myös taidokkaisiin poronvaljaisiin /457/. Pukujen kuvioinnista ja väreistä voi päätellä mistä päin Lappia kukin on; saamenkansa ei tunne Suomen, Ruotsin ja Norjan rajoja niin ahdistavina kuin muut asukkaat. Saamelaista sitoo toiseen yhteinen, erikoinen elinkeino, poronhoito, mutta ennen kaikkea huoli saamelaisuuden tulevaisuudesta.

I mitten av mars, på Marie bebådelsedag, en gammal samisk festlig helgdag, samlas massor av folk i **Hetta vid Enontekis.** Där ger de några dagar liv åt forna tiders seder och dräkter, i den lilla kyrkbyn. Det klangfulla samiska språket vinner över finskan, folket samlas till kyrkgång, till marknad, man tävlar i renskjuts /454/ och i att kasta lasso /452/. Lapparnas puukkokniv, den bastanta lappkniven /453/ glimmar i vårvinterns klarhet och blicken fästes också vid de konstförfarna renseldonen /457/. Av figurerna och färgerna på dräkterna kan man bedöma varifrån i Lappland var och en kommer, samefolk känner inte gränserna mellan Finland, Sverige och Norge så besvärande som andra invåna Samerna har sitt speciella näringsfång, renskötseln, som sammanbindande faktor men framförallt omsorgen om det samiskas fortbestånd.

454

455

Mitte März am Marientag, dem alten Festtag der Lappen, versammelt sich das Volk in **Hetta** bei **Enontekiö**, und die alten Bräuche und Trachten erwecken das Kirchdorf für einige Tage zu neuem Leben. Die klangvolle lappische Sprache verdrängt das Finnische, das Volk versammelt sich zum Kirchgang und auf dem Marktplatz, und es werden Wettkämpfe im Rentierfahren /454/ und Lassowerfen /452/ veranstaltet. Das stabile Lappenmesser /453/ blitzt auf, und der Blick bleibt an den kunstvoll verfertigten Rentiergeschirren /457/ haften. An den Mustern und Farben der Trachten kann man erkennen, aus welcher Gegend Lapplands der Einzelne kommt. Für das lappische Volk sind die Grenzen nicht so eng wie für die anderen Bewohner des Nordens. Die Lappen bindet ihr gemeinsames Gewerbe, die Rentierzucht, und vor allem die Sorge um die Zukunft der lappischen Kultur aneinander.

In the middle of March, on Mary's Day, the traditional day of celebration of the Lapps, there is a great popular gathering at **Hetta** in **Enontekiö** and the customs and dress of former times enliven the little church-village for several days. The resounding Lappish speech displaces Finnish, the people gather for church ceremonies, for the market, for competitions in reindeer-driving /454/ and for throwing the lasso /452/. The **puukko**, the knife of the Lapp man /453/, is much in evidence. The harness of the reindeer is artfully arranged /457/. From the patterning and color of his dress one can tell from what part of the land of the Lapps a particular Lapp comes from. The Lapps are not so much concerned as to whether they are in Finland, Sweden, or Norway — they are still Lapps, although somewhat differently dressed. What binds the Lapps together is their common mode of life, the care of reindeer, but they are also united by concern regarding the future of the Lappish folk.

456

457

458

459

460

Valokuvaajan näkökulmasta

Tässä kirjassa on aiheeltaan kolmenlaisia valokuvia: kulttuurihistoriallisesti merkittäviä paikkoja ja nähtävyyksiä, erilaisia kansanjuhlia ja tilaisuuksia sekä Suomen eri osien tyypillisimpiä luonnonmaisemia — kaikkia lähes yhtä paljon.

Suomen voi valokuvaajan silmin katsottuna jakaa kolmeen toisistaan poikkeavaan osaan: lähes tasaiset rannikkoalueet, maastollisesti vaihtelevampi järvi-Suomi ja idässä sekä pohjoisessa oleva vaara- ja tunturialue. Tätä jakoa olen käyttänyt kirjan kuvien jaksottamisessa.

Helsingin lähistöltä kuljetaan ensin rannikkoa seuraillen länteen päin, poiketaan saariston kautta Ahvenanmaalle ja jatketaan Varsinais-Suomen sekä Pohjanmaan kautta Hailuotoon, jonne myös kuvien ensimmäinen jakso päättyy. Tällä melko järvettömällä alueella on myös merkittävä osa vanhemmista historiallisesti nähtävyyksistämme.

Järvi-Suomi monimuotoisine vesistöineen käsittää suunnilleen ympyränmuotoisen alueen. Siihen tutustutaan kuvissa etenemällä vesistöjä pitkin etelästä pohjoiseen pitäen lähtöpisteinä Tamperetta ja Lahtea. Kuvajakson lopulla siirrytään itäänpäin kohti Savoa, Saimaata ja Savonlinnaa.

Kolmannessa osassa taivalletaan Pohjois-Karjalan vaara-alueelta itärajan tuntumassa Kuusamon kautta pohjoiseen aina perimmäisen Lapin tuntureille asti. Näiltä seuduilta löytyvät myös jokiemme vielä vapaat suuret kosket.

Kuvasin tätä kirjaa varten yli 12 000 uutta otosta jo aikaisemmin arkistossani olleen kuvamateriaalin lisäksi. Kiertelin Suomea yli 30 000 kilometriä noin 200 vuorokauden ajan eri nähtävyyksiä, tilaisuuksia ja maisemia kuvaten. Teokseen valituilla kuvilla olen halunnut antaa katsojalle vaikutelman siitä, millaisena maa matkailijalle voi parhaimmillaan näyttäytyä. Mukaan on koetettu saada lähes kaikki tärkeimmät kohteet ja tilaisuudet aina Helsingin vapunvietosta Enontekiön saamelaisjuhliin ja Ahvenanmaan käsityöläispäivistä Tuupovaaran rajakarjalaisiin häihin.

Joutuessani matkoillani vertailemaan eri paikkoja ja tilaisuuksia havaitsin, että Suomeen tutustumista yrittävä matkailija voi olla melkoisissa vaikeuksissa. Hänen on useinkin valittava matkakohteensa käsiinsä saamansa tiedotusmateriaalin pohjalta, ilman että hän voi mitenkään vertailla eri paikkoja keskenään. Mielestäni meiltä puuttuu selvä eri kohteiden ja nähtävyyksien vertailu- tai luokitusjärjestelmä. Ainakin tähän saakka näyttää matkailuviranomaisten ja järjestöjen tarkoituksena olleen koettaa levittää matkailijoita mahdollisimman tasaisesti kaikkialle maahan, lähes jokaiseen kuntaan, ja 'keksiä' kohteita sieltäkin, missä niitä ei todellisuudessa ole. Tämä ei voi olla oikein, ei kenenkään kannalta. Parempi olisi yrittää rehellisesti luokitella matkailukohteet ja keskittää todella hyvä palvelu sitten näiden tuntumaan. Ei pitäisi olla mahdotonta päätellä eri tilaisuuksien aitoutta, nähtävyyksien merkittävyyttä tai maisemapaikkojen antia. Mielestäni näin tarkasteltuna voisivat ensimmäisessä luokassa olla vain ainutlaatuiset, Suomelle ominaiset kohteet, esim. tukkilaiskisat, Kaustisen kansanmusiikkijuhla, parhaat sisävesilaivareitit, ruska-aika tuntureilla, Pyhän Laurin ja Pyhän Ristin harmaakivikirkot tms.

Toisen luokan nähtävyydet olisivat sitten esim. korkealle kansalliselle tasolle arvostettuja kohteita, jollaisia löytyy jo useampiakin eri puolilta Suomea, koskenlasku, parhaat näköalapaikkamme, muutama aito kotiseutumuseo, komeimmat harjumme.

Kolmas luokka edustaisi lähinnä hyvää paikallista tasoa, näitä kohteita esiintyy yleisesti kautta maan (useat kirkot, paikalliset erikoisuudet kuten pienet kosket, ylisuuret puut, pitäjän juhlat ym.

Toinen matkailijalle koituva turha vaikeus aiheutuu siitä, etteivät tieviranomaiset ole nähtävyyksien merkitsemisessä ajan tasalla. Säännöksiä olisi muutettava siten, että kohteiden merkitseminen voi tapahtua nykyistä selkeämmin ja riittävän laajalti. Ainakin minulta vaati melkoista sisua ja kärsivällisyyttä löytää joitakin huomattavia kohteita puuttuvien opasteiden takia. Vähitellen voitaisiin myös eri nähtävyyksien aukioloajat yhtenäistää koko maassa. Läheskään kaikkien kuntien matkailuasiat eivät ole vielä siinä kunnossa kuin paikkakunnalle tullut kulkija voisi kohtuudella toivoa.

Tässä kirjassa keskitytään lähes yksinomaan vain ensimmäisen ja toisen luokan kohteiden esittelyyn — kolmannesta ei juuri ole aiheita mukaan mahtunut. Tarkoituksena on ollut esittää kunkin aiheryhmän todella laadukkaita esimerkkejä liikaa toistoa välttäen. Suuremmissa kaupungeissa oleviin erikoismuseoihin ei ole voitu tarkemmin puuttua ja esim. joka pitäjässä olevista kirkoista on mukaan voitu ottaa vain muutama. Samoin on laita nykyarkkitehtuurimme kohdalla. Kirjassa ei myöskään laajemmin esitetä niitä kohteita, joista on jo olemassa omat teoksensa. Niin ikään ovat monet kansan- ja luonnonpuistomme mukana vain muutamalla näytteellä. Kaupunkielämä sekä teollisuus puuttuvat myös, koska ne käsitykseni mukaan lähes joka maassa ovat niin yksi-ilmeisiä, etteivät ne tässäkään yhteydessä olisi tuoneet olennaista lisää Suomen erikoispiirteisiin.

Maisemakuvilla on koetettu luonnehtia maan eri osille ominaisia piirteitä ja alkuperäistä luontoa siellä, missä sitä vielä on jäljellä. On ollut järkyttävää havaita se piittaamattomuus ja lyhytnäköisyys, millä monet meistä suomalaisista toimivat ainutlaatuista luontoamme kohtaan. Jo nyt on vaikea löytää puhdasvetistä järveä tai ehjää, kaunista koivikkoa, luonnontilassa olevaa koskea tai puhdaspiirteistä horisonttia.

Kun maisemakuvissani on mukana ihminen, olen kuvannut hänet useimmiten melko pienenä korostaakseni itse maisemaa. Käsitän luonnon ja luonnonvarat kaiken olemassaolon perustaksi. Niiden varovainen ja harkittu käyttö ratkaisee myös tulevien sukupolvien elämisen mahdollisuudet. Nykyaikaa voimakkaasti hallinnut käsitys, jossa tämän päivän ihminen koetaan kaiken luonnonjärjestyksen keskipisteeksi, on vääristynyt. Se aiheuttaa ajallemme tyypillisen ristiriitatilanteen missä luontoa vastaan rikotaan monin tavoin vain ihmisen etua tavoitellen. Olisi ollut varsin helppoa kuvata kirjassa oleva kuvamäärä aivan asutuksen liepeiltä, jätevuorista, paljaaksi hakatuista metsäraiskioista, läpi kaivetuista soraharjuista ja kaikista niistä lukemattomista tavoista joilla elinympäristöämme päivittäin turmellaan.

Toivon kuitenkin, että tässä kirjassa olevat ehjää, alkuperäistä luonnonmaisemaa esittävät kuvat muistuttaisivat katsojaa siitä, millaisena meidän tulisi säilyttää tämä perinnöksi saamamme, monivivahteinen ja kaunis maa.

Haluan myös kiittää kaikkia niitä henkilöitä, jotka kuvausmatkojeni varrella ovat antaneet erilaista apua ja erityisesti vaimoani, jonka panos työn käytännöllisessä toteuttamisessa on ollut varsin suuri.

Inkoo, kesäkuussa 1975.
Matti A. Pitkänen

Motivmässigt sett har vi tre slag av fotografier i denna bok: kulturhistoriskt betydelsefulla platser och sevärdheter, olika folkliga fester och tilldragelser samt de mest typiska naturvyerna från olika delar av Finland. De är fördelade ungefär lika.

Sett med fotografens öga kan Finland indelas i tre från varandra avvikande delar: de nästan plana kustområdena, det terrängmässigt mera varierade Sjöfinland och det i öster och norr belägna höglandet. Denna disposition har jag använt vid indelningen av bilderna i boken.

Från Helsingfors omgivningar rör vi oss först längs kusten mot väster, vi gör en avstickare via skärgården till Åland och fortsätter till Egentliga Finland samt via Österbotten till Karlö (Hailuoto) och där slutar den första räckan av bilder. På detta sätt sjöfria område har vi också en betydande del av våra gamla historiska sevärdheter.

Sjöfinland med sina mångformade vattendrag omfattar ett ungefär cirkelformat område. I bilderna bekantar vi oss med det genom att avancera längs vattendragen från söder mot norr, varvid Tammerfors och Lahtis utgör startpunkter. I slutet av bildräckan förflyttar vi oss österut mot Savolax, Saimen och Nyslott.

I den tredje delen färdas vi från norra Karelens höglandsområde nära inpå östgränsen via Kuusamo mot norr ända till de mest avlägsna lapska fjällområdena. I dessa trakter finner vi också våra älvars alltjämt fria, stora forsar.

För denna bok knäppte jag mer än 12.000 nya fotografier till det bildmaterial som jag från förr hade i mitt arkiv. Jag färdades runt Finland mer än 30.000 kilometer och fotograferade under ca 200 dygn olika sevärdheter, tilldragelser och landskap. Med de bilder som valts för boken har jag velat ge betraktaren ett intryck av hur detta land visar sig för en turist, då det är som bäst. Jag har försökt få med alla de viktigaste motiven och skeendena alltifrån förstamaj-firandet i Helsingfors till samefestligheterna i Enontekis och från hantverkardagarna på Åland till de gränskarelska bröllopen i Tuupovaara.

När jag under dessa mina resor kom att jämföra olika platser och tilldragelser observerade jag, att den turist som försöker bekanta sig med Finland kan råka i rätt stora svårigheter. Han måste ofta välja sina resemål på basen av det informationsmaterial som han råkat få i sin hand, utan att han på något sätt kan jämföra olika platser med varandra. Enligt min mening saknar vi ett klart jämförelse- och klassificeringssystem för de olika målen och sevärdheterna. Det verkar som om de höga vederbörande som sköter turismen i varje fall hittills skulle ha haft den meningen, att man borde försöka sprida ut turisterna så jämnt som möjligt till alla delar av landet, nästan till varje kommun och "hitta på" turistmål också där, som man i själva verket inte har några. Detta kan inte vara riktigt, inte ur någons synvinkel. Det vore bättre att ärligt försöka klassificera turistmålen och sedan koncentrera en verkligt god service till grannskapet av dem. Det borde inte vara omöjligt att avgöra äktheten i olika tilldragelser, sevärdheternas relevans och det landskapsvyerna kan ge turisten. Granskade på detta sätt kunde, enligt min mening, som förstklassiga sevärdheter inrymmas endast de unika, för Finland typiska resemålen såsom t.ex. stockflottningstävlingarna, folkmusikfestivalen i Kaustby, de bästa insjöfartygsrutterna, höstprakt-tiden i fjällen, Den Heliga Laurentius och Det Heliga Korsets gråstenskyrkor och dylikt.

Som sevärdheter av andra klass skulle man sedan ha t.ex. resemål som värderas högt på en nationell nivå, sådana finner man redan i stor mängd på olika håll i Finland (forsfärder, de främsta utsiktsplatserna, några äkthetspräglade hembygdsmuseer, våra ståtligaste åsar m.m.).

Den tredje klassen skulle främst representera god lokal nivå, sådana resemål finns det rikligt av överallt i landet (många kyrkor, lokala specialiteter såsom smärre forsar, speciellt stora träd, sockenfestligheter m.m.)

I denna bok koncentrerar vi oss nästan enbart på att presentera resemål av första och andra klass — motiv från tredje klassens mål har knappast alls rymts med. Meningen har varit, att framvisa verkligt högklassiga exempel från varje motivgrupp med undvikande av alltför mycken upprepning. Det har varit omöjligt att närmare befatta sig med de specialmuseer som finns i de större städerna och av t.ex. kyrkorna, som finns i varje socken, har bara några få kunnat tas med. På samma sätt har vi fått lov att behandla vår nutidsarkitektur. I boken presenteras inte heller utförligare de turistmål, om vilka man utgivit speciella verk. Likaså är många av våra folk- och naturparker med endast genom några få expositioner. Stadslivet och industrin saknas också, emedan de enligt min uppfattning i nästan varje land visar så likartade drag, att inte heller de i detta sammanhang skulle ha fogat någonting väsentligt till Finlands specialdrag.

Genom landskapsvyerna har vi försökt karaktärisera de för olika delar av landet speciella dragen och den ursprungliga naturen på platser där den ännu finns bevarad. Det har varit upprörande att observera den liknöjdhet och den kortsynthet med vilken många av oss finländare handlar, då det gäller vår unika natur. Redan nu är det svårt att finna en sjö med helt rent vatten eller en ostörd, vacker björkdunge, en fors som befinner sig i sitt naturtillstånd eller en renlinjig horisont.

Då människan finns med i mina landskapsbilder, har jag oftast avtecknat henne liten, för att poängtera själva landskapet. Jag uppfattar naturen och naturens gåvor som grundstenen för hela vår tillvaro. Ett försiktigt och välövertänkt användande av dem avgör också de kommande generationernas möjligheter att leva. Den uppfattning som kraftigt behärskat nutiden, enligt vilken vår tids människa uppfattas som medelpunkten i hela naturordningen, är förvriden. Den åstadkommer en för vår tid typisk konfliktsituation inom vilken man på många sätt förbryter sig mot naturen enbart för att uppnå förmåner för människan. Det kunde ha varit mycket lätt att fotografera bildmaterialet i boken alldeles i närheten av bosättningen, avfallsberg, kalhuggna skogsskövlingar, grusåsar som man grävt sig rakt igenom och alla de oräkneliga sätt på vilka vår levnadsomgivning dagligen fördärvas.

Jag hoppas trots allt, att de i denna bok befintliga bilderna som visar det ofördärvade, ursprungliga naturlandskapet skulle påminna betraktaren om i vilket skick vi borde bevara detta mångskiftande och vackra land, som vi fått i arv.

Ingå, i juni 1975
Matti A. Pitkänen

Aus der Perspektive des Fotografen

Die Fotografien in diesem Buch lassen sich in drei verschiedene Motivgruppen einteilen: kulturgeschichtlich bemerkenswerte Orte und Sehenswürdigkeiten, verschiedene Volksfeste und Veranstaltungen sowie einige von den typischsten Landschaften in den verschiedenen Teilen Finnlands.

Finnland besteht — mit den Augen eines Fotografen gesehen — aus drei Teilen, die sich voneinander unterscheiden: den beinahe ebenen Küstengebieten, der landschaftlich abwechlungs-reicheren Finnischen Seenplatte sowie dem im Osten und im Norden liegenden Berg- bzw. Fjällgebiet. Diese Einteilung habe ich bei der Anordnung der Aufnahmen in diesem Buch benutzt.

Von der Umgebung Helsinkis aus fahren wir zunächst an der Küste entlang nach Westen, machen über das Schärengebiet einen Abstecher nach Ahvenanmaa und setzen unsere Reise dann über das Eigentliche Finnland und Pohjanmaa fort nach Hailuoto, wo auch die erste Bilderserie zu Ende geht. In diesem Gebiet, das verhältnismässig arm an Seen ist, liegt der bedeutendste Teil unserer alten historischen Sehenswürdigkeiten.

Die Finnische Seenplatte mit ihren mannigfaltig geformten Gewässern umfasst ein beinahe kreisförmiges Gebiet. Wir lernen es auf den Bildern kennen, indem wir an den Seen entlang von Süden nach Norden vorstossen; als Ausgangspunkte dienen uns dabei Tampere und Lahti. Am Ende dieser Bilderserie wenden wir uns nach Osten in Richtung auf Savo, den Saimaa und Savonlinna.

Im dritten Teil streifen wir vom Berggebiet Nord-Kareliens in der Nähe der Ostgrenze über Kuusamo nach Norden bis zu den Fjälls im nördlichsten Lappland. In diesen Gegenden befinden sich die noch ungebändigten grossen Wasserfälle unserer Flüsse.

Für dieses Buch habe ich über 12 000 neue Aufnahmen zusätz-lich zu dem schon früher in meinem Bildarchiv vorhandenen Material gemacht. Ich habe in rund 200 Tagen über 30 000 Kilo-meter in Finnland zurückgelegt und dabei die verschiedensten Sehenswürdigkeiten, Veranstaltungen und Landschaften foto-grafiert. Mit den Aufnahmen, die für den Band ausgewählt wurden, wollte ich dem Betrachter einen Eindruck davon vermitteln, wie sich das Land dem Touristen in seiner schönsten Form darbieten kann. Ich habe versucht, alle wichtigsten Orte und Veranstaltungen vom Vappufest in Helsinki bis zu den Festen der Lappen in Enontekiö und von den Tagen der Hand-arbeiter auf Ahvenanmaa bis zu den Hochzeiten von Tuupovaara im Karelischen Grenzgebiet mit in das Buch zu bekommen.

Es war beabsichtigt, von jeder Motivgruppe wirklich erstklassige Beispiele vorzustellen, ohne in Wiederholungen zu verfallen. Die Spezialmuseen in den grösseren Städten konnten nicht einge-hender behandelt werden, und von den Kirchen, die es in jedem Kirchspiel gibt, konnten nur einige aufgenommen werden. Genau so verhält es sich mit unserer modernen Architektur. Im Buch werden auch keine Ziele vorgestellt, für die schon eigene Werke existieren. Unsere zahlreichen Volks- und Naturschutzparks sind ebenfalls nur mit einigen Beispielen vertreten. Das städtische Leben und die Industrie fehlen deshalb, weil sie meiner Meinung nach in fast allen Ländern so gleich sind, dass sie auch in diesem Zusammenhang zu Finnlands Besonderheit nichts Wesentliches hinzugefügt hätten.

Die Landschaftsbilder sollen die für die verschiedenen Landesteile charakteristischen Züge und die ursprüngliche Natur wiedergeben, wo es diese noch gibt. Es war erschütternd, die Gleichgültigkeit und Kurzsichtigkeit festzustellen, mit der viele Finnen ihrer einzigartigen Natur gegenüberstehen. Schon jetzt ist es schwer, einen See mit sauberem Wasser oder ei unberührtes, schönes Birkengehölz, einen Wasserfall in natür-lichem Zustand oder einen sich klar abzeichnenden Horizont zu finden.

Wenn auf meinen Landschaftsbildern der Mensch mit dabei ist, habe ich ihn meistens ziemlich klein dargestellt, um die Landschaft selbst zu betonen. Für mich sind die Natur und die Bodenschätze die Grundlage all unserer Existenz. Ihre vorsichtige und überlegte Ausnutzung ist auch für die Lebensmöglichkeiten der kommenden Generationen ausschlaggebend. Die heut-zutage vorherrschende Ansicht, dass der Mensch der Mittel-punkt des ganzen Natursystems sei, ist falsch. Sie ruft die für unsere Zeit typische Konfliktsituation hervor, in der auf vielfache Weise gegen die Natur verstossen wird, nur weil man Vorteile für den Menschen erstrebt. Es wäre sehr leicht gewesen, die Bilder für dieses Buch ganz in der Nähe der menschlichen Besiedlung aufzunehmen, z.B. von Müllbergen, abgeholzten Stellen im Wald, abgetragenen Kiesrücken und all den unzähligen Arten, wie unsere Umgebung täglich verschandelt wird.

Ich hoffe jedoch, dass die Bilder in diesem Buch, auf denen die unberührte, ursprüngliche Landschaft dargestellt ist, den Betrachter daran erinnern, wie wir dieses uns als Erbe über-lassene abwechslungsreiche und schöne Land bewahren sollten.

Inkoo, im Juni 1975
Matti A. Pitkänen

From the viewpoint of the photographer

There are three sorts of photographs in this book according to their subject: there are places and sights significant for their cultural and historical importance; there are pictures of different folk-ceremonies and events and there are photographs of various typical landscapes from the different parts of Finland — about the same amount of each.

As viewed by the photographer Finland divides into three parts which differ from each other: the almost flat shore-areas; the more variegated lake-country of Finland and the hill and fell area in the east and in the north. I have used this division in dividing up the pictures in this book.

I went from the outskirts of Helsinki first, following along the shore toward the west, then crossing over to the Åland Islands via the archipelago and continued into Finland Proper and then by way of Ostrobothnia to Hailuoto, where the first division of the pictures ended. This area with almost no lakes in it has the most important of our older historical sights.

The lake-country of Finland with its waterways of many different shapes makes up an almost circular area. Its acquaintance is made in the pictures of this book recapitulating a journey along the waterways from south to north with the starting-points being Tampere and Lahti. At the end of this division the shift is made to the east to Savo, Saimaa and Savonlinna.

In the third part the journey goes from the hill-area of North Karelia, making the acquaintance of the eastern boundary region, and then via Kuusamo to the north as far as the most distant fells of Lapland. It is in these areas that the great untrameled rapids of our rivers are still to be found.

I took over 12,000 snapshots for the purposes of this book in addition to the materials which were already in my picture-files. I traveled over 30,000 kilometers in Finland spending about 200 days taking pictures of different sights, occasions and landscapes. In selecting the pictures for this work I have aimed at giving to the person who looks at them an impression of how Finland can appear at its best to the traveller. I have attempted to include almost all the most important occasions in Finland, ranging from the celebration of May Day in Helsinki to the Lapp festivals in Enontekiö and from the handicrafts festival in the Åland Islands to the wedding-ceremonies in the Karelian border-area at Tuupovaara.

It has been my purpose to present subjects of each topic-group which are examples of truly high quality, avoiding unnecessary repetition. I have made no real attempt to intervene in the areas covered by the special museums in the larger cities and for example of all the churches which are in every parish it has been possible to include pictures of only a few. The same is the case as regards examples of Finnish modern architecture. No attempt has been made to give very much coverage to items to which whole books of their own have been devoted. Thus I have included only a few pictures of the many national parks and the nature preserves. City-life and industry are also largely lacking because in my opinion city-life and industry nowadays are so similar in every country that there would be no point in including such items in a book aiming at showing the special character of Finland.

In my landscape photographs I have endeavoured to give a picture of the characteristic features and original character of nature where it is still unspoiled. It has been shocking to observe the indifference and shortsightedness with which many of us Finns have treated our natural inheritance. It is already becoming difficult to find pure-water lakes or untouched beautiful groves, forests still in a natural state or horizons with pure unspoiled features.

Whenever I have had to include people in my photographs I have most frequently portrayed them as being rather little, thus emphasizing the importance of the landscape. I view nature and the resources of nature as being the fundamental basis of our whole existence. It is only by treating these resources with care and consideration that they will be made available for the use of coming generations. The presently prevailing concept that man, and man of the present day, is the focal point of the whole natural system is false. It is the basis of the typical contradictory situation of the present day in which nature is violated in many ways aiming only at the interest of man. It would have been very easy, while I was engaged in taking the photographs for this book, at the same time to take photographs of outskirts of human settlement with their mountains of waste and of the hacked-bare forest-areas, the gravel-ridges which have been mined through and of all of the innumerable ways in which our natural environment is daily being spoiled.

I hope nevertheless that the pictures in this book which present our whole, authentic and untouched natural features will serve to remind the viewer of how the beautiful country which we have inherited, with all its many overtones, should be preserved.

Inkoo, June 1975
Matti A. Pitkänen

PITKÄNEN, Matti A., s. 1930, Helsinki, valokuvaaja FRPS

Ulkomaiset valokuvajärjestöjen jäsenyydet ja arvot:

The Royal Photographic Society of Great Britain 1952 —, jossa Associated (ARPS) -tutkinto 1953 ja Fellow (FRPS) tutkinto 1959. The Photographic Society of America 1954 —, jossa 5 Star Exhibitor of PSA -tutkinto mustavalkoisilla kuvilla 1963 ja 3 Star Exhibitor of PSA -tutkinto värikuvilla 1970.

Kunniajäsen Tanskassa, Belgiassa, Itävallassa ja Singaporessa toimivissa valokuvajärjestöissä.

Ulkomaiset valokuvanäyttelyt

Yksityisnäyttelyt Saksan Liittotasavallassa 1965, Jugoslaviassa 1967, Belgiassa 1967 ja 1970, Ranskassa 1968, Ruotsissa 1969, Italiassa 1969 ja 1972, Uudessa Seelannissa 1970 ja Neuvostoliitossa 1975.

Osallistuminen n. 650 kansainväliseen valokuvanäyttelyyn kaikkialla maailmassa vuosina 1952—1975, joissa on ollut näytteillä n. 1200 mustavalkoista ja n. 350 värivalokuvaa. Näissä näyttelyissä saatu 50 kulta-, 25 hopea- ja 30 pronssimitalia, lisäksi muita erikoispalkintoja ja n. 50 kunniakirjaa.

Kuvakokoelmia talletettu museoihin ja kokoelmiin Ruotsissa, Ranskassa, Yhdysvalloissa, Tanskassa, Itävallassa ja Australiassa.

Kotimainen toiminta

Helsingin Kameraseuran jäsen 1949 —, pj. 1964 — 65, Valtion Kamerataidetoimikunnan jäsen 1968 — 70. Yksityisnäyttelyt Helsingissä vuosina 1959, 1963, 1966, 1967, 1969, 1971 ja 1972. Valtion 3-vuotinen taiteilija-apuraha 1974 — 76, valtion taiteilijapalkinto 1967 ja 1971. Helsingin kaupungin Helsinki-palkinto 1975.

Julkaisut

'Seitsemän auringon yö' 1966, 'Iltakirjaimia' 1968, 'Valkoturkki' 1970, 'Suurkuha' 1972, 'Suomalainen maisema' 1973 ja 'Suomalaisia kuvia' 1975.

PITKÄNEN, Matti A., f. 1930, Helsingfors, fotograf FRPS

Medlemskap i utländska foto-organisationer och lärdomsgrader

The Royal Photographic Society of Great Britain 1952 —, vid vilken Associated (ARPS) -examen 1953 och Fellow (FRPS) -examen 1959. The Photographic Society of America 1954 —, vid vilken 5 Star of Exhibitor of PSA -examen med svartvita bilder 1963 och 3 Star Exhibitor of PSA-examen med färgbilder 1970.

Hedersmedlem i foto-organisationer verksamma i Danmark, Belgien, Österrike och Singapor.

Utländska fotoutställningar

Privata utställningar i Tyska förbundsrepubliken 1965, Jugoslavien 1967, Belgien 1967 och 1970, Frankrike 1968, Sverige 1969, Italien 1969 och 1972, Nya Zeeland 1970 och Sovjetunionen 1975.

Har deltagit i ca 650 internationella fotoutställningar överallt i världen under åren 1952 — 1975, härvid exponerat ca 1200 svartvita och ca 350 färgfotografier. Erhållit 50 guld-, 25 silveroch 30 bronsmedaljer under dessa utställningar, dessutom andra specialpris och ca 50 hedersdiplom.

Bildsamlingar deponerade på museer och samlingar i Sverige, Frankrike, Förenta Staterna, Danmark, Österrike och Australien.

Verksamhet i hemlandet

Medlem i Helsingfors Kamerasällskap 1949 —, ordf. 1964 — 65, medlem i Statens Kamerakonstkommission 1968 — 70. Privata utställningar i Helsingfors åren 1959, 1963, 1966, 1967, 1969, 1971 och 1972. Statens 3-åriga konstnärsstipendium 1974 — 76, statens konstnärspris 1967 och 1971, Helsingfors stads Helsingfors-pris 1975.

Publikationer

'Seitsemän auringon yö' 1966 (Sjusolsnatten), 'Iltakirjaimia' 1968 (Kvällsbokstäver), 'Valkoturkki' 1970 (Den vitpälsade), 'Suurkuha' 1972 (Jättegösen), 'Suomalainen maisema' 1973 (Det finländska landskapet) och 'Suomalaisia kuvia' 1975 (Finland i bild).

PITKÄNEN, Matti A., geb. 1930, Helsinki, Fotograf FRPS

Mitgliedschaft in ausländischen fotografischen Organisationen und Diplome:

The Royal Photographic Society of Great Britain 1952-, 1953 das Associated (ARPS) -Examen und 1959 das Fellow (FRPS)-Examen. The Photographic Society of America 1954-, 1963 das 5 Star Exhibitor of PSA -Examen mit Schwarzweissaufnahmen 1963 und 1970 das 3 Star Exhibitor of PSA-Examen mit Farbaufnahmen.

Ehrenmitglied fotografischer Organisationen in Dänemark, Belgien, Österreich und Singapore.

Fotoausstellungen im Ausland

Privatausstellungen in der Bundesrepublik Deutschland 1965, Jugoslawien 1967, Belgien 1967 und 1970, Frankreich 1968, Schweden 1969, Italien 1969 und 1972, Neuseeland 1970 und der Sowjetunion 1975.

Teilnahme an ca. 650 internationalen Fotoausstellungen überall in der Welt in den Jahren 1952-1975, dabei wurden ca. 1200 Aufnahmen in Schwarzweiss und ca. 350 in Farbe gezeigt. Auf diesen Ausstellungen wurden 50 Gold-, 25 Silber- und 30 Bronzemedaillen errungen, ausserdem andere Spezialauszeichnungen und ca. 50 Ehrenurkunden.

Bilderkollektionen sind in Schweden, Frankreich, den Vereinigten Staaten, Dänemark, Österreich und Australien aufbewahrt.

Tätigkeit im Inland

Mitglied der Filmvereinigung Helsinki 1949-, Vorsitzender 1964-65, Mitglied des Staatlichen Filmkunstausschusses 1968 — 70. Privatausstellungen in Helsinki in den Jahren 1959, 1963, 1966, 1967, 1969, 1971 und 1972. Staatliches Kunststipendium für 3 Jahre 1974-76, Staatlicher Kunstpreis 1967 und 1971. Helsinki-Preis der Stadt Helsinki 1975.

Veröffentlichungen

'Seitsemän auringon yö' 1966 (Die Nacht der sieben Sonnen), 'Iltakirjaimia' 1968 (Abendbuchstaben), 'Valkoturkki' 1970 (Der weisse Pelz), 'Suurkuha' 1972 (Der grosse Zander), 'Suomalainen maisema' 1973 (Die finnische Landschaft) und 'Suomalaisia kuvia' 1975 (Finnland in Bildern).

PITKÄNEN, Matti A., born in 193[0] Helsinki, Photographer, FRPS

Memberships and Citations in Photography Associations abroad

The Royal Photographic Society [of] Great Britain 1952-, Associate (A[RPS]) 1953; Fellow (FRPS) 1959. The Ph[oto]graphic Society of America 1954[-,] 5-star Exhibitor (black-and-white photographs) 1963; 3-star Exhibit[or] (color photographs) 1970. Honor[ary] member of photography organiza[tions] in Denmark, Belgium, Austria an[d] Singapore.

Photographic exhibitions abroad

Private exhibitions in West Germ[any] in 1965, Yugoslavia in 1967, Belgi[um] 1967 and 1970, France in 1968, Sw[eden] in 1969, Italy in 1969 and 1972, New Zealand in 1970 and in the Soviet Union in 1975. Participation in so[me] 650 international photography exhibitions all over the world 195[2-] 1975, exhibiting about 1200 black[-] and-white and over 350 color-pho[to]graphs. Received 50 gold-medals, 25 silver-medals and 30 bronze-m[edals] in these exhibitions as well as oth[er] special prizes and over 50 diplom[as.] Collections of Matti Pitkänen's photographs are in museums and collections in Sweden, France, US[A,] Denmark, Austria and Australia.

Activity in Finland

Member Helsinki Camera Society 1949-, Chm. 1964-65, Member Sta[te] Photography Committee 1968-70. Private exhibitions in Helsinki in 1959, 1963, 1966, 1967, 1969, 1971 an[d] 1972. State 3-year Artist Grant 1974-76, State Artist Prize 1967 and 1971. City of Helsinki Helsinki-Award 197[5.]

Publications: Books

'Seitsemän auringon yö' (Night of Seven Suns) 1966; 'Iltakirjaimia' (Letters of Evening) 1968; 'Valkot[urkki]' (The White Fur) 1970; 'Suurkuha' [(The] Giant Pike) 1972; 'Suomalainen maisema' (The Finnish Landscap[e)] and 'Suomalaisia kuvia' (Finland i[n] Pictures) 1975.